빠작 초등 국어 비문학 독해 **무료 스마트러닝**

첫째 QR코드 스캔하여 1초 만에 바로 강의 시청

둘째 최적화된 강의 커리큘럼으로 학습 효과 UP!

지문 분석 강의
- 비문학 영역별 지문 분석을 통한 바른 독해법 강의
- 설명문, 논설문 등 문종별 지문 분석과 배경지식 제공

빠작 초등 국어 **비문학 독해 3단계** 강의 목록

빠작 초등 국어 비문학 독해 3단계 **학습 계획표**

학습 계획표를 따라 차근차근 독해 공부를 시작해 보세요.
빠작과 함께라면 비문학 독해, 어렵지 않습니다.

지문명	학습한 날			교재 쪽수	지문명	학습한 날			교재 쪽수
잘못된 높임 표현	**1일차**	월	일	012 ~ 015쪽	기업의 역할과 사회적 책임	**21일차**	월	일	094 ~ 097쪽
'감쪽같다'의 유래	**2일차**	월	일	016 ~ 019쪽	지역 화폐의 목적과 특징	**22일차**	월	일	098 ~ 101쪽
훈민정음의 의미와 창제 정신	**3일차**	월	일	020 ~ 023쪽	화산 폭발 실험	**23일차**	월	일	102 ~ 105쪽
우리말 색채어의 종류와 특징	**4일차**	월	일	024 ~ 027쪽	자석을 이용한 나침반의 원리	**24일차**	월	일	106 ~ 109쪽
고대 문명을 발생시킨 강	**5일차**	월	일	028 ~ 031쪽	소리의 발생과 전달 원리	**25일차**	월	일	110 ~ 113쪽
신라 화랑도의 역사적 의의	**6일차**	월	일	032 ~ 035쪽	음식물이 소화되는 과정	**26일차**	월	일	114 ~ 117쪽
만리장성이 지어진 이유와 과정	**7일차**	월	일	036 ~ 039쪽	석빙고에 담긴 과학적 원리	**27일차**	월	일	118 ~ 121쪽
고구려를 계승한 발해의 역사	**8일차**	월	일	040 ~ 043쪽	자전거의 과학적 원리	**28일차**	월	일	122 ~ 125쪽
강화도에 있는 고조선의 유적	**9일차**	월	일	044 ~ 047쪽	애니메이션의 종류	**29일차**	월	일	128 ~ 131쪽
선거의 원칙의 의미와 필요성	**10일차**	월	일	048 ~ 051쪽	경복궁의 주요 건물들	**30일차**	월	일	132 ~ 135쪽
미래 직업을 위한 자세	**11일차**	월	일	052 ~ 055쪽	예술의 도시 파리	**31일차**	월	일	136 ~ 139쪽
귀촌, 귀농 현상의 원인과 의의	**12일차**	월	일	056 ~ 059쪽	농구의 경기 방법	**32일차**	월	일	140 ~ 143쪽
생활 속 장애인 편의 시설	**13일차**	월	일	060 ~ 063쪽	정선의 진경산수화	**33일차**	월	일	144 ~ 147쪽
악성 댓글의 심각성과 해결 방안	**14일차**	월	일	064 ~ 067쪽	「대동여지도」를 만든 김정호	**34일차**	월	일	148 ~ 151쪽
반려동물을 대하는 올바른 자세	**15일차**	월	일	068 ~ 071쪽	피아노의 시인 쇼팽	**35일차**	월	일	152 ~ 155쪽
기후에 따른 옷차림	**16일차**	월	일	072 ~ 075쪽	천재 시인 허난설헌	**36일차**	월	일	156 ~ 159쪽
정월 대보름에 즐기는 놀이	**17일차**	월	일	076 ~ 079쪽	빙하가 녹는 원인, 지구 온난화	**37일차**	월	일	160 ~ 163쪽
온라인 비대면 수업의 형태	**18일차**	월	일	080 ~ 083쪽	태양열 에너지의 특징과 전망	**38일차**	월	일	164 ~ 167쪽
누리 소통망의 특징	**19일차**	월	일	084 ~ 087쪽	해양 오염의 원인과 심각성	**39일차**	월	일	168 ~ 171쪽
물물 교환의 한계와 의의	**20일차**	월	일	090 ~ 093쪽	업사이클의 활용 분야와 의의	**40일차**	월	일	172 ~ 175쪽

초등 국어

비문학 독해

3단계

3·4학년

바른 독해의 빠른 시작,

〈빠작 초등 국어 독해〉를 추천합니다

독해 교재의 홍수 속에서 보석을 하나 찾은 느낌입니다. 『빠작 초등 국어 독해』는 **문학과 비문학을 나누어 초등학생 눈높이에 맞게 만든 독해 전문 교재**라는 생각이 드네요. 특히 지문의 핵심 내용을 이해하는 것은 물론 깊이 있는 배경지식까지 쌓을 수 있도록 섬세하게 구성한 점이 굉장히 마음에 듭니다. 『빠작 초등 국어 문학 독해』와 『빠작 초등 국어 비문학 독해』로 문학과 비문학의 독해 방법을 바르게 배워 보세요.

김소희 원장 | 한올국어학원

최근 수능에서 국어 영역이 가장 까다롭기로 유명합니다. 이런 국어를 잘하려면 무엇보다도 독해력을 길러야 합니다. 특히 문학은 작가가 전하는 주제를 파악하는 것이 중요합니다. 『빠작 초등 국어 문학 독해』는 다양한 갈래의 작품을 읽고, **작품의 구성 요소를 파악해 중심 내용을 스스로 정리해 보는 지문 분석 훈련**을 할 수 있어 좋습니다. 『빠작 초등 국어 문학 독해』로 까다로워진 수능 국어 영역을 지금부터 대비하시기 바랍니다.

하승희 원장 | 리딩아이국어논술학원

독해 능력은 글 읽기를 두려워하지 않는 데에서 출발합니다. 그리고 좋은 제재의 글을 읽으며 호기심과 즐거움을 느낄 때 독해는 완성되지요. 『빠작 초등 국어 비문학 독해』는 **영역별 다양한 제재의 지문과 사실적·추론적 사고력을 묻는 문제, 지문의 핵심 내용을 파악하는 지문 분석 훈련**으로 글을 정확하게 읽게 합니다. 또한 비문학 독해 비법을 충실히 담고 있어 낯설고 어려운 지문도 재미있게 읽을 수 있도록 이끌어 줄 것입니다.

김종덕 원장 | 갓국어학원

『빠작 초등 국어 독해』는 지문 독해, 지문 분석, 어휘 공부까지 탄탄한 구성이 눈길을 끄는 교재입니다. 특히 **비문학에서 영역을 세분화하여 지문을 수록한 것과 문학에서 온작품을 다룬 것은 깊이 있는 독해를 가능하게** 할 것입니다. 다양한 글을 읽고 내용을 바르게 파악해야 하는 비문학과 작품을 읽고 제대로 감상해야 하는 문학의 독해력은 단기간에 높일 수 없습니다. 지금부터 『빠작 초등 국어 독해』와 함께 독해 연습을 부지런히 하길 추천합니다.

강행림 원장 | 수풀림학원

이 책을 검토하신 선생님

강명자	창원지역방과후교사
강유정	참좋은보습학원
강행림	수풀림학원
구민경	혜움국어논술
권애경	해냄국어논술
김나나	국어와나
김미숙	글과문장독서논술
김민경	리드인
김소희	한올국어논술학원
김수진	브레인논술교습소
김종덕	갓국어학원
문주희	다독과정독논술학원
박윤희	장복논술
박창현	탑학원
박현순	뿌리깊은독서논술국어교습소
방은경	열정학원
배성현	아카데미창논술국어학원
설호준	청암국어학원
송설아	한우리독서토론논술
심억식	천지인학원
안수현	안샘학원
염현경	박쌤과국어논술학원
오연	글오름국어언어논술학원
오영미	천호하나보습학원
윤인숙	윤쌤국어논술
이대일	멘사수학과연세국어학원
이동수	국동국어고샘수학학원
이선이	수논술교습소
이시은	이시은논술
이용순	한우리공부방
이정선	토론하는아이들
이지영	해랑
이지은	이지은의이지국어논술학원
이지해	이지국어학원
이창미	박원국어논술학원
이현주	토론하는아이들
이화정	창신보습학원
전민희	토론하는아이들
전지영	두드림에듀학원
조원식	이석호국어학원
조현미	국어날개달기학원
하승희	리딩아이국어논술학원
한민수	숙명창의인재교육
한수진	리드앤리드논술학원
허성완	st클래스입시학원
홍미애	이엠영수전문학원

바른 독해의 빠른 시작,

〈빠작 초등 국어 독해〉를 소개합니다

❶ 비문학과 문학을 분리하여 각각의 특성에 맞게 독해를 훈련하는 초등 국어 독해 기본서입니다.

❷ 설명문, 논설문 등 비문학 글의 종류별 지문 분석 훈련으로 바른 독해 학습이 가능합니다.

❸ 소설, 시, 수필 등 문학 작품의 갈래별 지문 감상 훈련으로 바른 독해 학습이 가능합니다.

빠작 비문학 독해

단계	대상	영역
1단계	1~2학년	언어, 실용/생활, 사회, 문화, 경제, 자연/과학, 기술, 예술, 인물, 안전/위생
2단계		
3단계	3~4학년	언어, 역사, 사회, 문화, 경제, 과학, 기술, 예술, 인물, 환경
4단계		
5단계	5~6학년	언어, 인문, 사회, 문화, 경제, 과학, 기술, 예술, 인물, 환경
6단계		

주요 키워드
- **1~2단계** 가족 (1단계 실용/생활), 낮과 밤 (2단계 자연/과학), 이 닦기 (2단계 안전/위생)
- **3~4단계** 문명 (3단계 역사), 물물 교환 (3단계 경제), 조선 건국 (4단계 역사)
- **5~6단계** 커피 (5단계 인문), 백신 (5단계 과학), 심리학 (6단계 인문)

빠작 문학 독해

단계	대상	갈래
1단계	1~2학년	창작·전래·외국 동화, 동시, 동요, 수필, 희곡
2단계		
3단계	3~4학년	창작·전래·외국 동화, 시, 현대·고전·외국 수필, 희곡
4단계		
5단계	5~6학년	현대·고전·외국 소설, 현대시, 고전 시조, 현대·고전 수필, 시나리오
6단계		

주요 작품
- **1~2단계** 아기의 대답 (1단계 시), 꺼벙이 억수 (2단계 창작 동화), 만복이네 떡집 (2단계 창작 동화)
- **3~4단계** 바위나리와 아기별 (3단계 창작 동화), 잘못 뽑은 반장 (4단계 창작 동화), 물새알 산새알 (4단계 시)
- **5~6단계** 이상한 선생님 (5단계 현대 소설), 고무신 (6단계 현대 소설), 풀잎에도 상처가 있다 (6단계 현대시)

비문학과 문학,

바른 독해 방법이 다릅니다

비문학의 바른 독해 방법

비문학은 핵심 주제를 파악하고 글쓴이의 관점을 이해하는 것이 중요합니다.

비문학은 지식이나 정보 또는 자신의 의견을 전달하는 글의 특성이 있기 때문에, 전체 글의 핵심 주제, 문단별 핵심 내용, 글쓴이의 관점 등을 이해하며 읽는 훈련을 해야 합니다. 따라서 비문학을 바르게 읽고 이해하려면 글의 전체 구조를 그려볼 수 있어야 하고, 글 전체의 중심 내용과 문단별 중심 내용 그리고 핵심 주제를 찾아보는 연습이 필요합니다.

설명문의 일반 구조

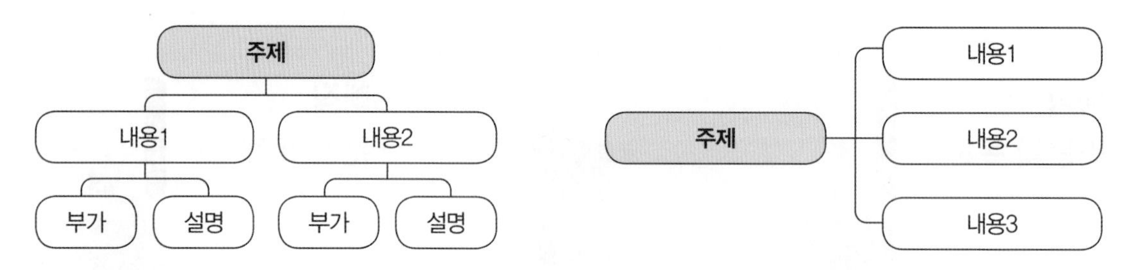

논설문의 일반 구조

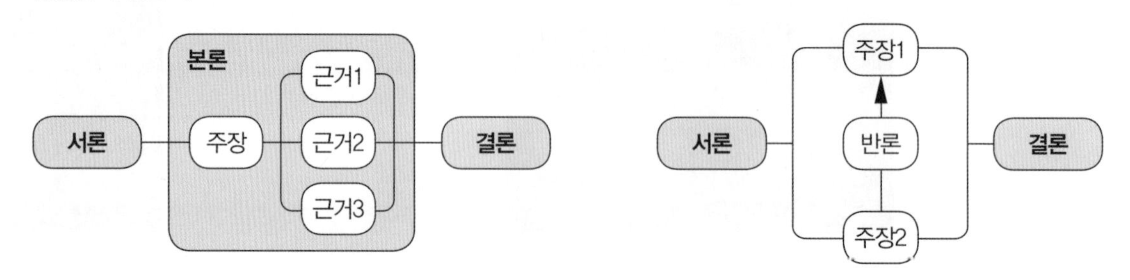

비문학은 정보 전달의 목적이 있기 때문에 다양한 지식과 정보를 쌓아야 합니다.

비문학은 어린이 신문이나 잡지 등을 통해 지식과 정보를 쌓는 것이 독해에 도움을 줍니다. 또한 독해 교재를 학습하면서 비문학 지문의 내용을 깊이 있게 이해하는 것도 중요합니다.

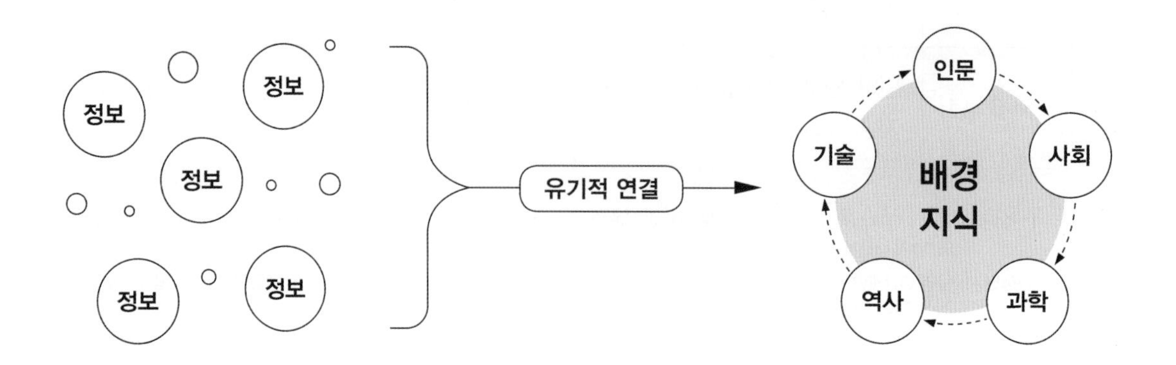

문학의 바른 독해 방법

문학은 갈래별 구성 요소를 이해하고 작품을 감상하는 것이 중요합니다.

문학은 소설, 시, 수필, 희곡 등 갈래에 따라 작품을 구성하는 요소가 다르기 때문에 갈래별 특징을 이해하고 작품을 감상하는 것이 중요합니다. 따라서 문학 작품을 읽고, 갈래에 따른 구성 요소를 중심으로 작품의 중요 내용을 정리하는 훈련이 필요합니다. 이때 온작품을 읽으면 작품 내용을 더욱 깊이 있게 이해할 수 있습니다.

갈래별 구성 요소

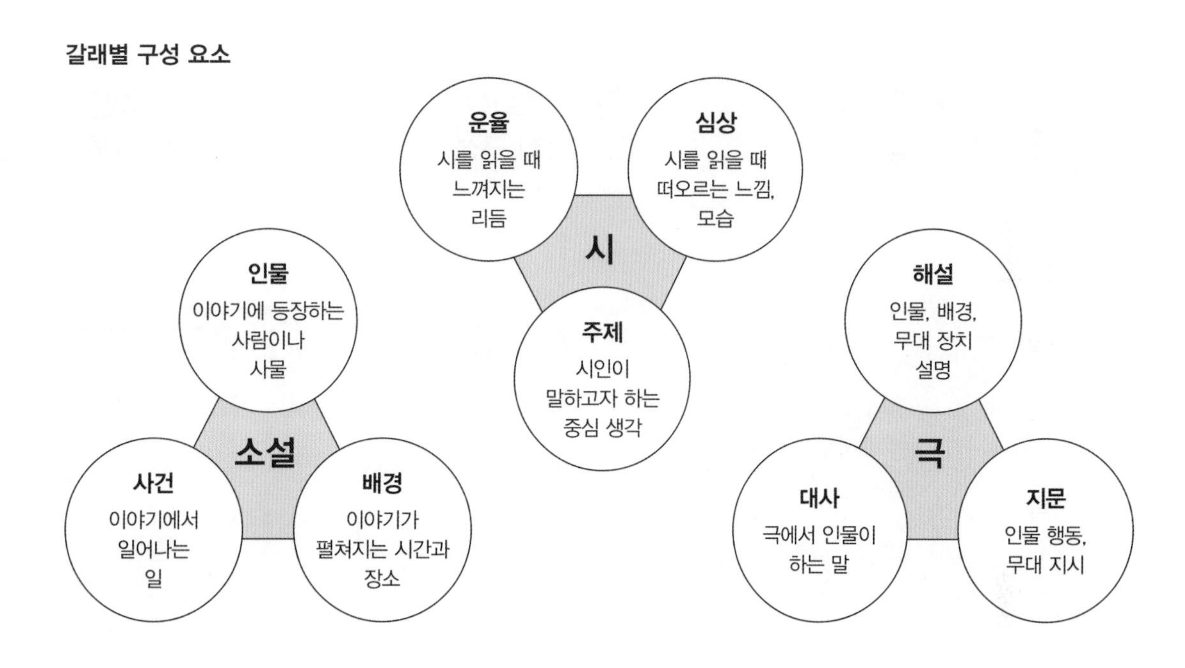

문학 작품을 감상하기 위해서 시대적 배경을 이해하고, 내용 흐름을 파악해야 합니다.

문학 작품을 읽을 때 작품이 쓰인 시대적 배경이나 작가의 삶과 관련지어 감상하면 작가가 전하고 싶은 주제를 파악하는 데 도움이 됩니다. 또 글의 내용 흐름을 제대로 파악하는 것도 중요합니다.

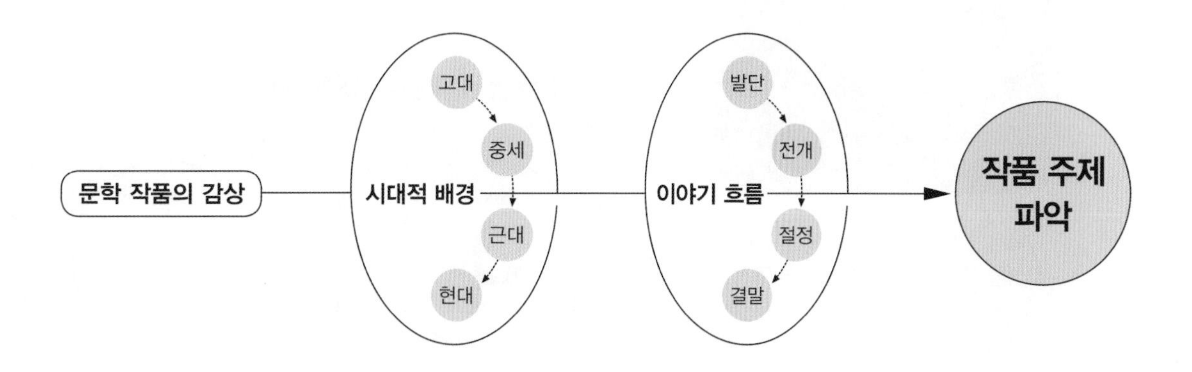

빠작 초등 국어 비문학 독해 3단계

구성과 특징

빠작 초등 국어 비문학 독해 3단계는 초등 3~4학년 학생들이 비문학 지문을 읽고 내용을 정확하게 이해하는 훈련 중심으로 구성하였습니다. 특히 설명문, 논설문 등 정보 글의 구조 분석 훈련을 통해 바른 독해 학습이 가능하도록 구성하였습니다.

1 차별화된 비문학 독해 지문 구성

3~4학년 필수 영역 10개 선정

언어, 역사, 사회, 문화, 경제, 과학, 기술, 예술, 인물, 환경

2 구조화된 지문 독해 문제 구성

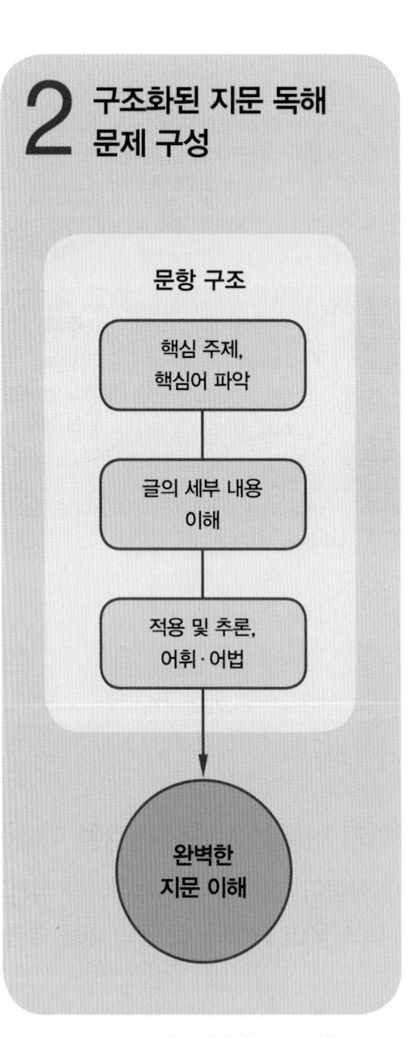

3 지문 구조 분석을 통한 바른 독해 훈련

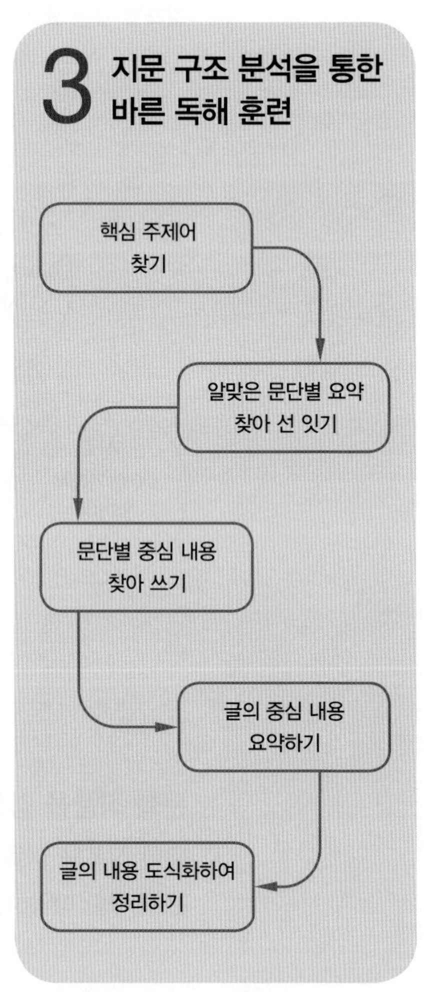

4 다양한 배경지식 습득

- 세밀화를 통해 지문의 내용과 관련된 지식을 풍부하게 알 수 있도록 구성
- 3~4학년 눈높이에 맞춰 쉽게 이해할 수 있도록 구성

5 지문별 5개 필수 어휘 학습

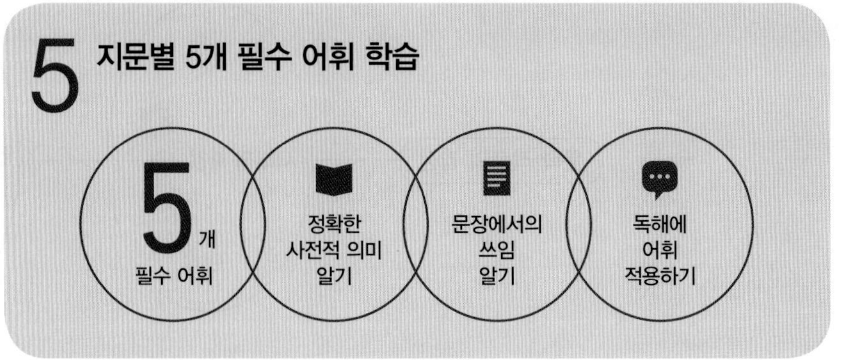

차별화된 독해 지문

구조화된 독해 문제

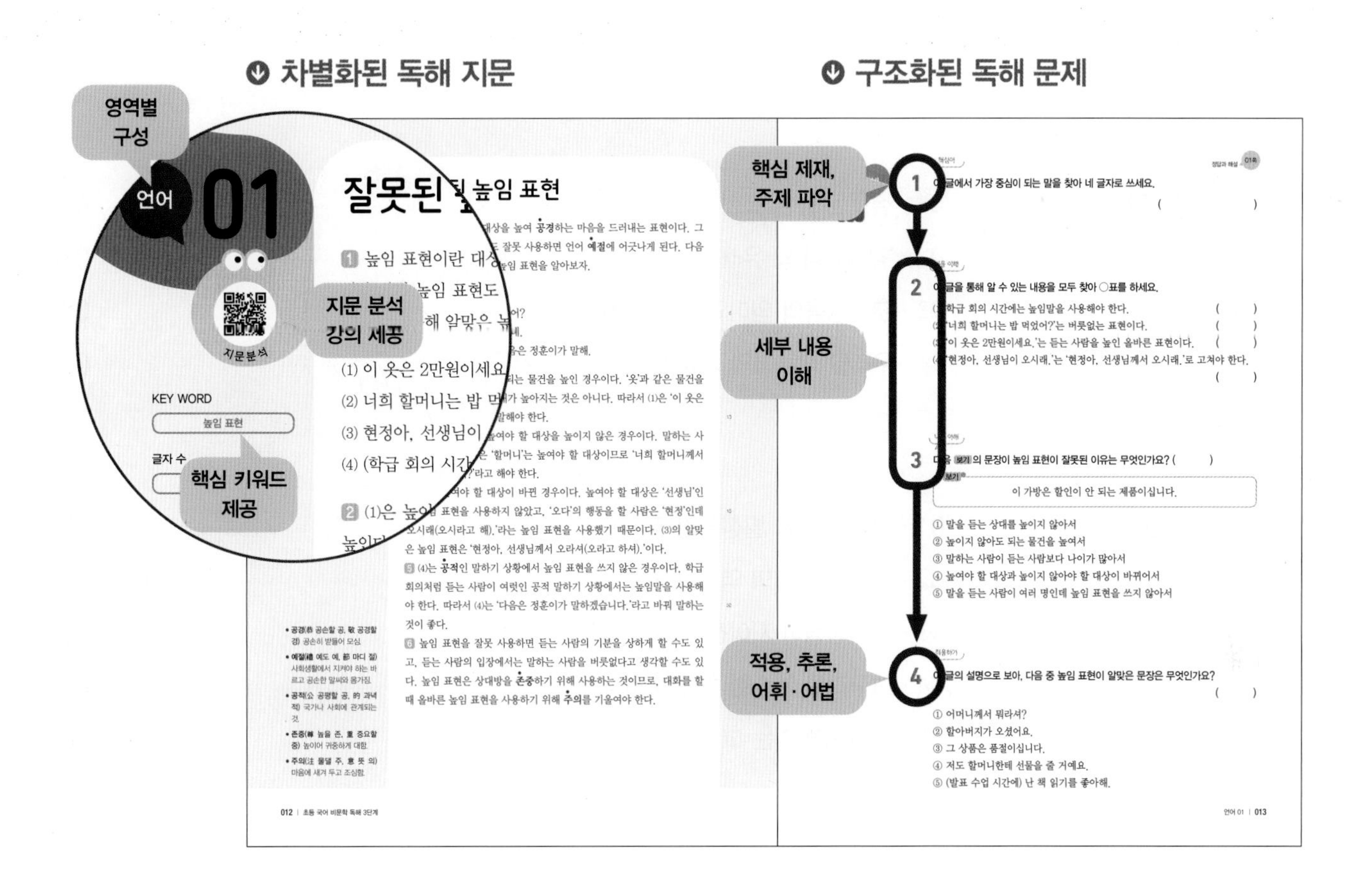

지문 구조 분석 & 배경지식

오늘의 어휘

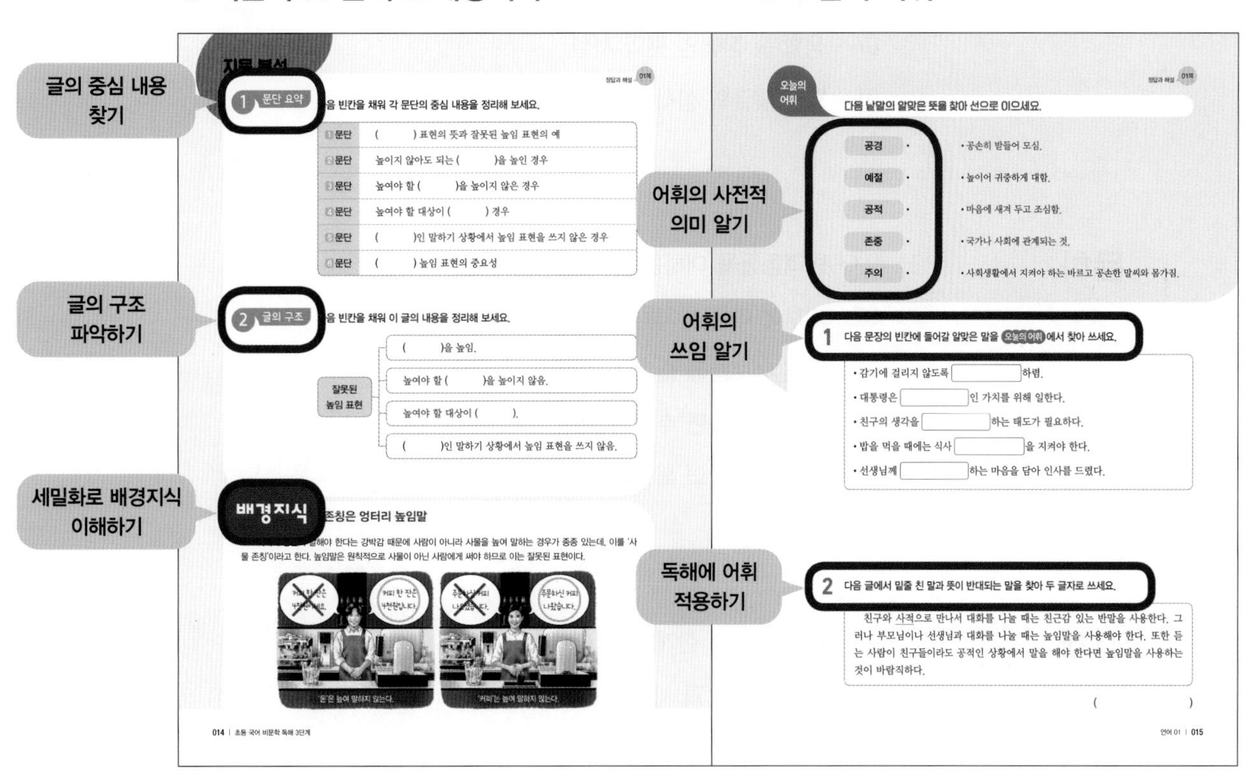

차례

과학

기술

예술

인물

환경

언어

역사

사회

문화

KEY WORD

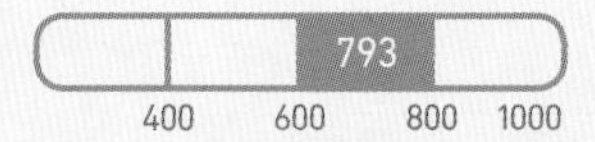

글자 수

793

400 600 800 1000

잘못된 높임 표현

1 높임 표현이란 대상을 높여 **공경**하는 마음을 드러내는 표현이다. 그러나 이런 높임 표현도 잘못 사용하면 언어 **예절**에 어긋나게 된다. 다음 문장들을 통해 알맞은 높임 표현을 알아보자.

(1) 이 옷은 2만원이세요.
(2) 너희 할머니는 밥 먹었어?
(3) 현정아, 선생님이 오시래.
(4) (학급 회의 시간에) 다음은 정훈이가 말해.

2 (1)은 높이지 않아도 되는 물건을 높인 경우이다. '옷'과 같은 물건을 높인다고 말을 듣는 상대가 높아지는 것은 아니다. 따라서 (1)은 '이 옷은 2만원이에요.'로 바꿔 말해야 한다.

3 (2)는 (1)과 달리 높여야 할 대상을 높이지 않은 경우이다. 말하는 사람보다 나이가 많은 '할머니'는 높여야 할 대상이므로 '너희 할머니께서는 진지 드셨어?'라고 해야 한다.

4 (3)은 높여야 할 대상이 바뀐 경우이다. 높여야 할 대상은 '선생님'인데 높임 표현을 사용하지 않았고, '오다'의 행동을 할 사람은 '현정'인데 '오시래(오시라고 해).'라는 높임 표현을 사용했기 때문이다. (3)의 알맞은 높임 표현은 '현정아, 선생님께서 오라셔(오라고 하셔).'이다.

5 (4)는 **공적**인 말하기 상황에서 높임 표현을 쓰지 않은 경우이다. 학급 회의처럼 듣는 사람이 여럿인 공적 말하기 상황에서는 높임말을 사용해야 한다. 따라서 (4)는 '다음은 정훈이가 말하겠습니다.'라고 바꿔 말하는 것이 좋다.

6 높임 표현을 잘못 사용하면 듣는 사람의 기분을 상하게 할 수도 있고, 듣는 사람의 입장에서는 말하는 사람을 버릇없다고 생각할 수도 있다. 높임 표현은 상대방을 **존중**하기 위해 사용하는 것이므로, 대화를 할 때 올바른 높임 표현을 사용하기 위해 **주의**를 기울여야 한다.

- **공경**(恭 공손할 공, 敬 공경할 경) 공손히 받들어 모심.
- **예절**(禮 예도 예, 節 마디 절) 사회생활에서 지켜야 하는 바르고 공손한 말씨와 몸가짐.
- **공적**(公 공평할 공, 的 과녁 적) 국가나 사회에 관계되는 것.
- **존중**(尊 높을 존, 重 중요할 중) 높이어 귀중하게 대함.
- **주의**(注 물댈 주, 意 뜻 의) 마음에 새겨 두고 조심함.

핵심어

1 **이 글에서 가장 중심이 되는 말을 찾아 네 글자로 쓰세요.**

( )

내용 이해

2 **이 글을 통해 알 수 있는 내용을 모두 찾아 ○표를 하세요.**

(1) 학급 회의 시간에는 높임말을 사용해야 한다. ( )
(2) '너희 할머니는 밥 먹었어?'는 버릇없는 표현이다. ( )
(3) '이 옷은 2만원이세요.'는 듣는 사람을 높인 올바른 표현이다. ( )
(4) '현정아, 선생님이 오시래.'는 '현정아, 선생님께서 오시래.'로 고쳐야 한다. ( )

내용 이해

3 **다음 보기 의 문장이 높임 표현이 잘못된 이유는 무엇인가요? ( )**

보기

이 가방은 할인이 안 되는 제품이십니다.

① 말을 듣는 상대를 높이지 않아서
② 높이지 않아도 되는 물건을 높여서
③ 말하는 사람이 듣는 사람보다 나이가 많아서
④ 높여야 할 대상과 높이지 않아야 할 대상이 바뀌어서
⑤ 말을 듣는 사람이 여러 명인데 높임 표현을 쓰지 않아서

적용하기

4 **이 글의 설명으로 보아, 다음 중 높임 표현이 알맞은 문장은 무엇인가요?**

( )

① 어머니께서 뭐라셔?
② 할아버지가 오셨어요.
③ 그 상품은 품절이십니다.
④ 저도 할머니한테 선물을 줄 거예요.
⑤ (발표 수업 시간에) 난 책 읽기를 좋아해.

지문 분석

정답과 해설 01쪽

1 문단 요약 다음 빈칸을 채워 각 문단의 중심 내용을 정리해 보세요.

문단	내용
1문단	( ) 표현의 뜻과 잘못된 높임 표현의 예
2문단	높이지 않아도 되는 ( )을 높인 경우
3문단	높여야 할 ( )을 높이지 않은 경우
4문단	높여야 할 대상이 ( ) 경우
5문단	( )인 말하기 상황에서 높임 표현을 쓰지 않은 경우
6문단	( ) 높임 표현의 중요성

2 글의 구조 다음 빈칸을 채워 이 글의 내용을 정리해 보세요.

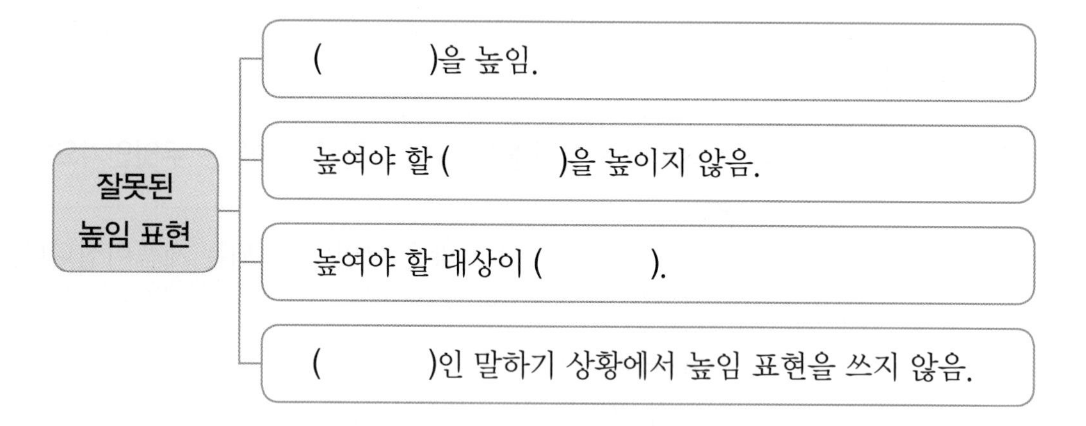

배경지식 사물 존칭은 엉터리 높임말

고객에게 공손히 말해야 한다는 강박감 때문에 사람이 아니라 사물을 높여 말하는 경우가 종종 있는데, 이를 '사물 존칭'이라고 한다. 높임말은 원칙적으로 사물이 아닌 사람에게 써야 하므로 이는 잘못된 표현이다.

'돈'은 높여 말하지 않는다. '커피'는 높여 말하지 않는다.

다음 낱말의 알맞은 뜻을 찾아 선으로 이으세요.

공경 •	• 공손히 받들어 모심.
예절 •	• 높이어 귀중하게 대함.
공적 •	• 마음에 새겨 두고 조심함.
존중 •	• 국가나 사회에 관계되는 것.
주의 •	• 사회생활에서 지켜야 하는 바르고 공손한 말씨와 몸가짐.

1 다음 문장의 빈칸에 들어갈 알맞은 말을 오늘의 어휘 에서 찾아 쓰세요.

- 감기에 걸리지 않도록 (　　　　)하렴.
- 대통령은 (　　　　)인 가치를 위해 일한다.
- 친구의 생각을 (　　　　)하는 태도가 필요하다.
- 밥을 먹을 때에는 식사 (　　　　)을 지켜야 한다.
- 선생님께 (　　　　)하는 마음을 담아 인사를 드렸다.

2 다음 글에서 밑줄 친 말과 뜻이 반대되는 말을 찾아 두 글자로 쓰세요.

친구와 사적으로 만나서 대화를 나눌 때는 친근감 있는 반말을 사용한다. 그러나 부모님이나 선생님과 대화를 나눌 때는 높임말을 사용해야 한다. 또한 듣는 사람이 친구들이라도 공적인 상황에서 말을 해야 한다면 높임말을 사용하는 것이 바람직하다.

(　　　　　　)

KEY WORD

감쪽같다

글자 수

'감쪽같다'의 유래

1 일을 꾸미거나 물건을 고친 것을 전혀 알아챌 수 없을 때 우리는 '감쪽같다'라는 말을 쓴다. '감쪽같다'는 '감쪽'과 '같다'가 합쳐져 하나의 낱말로 굳어진 것인데, 그중 '감쪽'이라는 말의 의미는 정확히 알 수 없지만 세 가지의 **설**을 통해 그 **유래**를 **짐작**해 볼 수 있다.

2 첫째, '감쪽'을 '감의 반쪽'에서 생겨난 말로 보는 것이다. 감을 반으로 자른 후 다시 맞추어 놓으면 쪼갠 흔적을 찾기 어렵다는 점에서 '감쪽같다'라는 말이 생겼다는 것이다.

3 둘째, '감쪽'을 '감접'이 변해서 생겨난 말로 보는 것이다. '감접'은 감나무 가지를 다른 나무에 접붙이는 것을 뜻한다. **접**을 붙인 다음 해에는 접붙인 표시가 나지 않기 때문에 '감접을 붙인 것처럼 흔적을 눈치챌 수 없는 상태'라는 의미를 지니게 되었다는 것이다.

4 셋째, '감쪽'을 '곶감의 **쪽**'에서 생겨난 말로 보는 것이다. 곶감은 달고 맛있기 때문에 다른 사람에게 빼앗기거나 누군가와 나누어 먹게 될까 봐 빨리 먹어 치우고 흔적을 남기지 않는 것에서 '감쪽같다'라는 말이 생겼다는 것이다.

5 '감쪽같다'에서 '감쪽'이라는 말의 유래에 관한 세 가지 설 중 어느 것이 더 정확하다고 **판단**할 수는 없다. 다만 이러한 세 가지 설을 통해 알 수 있는 것은 '감쪽같다'는 감과 관련된 말이며, 우리 **조상**이 감을 가까이 두고 즐겨 먹었다는 점이다.

- **설**(說 말씀 설) 견해나 학설.
- **유래**(由 말미암을 유, 來 올 래) 사물이나 일이 생겨남. 또는 그 사물이나 일이 생겨난 바.
- **짐작**(斟 짐작할 짐, 酌 따를 작) 사정이나 형편 등을 어림잡아 헤아림.
- **접**(椄 접붙일 접) (나무의 품종 개량 또는 번식을 위하여) 한 나무에 다른 나무의 가지나 눈을 따다 붙이는 일.
- **쪽** 쪼개진 물건의 한 부분.
- **판단**(判 판가름할 판, 斷 끊을 단) 사물을 인식하여 논리나 기준 등에 따라 판정을 내림.
- **조상**(祖 할아비 조, 上 위 상) 지금 사람들보다 먼저 살던 사람들.

지문 독해

핵심어

1 이 글에서 가장 중심이 되는 낱말을 찾아 네 글자로 쓰세요.

( )

내용 이해

2 다음 중 이 글의 내용과 다른 것은 무엇인가요? ( )

① '감쪽'의 의미에 관한 세 가지 설이 있다.
② '감쪽'의 가장 정확한 의미는 '감의 반쪽'이다.
③ '감쪽'의 세 가지 설은 모두 감과 관련이 있다.
④ '감쪽같다'는 '감쪽'과 '같다'가 합쳐진 낱말이다.
⑤ 우리 조상에게 감은 가까이 두고 즐겨 먹는 과일이었다.

어휘·어법

3 다음 중 '감쪽같다'라는 낱말을 바르게 사용한 친구는 누구인가요? ( )

① 준하: 나는 엄마랑 감쪽같이 닮았어.
② 현주: 그렇게 감쪽같이 나타나면 놀라잖아.
③ 도진: 어제 먹은 사탕은 감쪽같이 달콤했어.
④ 예서: 이마에 난 상처가 감쪽같이 사라졌네?
⑤ 하영: 너무 부끄러워서 얼굴빛이 감쪽같이 변했어.

적용하기

4 다음 밑줄 친 말 중에서 '감쪽같다'와 뜻이 비슷한 것은 무엇인가요? ( )

① 난 이제 그 일에 손을 떼겠어!
② 주인공을 맡으니 어깨가 무거워.
③ 눈이 빠지게 기다려도 그는 오지 않았다.
④ 그 도둑은 귀신도 모르게 물건을 훔쳐서 달아났다.
⑤ 도서관이 너무 조용해서 발소리를 죽이고 걸어야 해.

지문 분석

정답과 해설 02쪽

1 문단 요약 각 문단의 중심 내용을 알맞게 선으로 이으세요.

1 문단 •		• '감쪽같다'의 의미
2 문단 •		• '감쪽'을 '감접'으로 보는 설
3 문단 •		• '감쪽'을 '곶감의 쪽'으로 보는 설
4 문단 •		• '감쪽'을 '감의 반쪽'으로 보는 설
5 문단 •		• 세 가지 설을 통해 알 수 있는 것

2 글의 구조 다음 빈칸을 채워 이 글의 내용을 정리해 보세요.

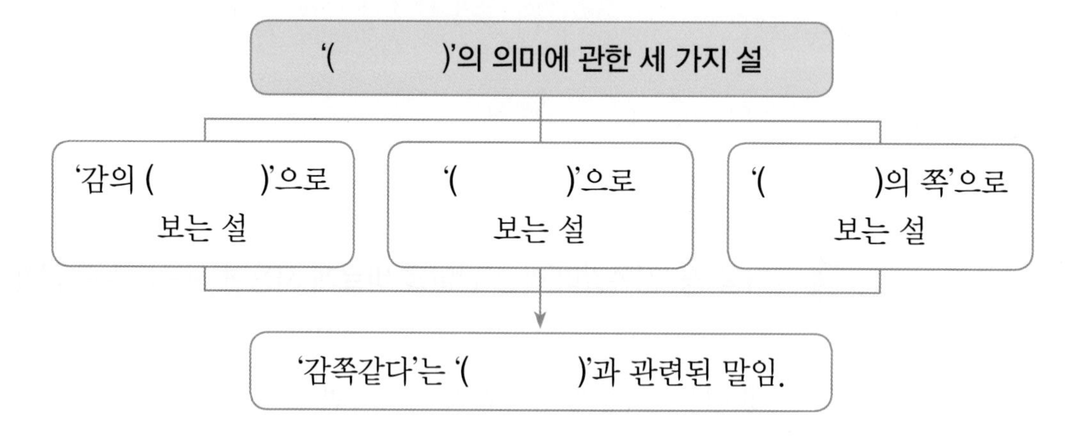

배경지식 곶감과 관련된 속담

곶감 뽑아 먹듯.

애써 알뜰히 모아 둔 재산을 조금씩 조금씩 헐어 써 없앤다는 뜻이다.

곶감 죽을 쑤어 먹었나.

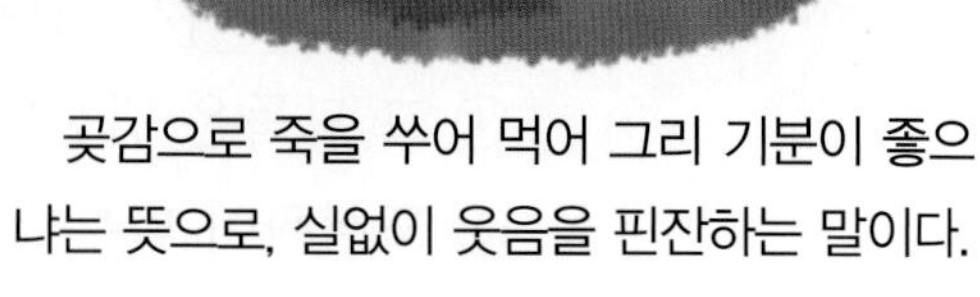

곶감으로 죽을 쑤어 먹어 그리 기분이 좋으냐는 뜻으로, 실없이 웃음을 핀잔하는 말이다.

오늘의 어휘

다음 낱말의 알맞은 뜻을 찾아 선으로 이으세요.

설 •	• 견해나 학설.
유래 •	• 쪼개진 물건의 한 부분.
접 •	• 지금 사람들보다 먼저 살던 사람들.
쪽 •	• 한 나무에 다른 나무의 가지나 눈을 따다 붙이는 일.
조상 •	• 사물이나 일이 생겨남. 또는 그 사물이나 일이 생겨난 바.

1 다음 문장의 빈칸에 들어갈 알맞은 말을 오늘의 어휘 에서 찾아 쓰세요.

- 간식으로 사과 몇 [　　　]을 먹었다.
- 우리는 [　　　]의 지혜를 본받아야 한다.
- 추석에 송편을 먹게 된 [　　　]는 무엇일까?
- 학자들마다 [　　　]이 달라서 정확한 의미를 알 수 없다.
- 참외를 강하게 키우기 위해서 호박이랑 [　　　]을 붙였다.

2 다음 글에서 밑줄 친 말과 뜻이 반대되는 말을 찾아 두 글자로 쓰세요.

우리 민족 고유의 농기구인 호미가 다른 나라에서도 큰 인기를 끌고 있다. 호미는 흙을 파거나 잡초를 뽑는 등 다양한 농사일에 쓰이는데, 구부리는 동작으로 일을 할 수 있어서 힘이 덜 든다. 이처럼 우리 조상의 지혜가 담긴 도구인 호미는 후손들에게까지 전해져서 농사일로 인한 수고를 덜어 주고 있다.

(　　　　　　)

KEY WORD

훈민정음

글자 수

832

400 600 800 1000

훈민정음의 의미와 창제 정신

1 한글날은 10월 9일이지만, 이날 한글이 ㉠**창제**된 것은 아니다. 조선 제4대 임금인 세종 대왕에 의해 우리 **고유**의 문자인 한글이 창제된 날은 1443년 12월 30일이다. 창제 당시 한글의 이름은 '훈민정음'이었다.

2 훈민정음은 두 가지 의미를 갖고 있다. 첫째, 우리 글자를 이르는 말로, '백성을 가르치는 바른 소리'라는 뜻이다. 즉, 세종 대왕이 창제한 지금의 한글을 가리키는 말이다. 둘째, 『훈민정음해례본』이라는 책 이름을 의미하기도 한다. 이 책은 훈민정음을 창제한 목적을 밝히고 훈민정음에 대해 설명하는 내용으로 구성되어 있다. 『훈민정음해례본』은 현재 우리나라의 **국보**이며, 유네스코 세계 기록 유산으로 지정되었다.

3 훈민정음의 사용 설명서라고 할 수 있는 『훈민정음해례본』 **서문**에서는 다음과 같이 훈민정음의 창제 정신을 엿볼 수 있다.

우리나라의 말이 중국과 달라 한자와는 서로 통하지 아니한다. 이런 까닭으로 어리석은 백성이 말하고자 하는 바가 있어도 마침내 제 뜻을 실어 펴지 못하는 사람이 많다. 내 이것을 불쌍히 여겨 새로 스물여덟 글자를 만드니 사람마다 쉽게 익혀 날마다 쓰는 데 편안하게 하고자 할 따름이니라.

4 첫째, ㉡**자주** 정신이다. 이는 우리나라의 말이 중국과 다르므로 우리에게 맞는 고유의 글자가 필요하다는 점을 강조한 것이다. 둘째, ㉢**애민** 정신이다. 백성이 한자를 몰라서 어려움을 겪는 것을 불쌍히 여겼던 세종 대왕의 마음을 알 수 있다. 셋째, ㉣창조 정신이다. 훈민정음은 세상 어디에도 없는 새로운 우리 문자를 만들어 낸 것이다. 넷째, ㉤**실용** 정신이다. 백성이 배우기 어려웠던 한자에 비해 훈민정음은 사람마다 쉽게 익혀 쓸 수 있도록 했다는 점에서 실용적인 글자이다.

- **창제**(創 비롯할 창, 製 지을 제) 전에 없던 것을 처음으로 만듦.
- **고유**(固 굳을 고, 有 있을 유) 본래부터 가지고 있는 특별한 것.
- **국보**(國 나라 국, 寶 보배 보) 나라에서 지정하여 법으로 보호하는 문화재.
- **서문**(序 차례 서, 文 글월 문) 책의 맨 앞에 그 책의 내용이나 목적 등을 짤막하게 적은 글.
- **자주**(自 스스로 자, 主 주인 주) 남의 보호나 간섭을 받지 않고 자기 일을 스스로 처리함.
- **애민**(愛 사랑 애, 民 백성 민) 백성을 사랑함.
- **실용**(實 열매 실, 用 쓸 용) 실제로 쓰거나 쓸모가 있음.

지문 독해

설명 대상

1 이 글은 무엇에 대해 설명하고 있나요? (   )

① 조선 ② 국보 ③ 한자
④ 한글날 ⑤ 훈민정음

내용 이해

2 이 글을 통해 알 수 있는 내용을 모두 찾아 ○표를 하세요.

(1) 훈민정음은 한자를 흉내 낸 말이다. (   )
(2) 훈민정음의 원래 이름은 '한글'이다. (   )
(3) 10월 9일은 한글이 창제된 날이 아니다. (   )
(4) 훈민정음은 책 이름을 의미하기도 한다. (   )

추론하기

3 이 글을 읽고 훈민정음이 창제될 당시의 모습을 짐작해 볼 때 적절하지 않은 것은 무엇인가요? (   )

① 세종 대왕은 백성을 무척 사랑하는 왕이었네.
② 한자로 우리말을 제대로 표현하기엔 부족했겠어.
③ 한자는 배우기가 쉬워 글을 아는 백성이 많았겠군.
④ 글을 모르는 백성이 억울한 일을 당하기도 했겠어.
⑤ 훈민정음이 창제되기 전에는 우리 문자가 없어서 한자를 빌려 써야 했었군.

어휘·어법

4 이 글에 쓰인 ㉠~㉤의 의미와 다르게 쓰인 것은 무엇인가요? (   )

① ㉠ 창제: 세종 대왕은 젊은 학자들을 한글 창제에 참여시켰다.
② ㉡ 자주: 요새 정신을 못 차리고 실수를 자주 한다.
③ ㉢ 애민: 정약용은 관리들이 애민 정신을 가져야 한다고 했다.
④ ㉣ 창조: 이것은 새로운 기법으로 창조한 예술 작품이다.
⑤ ㉤ 실용: 그 옷은 화려하기만 하고 실용적이지 않습니다.

지문 분석

정답과 해설 03쪽

1 문단 요약 **다음 빈칸을 채워 각 문단의 중심 내용을 정리해 보세요.**

1 문단	한글이 (　　　)된 날과 한글의 원래 이름
2 문단	훈민정음의 두 가지 (　　　)
3 문단	『훈민정음해례본』의 (　　　)
4 문단	훈민정음의 창제 (　　　)

2 글의 구조 **다음 빈칸을 채워 이 글의 내용을 정리해 보세요.**

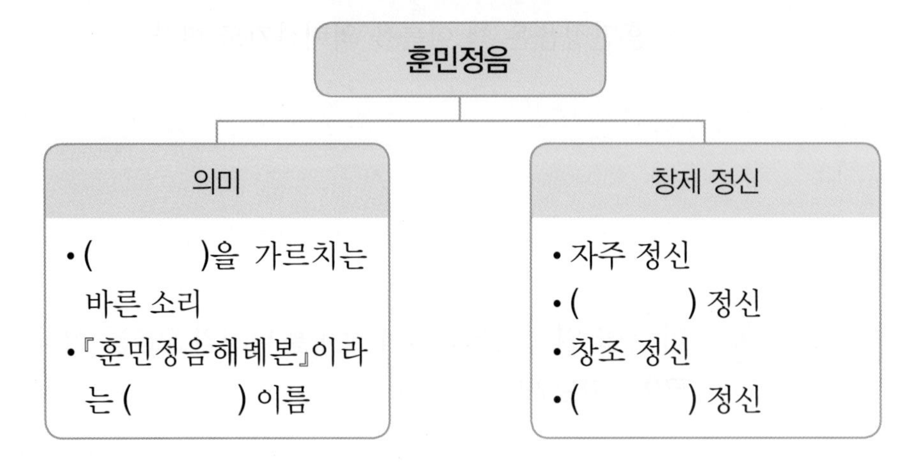

배경지식

훈민정음에서 사라진 네 글자

처음 훈민정음이 창제되었을 때 자음은 17자, 모음은 11자였다. 그러나 이 중 4개가 사라지고 오늘날에는 자음 14자, 모음 10자를 쓰고 있다. 사라진 글자 4개의 모양과 이름은 다음과 같다.

정답과 해설 03쪽

다음 낱말의 알맞은 뜻을 찾아 선으로 이으세요.

창제 •	• 실제로 쓰거나 쓸모가 있음.
고유 •	• 전에 없던 것을 처음으로 만듦.
국보 •	• 본래부터 가지고 있는 특별한 것.
서문 •	• 나라에서 지정하여 법으로 보호하는 문화재.
실용 •	• 책의 맨 앞에 그 책의 내용이나 목적 등을 짤막하게 적은 글.

1 다음 문장의 빈칸에 들어갈 알맞은 말을 오늘의 어휘 에서 찾아 쓰세요.

- 김치는 우리나라 [   ]의 음식이다.
- 서울 숭례문은 우리나라의 [   ]이다.
- 이 가방은 끈이 튼튼해서 무척 [   ]적이다.
- 책의 [   ]을 보면 글쓴이가 글을 쓴 목적을 알 수 있다.
- 세종 대왕은 많은 반대를 이겨 내고 훈민정음을 [   ]했다.

2 다음 글에서 밑줄 친 말과 뜻이 반대되는 말을 찾아 두 글자로 쓰세요.

'양반은 물에 빠져도 개헤엄은 안 한다.'라는 속담이 있다. 이 말은 양반은 아무리 다급한 상황이라고 할지라도 양반이라는 체면을 지키려고 한다는 의미이다. 이렇게 옛날 양반들은 실용보다는 형식과 겉치레를 중시하는 생활을 했다.

(   )

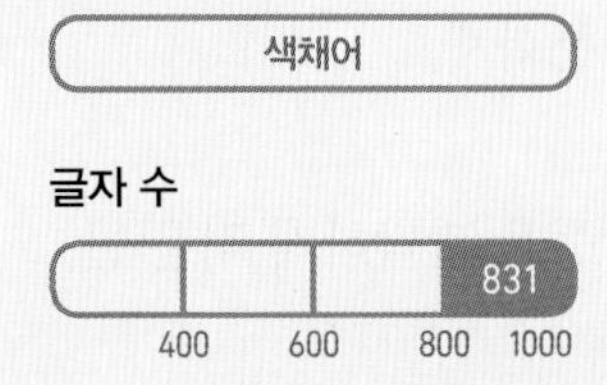

KEY WORD

색채어

글자 수

831

400 600 800 1000

우리말 색채어의 종류와 특징

1 색채어란 색깔을 나타내는 말을 뜻한다. 언어로 모든 색을 표현하는 데에는 **한계**가 있지만, 우리말은 색채어가 매우 발달해 있다. 우리말 색채어의 기본 색상은 크게 흰색, 검은색, 빨간색, 파란색, 노란색의 5가지이다.

(1) 흰색 – 하얗다, 허옇다, 새하얗다, 희끗희끗하다
(2) 검은색 – 까맣다, 꺼멓다, 새까맣다, 거뭇거뭇하다
(3) 빨간색 – 빨갛다, 뻘겋다, 새빨갛다, 불긋불긋하다
(4) 파란색 – 파랗다, 퍼렇다, 새파랗다, 파릇파릇하다
(5) 노란색 – 노랗다, 누렇다, 샛노랗다, 노릇노릇하다

2 이처럼 우리말 색채어는 5가지 기본 색상을 나타내는 말에 ㉠자음이나 모음에 변화를 주거나, ㉡다른 형태를 **첨가**하거나, ㉢같은 말을 반복하는 방식으로 색깔의 연하고 진한 정도, 탁하고 선명한 정도 등 색의 느낌을 달리 표현한다. 예를 들어 '하얗다'가 밝고 가벼운 느낌이라면 '허옇다'는 산뜻하지 않고 무거운 느낌을 준다. 또한 '아주 선명하고 짙은'의 의미를 가진 '새–, 샛–'이라는 말이 덧붙어서 만들어진 '새하얗다'는 매우 하얗다는 뜻이다. 그리고 '희끗하다'는 얼핏 흰 빛깔이 있다는 뜻인데 같은 말을 반복한 '희끗희끗하다'는 여러 군데가 그러하다는 뜻이다.

3 우리말 색채어는 '새싹이 파릇파릇하다'에서처럼 ㉣사물의 빛깔을 **감각적**으로 나타내거나, '하얗게 질린 얼굴'처럼 사람의 감정이나 마음 상태를 표현할 때 사용된다. 그리고 ㉤**정서적**으로 비슷한 점을 이용해 **빗대어** 쓰이기도 한다. 예를 들어 '새파랗게 어린 녀석'의 '새파랗게'는 '매우 젊게'라는 의미를 지닌다.

4 이처럼 다양한 색채어를 적절하게 사용하면 우리말의 **표현력**을 높일 수 있을 뿐만 아니라 색에 대한 느낌을 더욱 자세하고 풍부하게 전달할 수 있다.

- **한계**(限 한계 한, 界 경계 계) 사물이나 능력, 책임 등이 실제 작용할 수 있는 범위.
- **첨가**(添 더할 첨, 加 더할 가) 이미 있는 것에 덧붙이거나 보탬.
- **감각적**(感 느낄 감, 覺 깨달을 각, 的 과녁 적) 눈, 코, 귀, 혀, 살갗을 통하여 바깥의 어떤 자극을 알아차리는 것.
- **정서적**(情 뜻 정, 緖 실마리 서, 的 과녁 적) 어떤 감정을 불러일으키는 것.
- **빗대어** 곧바로 말하지 않고 빙 둘러서 말하여.
- **표현력**(表 겉 표, 現 나타날 현, 力 힘 력) 생각이나 느낌을 언어나 몸짓 등으로 드러내어 나타내는 능력.

지문 독해

정답과 해설 04쪽

핵심어

1 이 글에서 가장 중심이 되는 낱말을 찾아 세 글자로 쓰세요.

( )

내용 이해

2 이 글에서 설명하고 있는 내용을 모두 찾아 ○표를 하세요.

(1) 색채어의 의미 ( )
(2) 우리말 색채어의 쓰임새 ( )
(3) 우리말 색채어의 기본 색상 ( )
(4) 우리말 색채어의 장점과 단점 ( )

내용 이해

3 이 글을 통해 알 수 있는 내용이 아닌 것은 무엇인가요? ( )

① '빨갛다'보다 '새빨갛다'가 더 강한 느낌을 준다.
② 색채어를 사용하면 우리말의 표현력을 높일 수 있다.
③ 색채어의 형태에 따라 말이 주는 느낌의 정도가 다르다.
④ 우리말은 색채어가 매우 발달하여 모든 색상을 표현할 수 있다.
⑤ '노랗다, 누렇다, 샛노랗다, 노릇노릇하다'는 모두 노란 색상이다.

적용하기

4 다음 중 ㉠~㉤의 예로 알맞은 것은 무엇인가요? ( )

① ㉠: 까맣다 – 새까맣다
② ㉡: 까맣다 – 꺼멓다
③ ㉢: 거뭇하다 – 거뭇거뭇하다
④ ㉣: 준비물을 까맣게 잊었다.
⑤ ㉤: 시커먼 먹구름

지문 분석

정답과 해설 04쪽

1 문단 요약 다음 질문의 답을 찾을 수 있는 문단을 찾아 선으로 이으세요.

'하얗다'와 '허옇다'의 차이는 무엇인가요? •		• 1문단
우리말 색채어는 어떤 경우에 사용되나요? •		• 2문단
색채어를 사용하면 좋은 점은 무엇인가요? •		• 3문단
우리말 색채어의 기본 색상은 무엇인가요? •		• 4문단

2 글의 구조 다음 빈칸을 채워 이 글의 내용을 정리해 보세요.

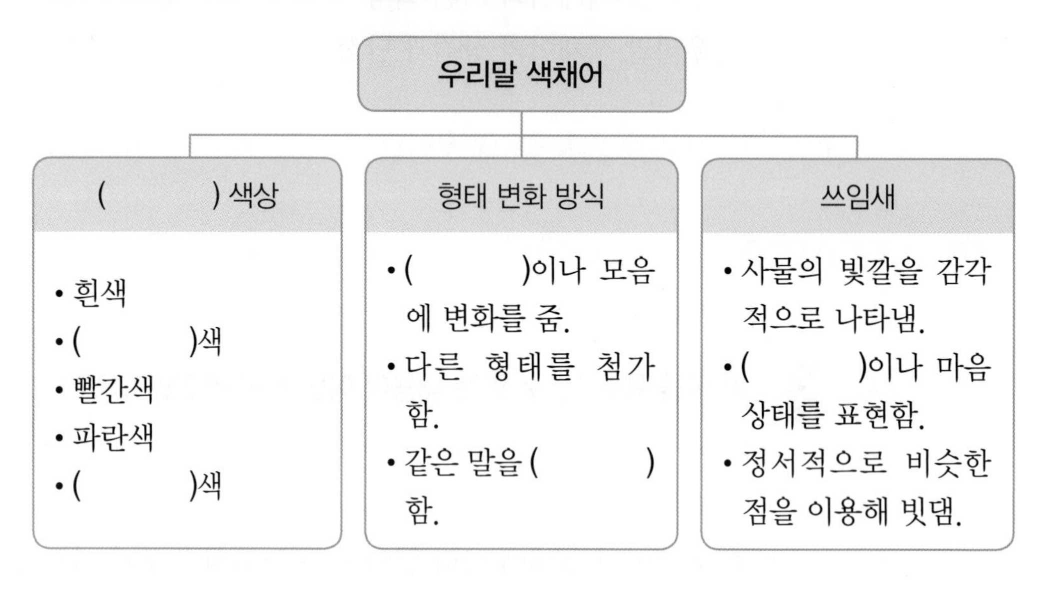

배경지식 밝고 가벼운 모음과 어둡고 무거운 모음

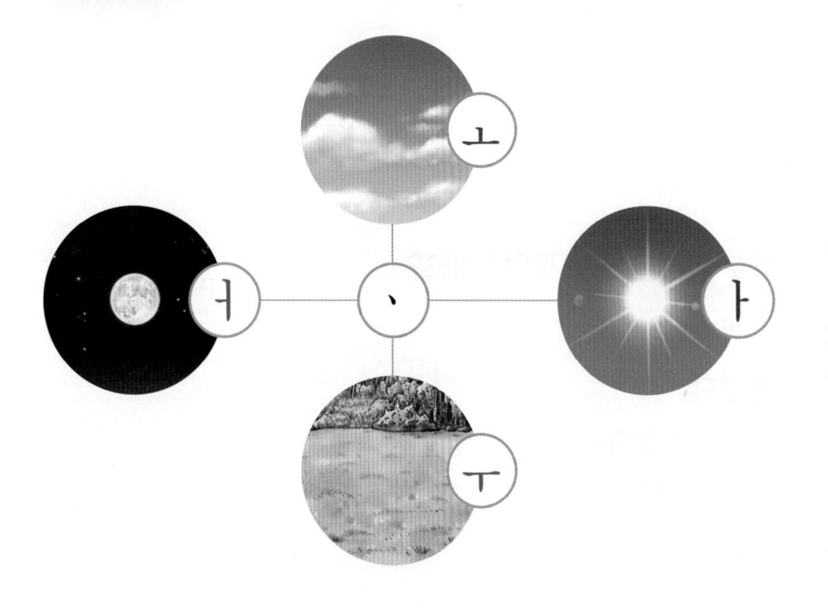

세종 대왕은 하늘(ㆍ), 땅(ㅡ), 사람(ㅣ)의 모습을 본떠 기본 모음자를 만들었다. 그리고 'ㅡ'와 'ㅣ'에 'ㆍ'를 결합해서 다른 모음자들을 만들었는데, 해가 뜨는 동쪽이나 하늘을 향해 'ㆍ'가 붙어 있으면 밝고 가벼운 느낌을 주는 모음이 되고, 반대라면 어둡고 무거운 느낌을 주는 모음이 된다.

또박또박 걷는다.

뚜벅뚜벅 걷는다.

오늘의 어휘

다음 낱말의 알맞은 뜻을 찾아 선으로 이으세요.

한계 •	• 어떤 감정을 불러일으키는 것.
첨가 •	• 이미 있는 것에 덧붙이거나 보탬.
감각적 •	• 곧바로 말하지 않고 빙 둘러서 말하여.
정서적 •	• 사물이나 능력, 책임 등이 실제 작용할 수 있는 범위.
빗대어 •	• 눈, 코, 귀, 혀, 살갗을 통하여 바깥의 어떤 자극을 알아차리는 것.

1 다음 문장의 빈칸에 들어갈 알맞은 말을 오늘의 어휘 에서 찾아 쓰세요.

- 이 시는 봄의 풍경을 [　　　　]으로 표현했다.
- 이 과자에는 인공 색소가 [　　　　]되어 있다.
- 부모님의 사랑은 포근한 담요에 [　　　　] 말할 수 있다.
- 병이 빨리 나으려면 [　　　　]으로도 안정을 취해야 한다.
- 운동선수들은 자신의 [　　　　]를 극복하기 위해 노력한다.

2 다음 글에서 밑줄 친 말과 뜻이 비슷한 말을 찾아 두 글자로 쓰세요.

글쓰기의 마지막 단계는 고쳐쓰기이다. 고쳐 쓸 때에는 3가지 원칙이 적용되는데 첨가의 원칙, 삭제의 원칙, 수정의 원칙이다. 첨가의 원칙은 꼭 들어가야 할 말을 빠뜨렸을 때 추가하여 넣는 것이다. 삭제의 원칙은 불필요한 말이 들어 있을 경우 없애는 것이다. 수정의 원칙은 좀 더 효과적으로 의미를 전달하려고 글을 고치는 것이다.

(　　　　　　　　)

KEY WORD

문명

글자 수

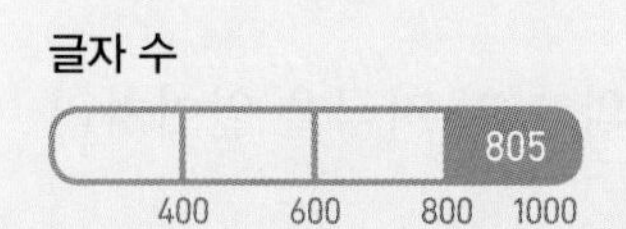

고대 문명을 발생시킨 강

1 세계에서 **문명**이 처음 발생한 지역으로 메소포타미아, 이집트, 인도, 중국을 들 수 있다. 이 지역들의 공통적인 특징을 통해 고대 문명의 발생 **요인**을 알아보자.

2 메소포타미아 문명은 티그리스강과 유프라테스강을 중심으로 생겨났다. 두 강 덕분에 이곳 사람들은 물을 쉽게 구하여 농사를 짓고 풍족한 생활을 할 수 있었다. 또한 메소포타미아 지역은 바다와 멀지 않아 주변 지역과 **교류**하기에도 좋은 조건이었기에 지구상에서 가장 먼저 문명을 탄생시킬 수 있었다.

3 이집트 문명은 세계에서 가장 긴 강인 나일강을 중심으로 탄생했다. 이집트인들은 나일강 **수위**가 올라갈 때는 물고기를 잡고, 강물이 빠지면 밤낮으로 땅을 갈아 곡식을 키웠다. 이렇게 나일강의 **범람**을 지혜롭게 이용함으로써 다른 지역보다 더 풍요로운 생활을 할 수 있었다.

4 인도 문명은 인더스강을 중심으로 생겨났다. 옛날에는 인더스강이 흐르는 곳마다 **비옥한** 토양이 만들어졌고, 사람들은 이곳에 모여 농사를 지으며 살았다. 홍수로 인해 강물이 불어나면 사람들은 다 함께 둑을 쌓았다. 그 과정에서 **지배 계급**이 생겨나고 도시가 만들어져 문명이 탄생할 수 있었다.

5 중국 문명은 중국에서 두 번째로 큰 강인 황허강을 중심으로 탄생했다. 사막을 지나는 황허강은 진흙과 모래로 인해 노란색을 띤다. 강물이 실어 온 황토는 풍부한 **양분**을 품고 있었고, 덕분에 이곳 사람들은 풍요로운 농경 생활을 할 수 있었다.

6 이렇듯 고대 문명이 발생한 지역은 모두 큰 강을 끼고 있었다. 강은 인간의 삶을 유지하는 데 꼭 필요한 물과 먹을거리를 쉽게 구할 수 있는 좋은 조건을 제공함으로써 문명을 탄생시킨 결정적인 요인이 되었다.

- **문명**(文 글월 문, 明 밝을 명) 사람의 사회적·기술적·정신적 생활이 발전한 상태.
- **요인**(要 중요할 요, 因 인할 인) 사물이나 사건이 제대로 이루어지는 까닭. 또는 조건이 되는 요소.
- **교류**(交 사귈 교, 流 흐를 류) 문화나 사상 등을 서로 주고받음.
- **수위**(水 물 수, 位 자리 위) 바다, 호수, 강 등의 물의 높이.
- **범람**(氾 넘칠 범, 濫 넘칠 람) 강이나 시내의 물이 차서 흘러넘침.
- **비옥**(肥 살찔 비, 沃 기름질 옥)**한** 흙에 식물이 잘 자랄 수 있게 하는 성분이 많이 들어 있는.
- **지배 계급** 정치적·경제적·사회적으로 지배적인 세력을 가진 계급.
- **양분**(養 기를 양, 分 나눌 분) 생물이 살아가기 위해 필요한 영양 성분.

중심 내용

1 이 글의 중심 내용을 1문단에서 찾아 아홉 글자로 쓰세요.

( )

내용 이해

2 다음 4대 문명과 관련이 있는 것을 각각 선으로 이으세요.

(1) 메소포타미아 문명 •		• ㉮ 나일강
(2) 이집트 문명 •		• ㉯ 황허강
(3) 인도 문명 •		• ㉰ 인더스강
(4) 중국 문명 •		• ㉱ 유프라테스강

추론하기

3 이 글을 통해 답을 알 수 없는 질문은 무엇인가요? ( )

① 가장 마지막에 발생한 문명은 무엇인가요?
② 4대 문명의 공통적인 발생 요인은 무엇인가요?
③ 중국 황허강이 노란색을 띠는 까닭은 무엇인가요?
④ 사람들이 강 주변에 모여 살았던 까닭은 무엇인가요?
⑤ 강이 인간의 삶을 유지하는 데 필요한 까닭은 무엇인가요?

적용하기

4 이 글과 관련하여 보기에 대해 적절하게 말한 친구는 누구인가요? ( )

> **보기**
>
> 최근 북한의 대동강 주변에서 청동기 유물들이 많이 나왔다. 이로 인해 대동강 지역에서 발생한 청동기 문명이 고조선이 건국된 이후 한반도 전체와 만주, 연해주 지역으로 퍼져 나갔음이 밝혀졌다.

① 세호: 청동기 문명은 고조선이 건국된 후에 사라졌네.
② 현서: 한반도에서도 강을 중심으로 문명이 발생했구나.
③ 하은: 고조선의 문명은 단군이 나라를 세워서 생겨날 수 있었어.
④ 아영: 한반도의 문명은 다른 문명들과는 다른 방식으로 발생했구나.
⑤ 정훈: 유물이 여러 지역에서 발견된 것을 보니 교통수단이 발달했겠네.

지문 분석

정답과 해설 05쪽

1 문단 요약 다음 빈칸을 채워 각 문단의 중심 내용을 정리해 보세요.

1문단	세계 4대 (　　　)이 발생한 지역
2문단	메소포타미아 문명의 발생 요인
3문단	(　　　) 문명의 발생 요인
4문단	인도 문명의 발생 요인
5문단	(　　　) 문명의 발생 요인
6문단	문명을 발생시킨 공통적인 요인인 (　　　)

2 중심 내용 다음 빈칸을 채워 이 글의 중심 내용을 완성하세요.

고대 문명이 처음 발생한 지역은 메소포타미아, 이집트, (　　　), 중국으로, 이 네 지역의 공통적인 특징은 모두 큰 (　　　)을 끼고 있었다는 점이다. 강은 (　　　)과 먹을거리를 쉽게 구할 수 있어서 문명 탄생의 결정적인 (　　　)이 되었다.

배경지식 지도로 보는 세계 4대 문명지

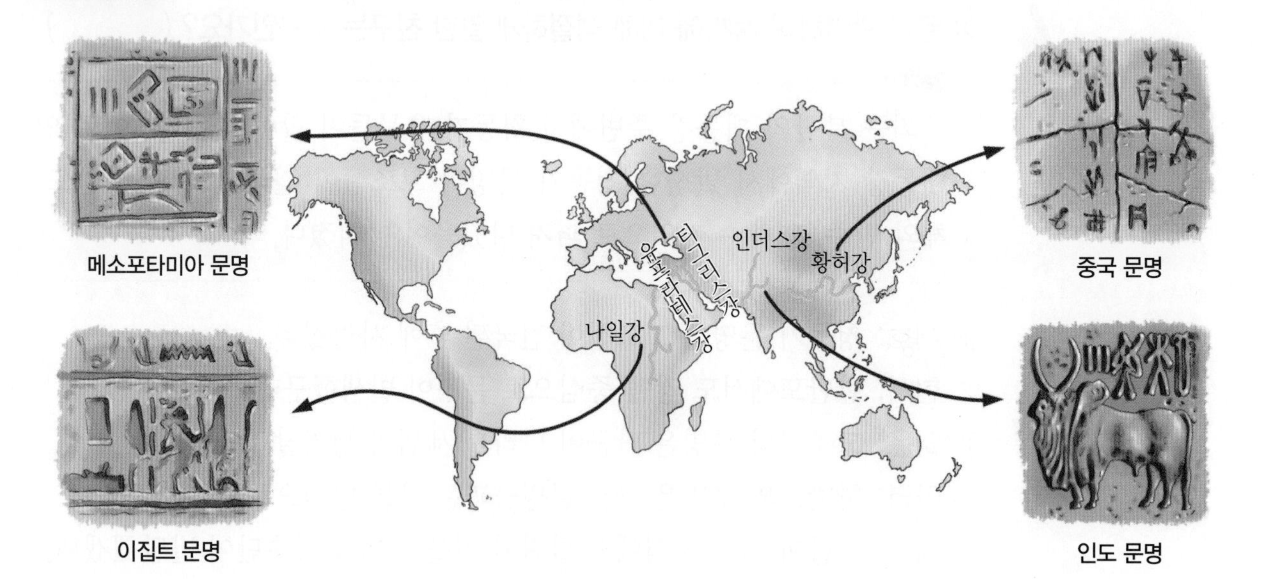

오늘의 어휘

정답과 해설 05쪽

다음 낱말의 알맞은 뜻을 찾아 선으로 이으세요.

낱말	뜻
요인 •	• 바다, 호수, 강 등의 물의 높이.
교류 •	• 문화나 사상 등을 서로 주고받음.
수위 •	• 강이나 시내의 물이 차서 흘러넘침.
범람 •	• 흙에 식물이 잘 자랄 수 있게 하는 성분이 많이 들어 있는.
비옥한 •	• 사물이나 사건이 제대로 이루어지는 까닭. 또는 조건이 되는 요소.

1 다음 문장의 빈칸에 들어갈 알맞은 말을 오늘의 어휘 에서 찾아 쓰세요.

- 이웃 국가와 (   )가 거의 없다.
- 비가 많이 와서 강물이 (   )했다.
- 그 사고가 일어난 (   )을 조사했다.
- 강의 (   )를 낮추기 위해 댐의 문을 열었다.
- 옛날 사람들은 농사를 짓기 위해 (   ) 땅을 찾았다.

2 다음 글에서 밑줄 친 말과 뜻이 비슷한 말을 찾아 두 글자로 쓰세요.

성장기 청소년의 키는 여러 가지에 영향을 받는다. 영양소가 풍부한 음식을 먹거나 충분히 잠을 자는 것, 또는 규칙적으로 운동을 하는 것 등이 키가 쑥쑥 크는 원인일 수 있다. 하지만 가장 결정적인 요인은 부모에게 물려받은 유전적인 영향이다.

(   )

신라 화랑도의 역사적 의의

1 꽃처럼 아름다운 남자라는 뜻의 '화랑'은 신라 청소년들이 자연 속에서 몸과 마음을 **단련**하고 애국심을 기르며 **공동체** 정신을 배우는 단체였다. 화랑의 무리를 '화랑도'라고 했다. 진흥왕은 나라를 위해 일할 수 있는 젊은 **인재**를 기르기 위해 화랑을 국가 **조직**으로 키웠다.

2 화랑도는 총 지도자인 1명의 '국선'을 두었으며, 3~8명의 '화랑'과 수천 명의 '낭도'로 조직되었다. 화랑은 여러 낭도들의 **우두머리**로, 한 명의 화랑 밑에는 낭도들이 수백에서 많게는 수천 명까지 있었다고 한다. 이들은 15~18세의 젊은 남자들로, 함께 아름다운 자연을 찾아다니며 노래와 춤을 배우고 군사 훈련까지 받았다.

3 신라의 화랑들은 원광 스님의 '세속오계'를 엄격하게 지켰다. 세속오계란 화랑이 지켜야 할 다섯 가지 **규율**로, 첫째, 임금에게 충성하고(사군이충(事君以忠)), 둘째, 부모에게 효도하며(사친이효(事親以孝)), 셋째, 믿음으로 친구를 사귀고(교우이신(交友以信)), 넷째, 전쟁에 나아가 물러서지 않으며(임전무퇴(臨戰無退)), 다섯째, 산 것을 죽일 때는 가려서 함부로 죽이지 말라(살생유택(殺生有擇))는 것이다.

4 화랑은 당시 신라 청년들의 **이상**이었으며, 신라 백성의 화랑도에 대한 존경과 사랑은 많은 기록에서도 확인할 수가 있다. 신라는 철저한 신분 사회였지만 서로 다른 신분의 화랑과 낭도들이 함께 훈련하며 공동체적 **결속**을 쌓았던 화랑도는 신라가 삼국을 통일하는 데 가장 큰 공을 세운 조직이었다.

KEY WORD

화랑도

글자 수

717 (400 / 600 / 800 / 1000)

- **단련**(鍛 쇠불릴 단, 鍊 불릴 련) 몸과 마음을 굳세게 함.
- **공동체**(共 함께 공, 同 같을 동, 體 몸 체) 같은 생각이나 목적을 가지고 있는 집단.
- **인재**(人 사람 인, 材 재목 재) 어떤 일을 할 수 있는 지식이나 능력을 갖춘 사람.
- **조직**(組 짤 조, 織 짤 직) 특정한 목적을 달성하기 위하여 이룬 집단.
- **우두머리** 어떤 집단이나 조직에서 가장 높은 사람.
- **규율**(規 법 규, 律 법 율) 한 사회나 조직의 질서를 지키기 위하여 구성원이 따르기로 되어 있는 기본적인 법.
- **이상**(理 다스릴 이, 想 생각 상) 생각할 수 있는 범위 안에서 가장 완전하다고 여겨지는 상태.
- **결속**(結 맺을 결, 束 묶을 속) 여러 사람이 공동의 목적을 위하여 하나로 뭉침.

설명 대상

1 이 글은 무엇에 대해 설명하고 있나요? (　　　　)

① 꽃　② 애국심　③ 진흥왕
④ 화랑도　⑤ 원광 스님

내용 이해

2 이 글을 통해 알 수 있는 내용을 모두 찾아 ○표를 하세요.

(1) 화랑도는 신분에 따른 차별이 심했다. (　　　　)
(2) '화랑'은 꽃처럼 아름다운 여인을 뜻한다. (　　　　)
(3) 화랑은 여러 명의 낭도를 거느릴 수 있었다. (　　　　)
(4) 진흥왕은 화랑을 국가적인 조직으로 키웠다. (　　　　)

어휘·어법

3 다음 중 '세속오계'에 대한 설명으로 적절하지 않은 것은 무엇인가요? (　　　　)

① 사군이충: 임금과 나라에 충성하라.
② 사친이효: 부모를 섬기고 효도를 다하라.
③ 교우이신: 친구를 사귈 때는 믿음으로써 하라.
④ 임전무퇴: 전쟁에 나갔을 때는 물러나지 마라.
⑤ 살생유택: 살아 있는 생명을 절대 죽이지 마라.

추론하기

4 이 글을 읽고 난 후의 반응으로 적절하지 않은 것은 무엇인가요? (　　　　)

① 하은: 신라 시대는 철저한 신분 사회였네.
② 예은: 삼국 통일에 화랑의 역할이 매우 컸구나.
③ 찬서: 전쟁이 나면 화랑들도 전쟁에 나가야 했군.
④ 나윤: 당시 화랑들은 사람들에게 인기가 많았구나.
⑤ 태영: 화랑은 자연에 머물며 개별적으로 무예를 익혔군.

지문 분석

정답과 해설 06쪽

1 문단 요약 **각 문단의 중심 내용으로 알맞은 것에 ○표, 틀린 것에 ×표를 하세요.**

1문단	화랑은 몸과 마음을 단련하고 애국심과 공동체 정신을 기르는 단체이다.	(　　)
2문단	화랑도는 국선, 화랑, 낭도로 조직된다.	(　　)
3문단	화랑은 원광 스님이 만든 국가 조직이다.	(　　)
4문단	화랑도는 신라의 삼국 통일에 가장 큰 공을 세웠다.	(　　)

2 글의 구조 **다음 빈칸을 채워 이 글의 내용을 정리해 보세요.**

화랑도

조직 구성	(　　　)
• 화랑의 총 (　　　)인 국선 • 화랑 • (　　　)	• 사군이충: 임금에게 충성한다. • (　　　): 부모에게 효도한다. • 교우이신: 믿음으로 친구를 사귄다. • 임전무퇴: 전쟁에 나아가 물러서지 않는다. • (　　　): 산 것을 함부로 죽이지 않는다.

배경지식 **남자인 화랑이 화장을?**

화랑은 얼굴에 화장을 하기도 했는데, 이는 멋져 보이기 위해서가 아니라 옳지 않은 것을 바로잡거나 큰 뜻을 위해 죽을 수도 있다는 의지를 드러내기 위해서였다. 이것을 '낭장결의'라고 하며, 이는 화랑에게 있어 최고로 명예로운 일이었다.

정답과 해설 06쪽

다음 낱말의 알맞은 뜻을 찾아 선으로 이으세요.

낱말		뜻
공동체 •		• 어떤 집단이나 조직에서 가장 높은 사람.
인재 •		• 같은 생각이나 목적을 가지고 있는 집단.
우두머리 •		• 여러 사람이 공동의 목적을 위하여 하나로 뭉침.
이상 •		• 어떤 일을 할 수 있는 지식이나 능력을 갖춘 사람.
결속 •		• 생각할 수 있는 범위 안에서 가장 완전하다고 여겨지는 상태.

1 다음 문장의 빈칸에 들어갈 알맞은 말을 오늘의 어휘 에서 찾아 쓰세요.

- 홍길동은 활빈당의 [　　　　]였다.
- [　　　　]을 마음에 품은 사람이 되자.
- 통일을 위해 남과 북이 [　　　　]해야 한다.
- 운동회는 학생들의 [　　　　] 의식을 높여 준다.
- 세종 대왕은 신분과 상관없이 [　　　　]를 뽑았다.

2 다음 글에서 밑줄 친 말과 뜻이 반대되는 말을 찾아 네 글자로 쓰세요.

옛날이야기는 착한 사람과 나쁜 사람이 등장해서 나쁜 사람은 벌을 받고 착한 사람은 행복해지는 것으로 끝나는 경우가 많다. 흔히 악당의 우두머리는 여러 <u>졸개</u>들을 거느리고 착한 사람들을 괴롭히지만, 결국에는 착한 주인공에 의해서 벌을 받게 된다.

(　　　　　　　　)

㉠ 이 지어진 이유와 과정

1 만리장성은 중국의 **상징**이라 할 수 있는 대표적인 유적 중 하나이다. 만리장성은 흔히 인간이 만든 세계 최대 규모의 건축물로 꼽힌다. 그 규모가 얼마나 큰지 달에서도 보인다는 말이 있을 정도이다. 이렇게 거대한 만리장성을 지은 이유와 과정을 살펴보자.

2 만리장성은 진나라의 황제인 진시황이 북방 흉노족의 침입에 대비하기 위해 이미 여러 나라가 쌓아 둔 장성들을 연결하여 지은 것이다. 진시황의 명령으로 시작된 만리장성 공사는 언제 끝났는지 정확하게 알려지지 않았다. 그렇지만 공사 기간만 10년이 넘게 걸렸고, 공사에 참여한 군사와 백성이 약 30만 명이 넘었을 것이라고 한다.

3 만리장성을 짓는 큰 공사가 진행되는 동안 셀 수 없을 정도로 많은 백성이 목숨을 잃었다. 공사에 끌려간 사람들은 가족에게 소식도 전하지 못해서 살았는지 죽었는지도 확인할 수 없었다고 한다. 백성들이 **원망**하는 목소리가 점차 커졌고, 진나라는 결국 세워진 지 15년 만에 **멸망**하게 된다.

4 만리장성은 진나라가 망한 이후에도 여러 황제에 의해 계속해서 고쳐지고 덧붙여져서 길이가 더 길어졌고, **봉화대**와 같은 군사 시설도 추가되었다. 그렇게 완성된 오늘날 만리장성의 총 길이는 약 6500km로, 이는 한반도 남북 길이의 6배 정도이다.

5 만리장성은 분명 세계에서 가장 큰 규모의 **시설물**로서, 세계 문화유산으로 **등재**된 훌륭한 유적이다. 하지만 **무자비**하게 진행된 만리장성 공사에서 너무 많은 사람들이 희생당했다는 사실 역시 잊지 말아야 한다.

KEY WORD

만리장성

글자 수

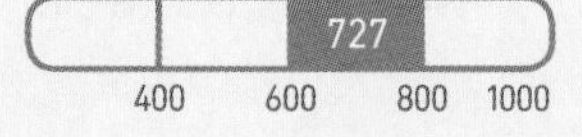

- **상징**(象 상징 상, 徵 부를 징) 추상적인 개념이나 사물을 구체적으로 나타낸 사물.
- **원망**(怨 원망할 원, 望 바랄 망) 자기가 당한 일을 억울하게 여기어 남을 탓하거나 섭섭하게 여김.
- **멸망**(滅 멸망할 멸, 亡 망할 망) 국가, 민족, 또는 인류가 망하여 없어짐.
- **봉화대**(烽 봉화 봉, 火 불 화, 臺 돈대 대) 옛날에 전쟁이 일어난 것을 알리기 위하여 신호로 산 위에서 불을 피워 올리던, 돌로 쌓은 장치.
- **시설물**(施 베풀 시, 設 베풀 설, 物 만물 물) 어떤 목적을 위해 갖추어 놓은 구조물.
- **등재**(登 오를 등, 載 실을 재) 일정한 사항을 책이나 목록에 올림.
- **무자비**(無 없을 무, 慈 사랑할 자, 悲 슬플 비) 남을 불쌍하게 여기는 마음이 조금도 없고 매우 사납고 모짊.

지문 독해

제목

1 **이 글의 제목으로 어울리도록 ㉠에 들어갈 알맞은 낱말을 쓰세요.**

( )

내용 이해

2 **이 글을 통해 알 수 있는 내용을 모두 찾아 ○표를 하세요.**

(1) 만리장성을 지은 까닭 ( )
(2) 만리장성의 현재 길이 ( )
(3) 만리장성 공사를 명령한 사람 ( )
(4) 만리장성이 세계 문화유산으로 등재된 시기 ( )

내용 이해

3 **이 글에서 만리장성에 대해 설명한 내용과 다른 것은 무엇인가요? ( )**

① 만리장성은 적의 침입을 막기 위한 군사 시설이다.
② 만리장성을 짓는 중에 많은 사람이 목숨을 잃었다.
③ 만리장성은 여러 명의 황제에 의해 계속 덧붙여졌다.
④ 만리장성은 이미 지어진 여러 장성들을 연결한 것이다.
⑤ 만리장성의 공사 기간과 참여 인원은 기록으로 명확하게 남아 있다.

비판하기

4 **다음 대화 중 5문단의 내용에 맞게 만리장성을 바라보고 있는 친구는 누구인가요? ( )**

① 채빈: 강력한 황제의 통치 아래에서 최고의 건축물인 만리장성이 나올 수 있었다고 생각해.
② 대희: 만리장성이 위대한 유적인 것은 맞지만 수많은 백성을 희생시킨 강압적인 공사였다는 점은 바람직하지 않은 것 같아.
③ 수연: 글쎄, 하지만 훌륭한 진시황이 아니었다면 우리는 이렇게 위대한 만리장성을 절대로 못 봤을 거야.
④ 서인: 나도 그렇게 생각해. 달에서도 보일 거라는 말이 있을 정도로 큰 규모로 짓는 일인데 그 정도 희생은 당연한 일이었겠지.
⑤ 윤산: 그래, 진시황뿐만 아니라 다른 황제들도 만리장성을 계속 이어서 지었다는 걸 보면 진시황은 잘못이 없어.

지문 분석

정답과 해설 07쪽

1 문단 요약 다음은 각 문단의 중심 내용을 정리한 것입니다. 문단의 순서대로 기호를 쓰세요.

㉮	만리장성의 역사적 의미
㉯	오늘날 완성된 만리장성의 모습
㉰	중국의 대표적인 유적인 만리장성
㉱	만리장성을 짓게 된 이유와 공사 과정
㉲	만리장성 공사에 참여한 사람들의 희생

(　　　) → (　　　) → (　　　) → (　　　) → (　　　)

2 글의 구조 다음 빈칸을 채워 이 글의 내용을 정리해 보세요.

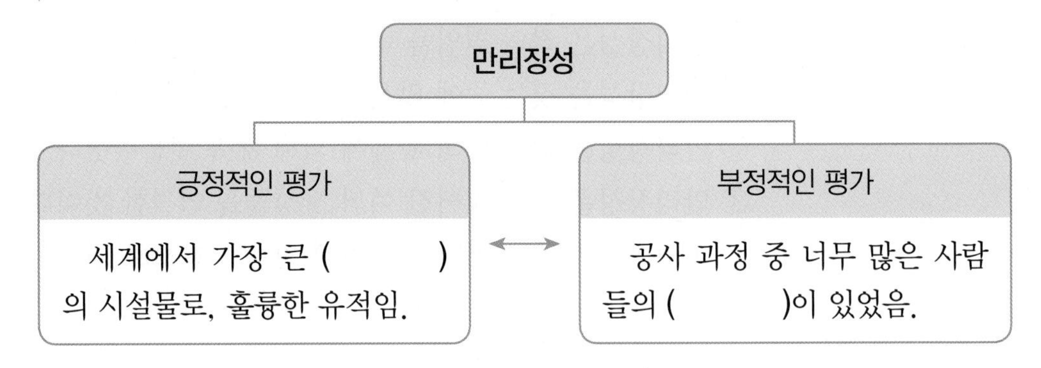

배경지식 달에서 만리장성이 보일까?

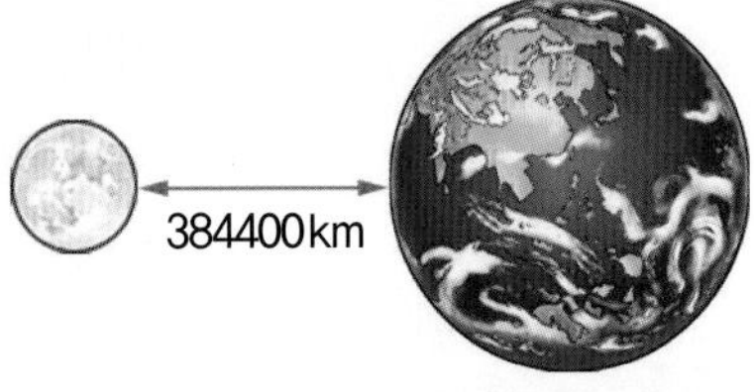

폭이 6~8m인 만리장성이 실제 눈으로 보이는 높이는 지상으로부터 36km 정도라고 한다. 그런데 지구와 달 사이의 거리는 무려 384400km나 되므로 달에서 만리장성이 보인다는 말은 사실이 아니다.

정답과 해설 07쪽

다음 낱말의 알맞은 뜻을 찾아 선으로 이으세요.

낱말	뜻
원망 •	• 일정한 사항을 책이나 목록에 올림.
멸망 •	• 국가, 민족, 또는 인류가 망하여 없어짐.
봉화대 •	• 남을 불쌍하게 여기는 마음이 조금도 없고 매우 사납고 모짊.
등재 •	• 자기가 당한 일을 억울하게 여기어 남을 탓하거나 섭섭하게 여김.
무자비 •	• 옛날에 전쟁이 일어난 것을 알리기 위하여 신호로 산 위에서 불을 피워 올리던, 돌로 쌓은 장치.

1 다음 문장의 빈칸에 들어갈 알맞은 말을 오늘의 어휘 에서 찾아 쓰세요.

- 고려가 [ ]하고 조선이 건국되었다.
- 가뭄이 들자 사람들은 하늘을 [ ]했다.
- 옛날에는 전쟁이 나면 [ ]에 불을 피워 알렸다.
- 지금도 세계 곳곳에서 [ ]한 테러가 일어나고 있다.
- 경주 불국사 다보탑은 우리나라의 국보로 [ ]되어 있다.

2 다음 글에서 밑줄 친 말과 뜻이 비슷한 말을 찾아 세 글자로 쓰세요.

3·1 만세 운동은 우리나라 사람들이 나라의 독립을 요구하며 전국적으로 일으킨 항일 독립운동이다. 비폭력적인 3·1 만세 운동에 참여했던 우리 민족을 일제는 무자비하게 짓밟았다. 일제의 잔인한 탄압으로 인해 희생된 사람의 수는 7500명이 넘는다고 한다.

( )

KEY WORD

발해

글자 수

853

400 600 800 1000

고구려를 계승한 발해의 역사

1 예전에는 발해가 우리의 역사로 인정받지 못했기 때문에 삼국 시대 이후 698년부터 926년까지의 시기를 '통일 신라 시대'라고 했으나, 지금은 '남북국 시대'라고 한다. 남북국 시대란 남쪽에는 신라, 북쪽에는 발해가 있던 때를 말한다.

2 발해를 **건국**한 이는 고구려의 장군인 대조영이다. 그는 고구려가 망한 뒤 당나라의 포로로 잡혀 있다가 고구려 **유민**들과 말갈족을 이끌고 당나라를 탈출했다. 대조영은 698년에 자신들을 뒤쫓는 당의 군대를 모두 물리치고 고구려의 옛 땅인 동모산에 나라를 세워 이름을 '진국'이라고 했다. 이후 진국은 고구려의 옛 땅의 대부분을 되찾으며 **번창**했고, 이에 당나라는 진국에 화해를 청하면서 대조영을 '발해군왕'으로 인정했다. 이때부터 나라 이름도 '발해'라고 부르게 되었다.

3 발해는 고구려 유민이 중심이 되어 세워진 나라였다. 발해가 다른 나라에 문서를 보낼 때 스스로를 고구려라고 하였다는 점을 통해서도 발해가 고구려를 **계승**한 나라임을 확인할 수 있다. 또한 발해 유적지에서 우리의 전통적인 난방법인 **온돌**이 많이 발견되기도 했다. 이처럼 발해의 유물과 유적은 발해가 우리 역사라는 것을 잘 보여 주고 있다.

4 발해의 **전성기**는 선왕 때로, 고구려보다 넓은 영토를 차지했으며 여러 민족의 문화가 어우러져 독특한 문화가 발달했다. 다른 나라와 활발한 교역을 펼치면서 발해의 **경제력**과 문화 수준이 높아지자, 당나라는 이때의 발해를 바다 동쪽의 **번영**한 나라라는 뜻의 '해동성국'으로 부르기도 했다.

5 이렇게 번창하던 발해는 세력이 차츰 약해져 926년 거란군에 의해 멸망했다. 300년도 채 되지 않는 짧은 역사지만, 발해는 당나라에 맞서며 만주 지역과 현재 러시아의 영토인 연해주까지 세력을 떨쳤던 빛나는 나라였다.

5 10 15 20 25

- **건국**(建 세울 건, 國 나라 국) 나라가 세워짐. 또는 나라를 세움.
- **유민**(遺 남길 유, 民 백성 민) 망하여 없어진 나라의 백성.
- **번창**(繁 많을 번, 昌 창성할 창) 한창 기세가 크게 일어나 잘 뻗어 나감.
- **계승**(繼 이을 계, 承 받들 승) 전에 있던 것을 물려받아 이어 나감.
- **온돌**(溫 따뜻할 온, 突 부딪칠 돌) 불의 뜨거운 기운이 방 밑을 통과하여 방을 덥히는 장치.
- **전성기**(全 온전할 전, 盛 성할 성, 期 기약할 기) 형세나 세력 등이 한창 왕성한 시기.
- **경제력**(經 지날 경, 濟 건널 제, 力 힘 력) 재산의 정도. 또는 생산력이나 자본 등을 종합한 힘.
- **번영**(繁 많을 번, 榮 꽃 영) 세력이 한창 일어나 이름이 세상에 빛나게 됨.

지문 독해

핵심어

1 이 글에서 가장 중심이 되는 낱말을 찾아 쓰세요.

( )

내용 이해

2 이 글을 통해 알 수 있는 내용을 모두 찾아 ○표를 하세요.

(1) 발해를 건국한 인물 ( )
(2) 발해의 또 다른 이름 ( )
(3) 고구려가 멸망한 까닭 ( )
(4) 온돌의 과학적인 원리 ( )

추론하기

3 이 글을 통해 답을 알 수 있는 질문이 아닌 것은 무엇인가요? ( )

① 발해의 전성기는 언제였나요?
② 발해가 멸망한 것은 언제인가요?
③ 발해와 당나라의 관계는 어떠하였나요?
④ '남북국 시대'라고 부르는 까닭은 무엇인가요?
⑤ 발해가 다른 나라와 교역한 물품들에는 어떤 것이 있나요?

적용하기

4 이 글을 읽고 발해를 우리의 역사로 보는 이유를 바르게 이해한 친구는 누구인가요? ( )

① 채빈: 당나라가 대조영을 '발해군왕'으로 인정했기 때문이야.
② 수진: 발해가 말갈족의 도움을 받아 건국한 나라이기 때문이야.
③ 유신: 발해가 고구려보다 훨씬 더 넓은 영토를 가졌던 나라이기 때문이야.
④ 다희: 발해가 여러 민족의 문화가 어우러진 독특한 문화를 가졌기 때문이야.
⑤ 지운: 발해의 유물과 유적으로 발해가 고구려를 계승한 나라임을 알 수 있기 때문이야.

지문 분석

정답과 해설 08쪽

1 문단 요약

다음 빈칸을 채워 각 문단의 중심 내용을 정리해 보세요.

문단	내용
1 문단	( ) 시대의 의미
2 문단	( )의 건국 과정
3 문단	발해가 우리 역사인 이유
4 문단	발해의 ( )와 문화
5 문단	발해의 ( )과 역사적 의의

2 글의 구조

다음 빈칸을 채워 이 글의 내용을 정리해 보세요.

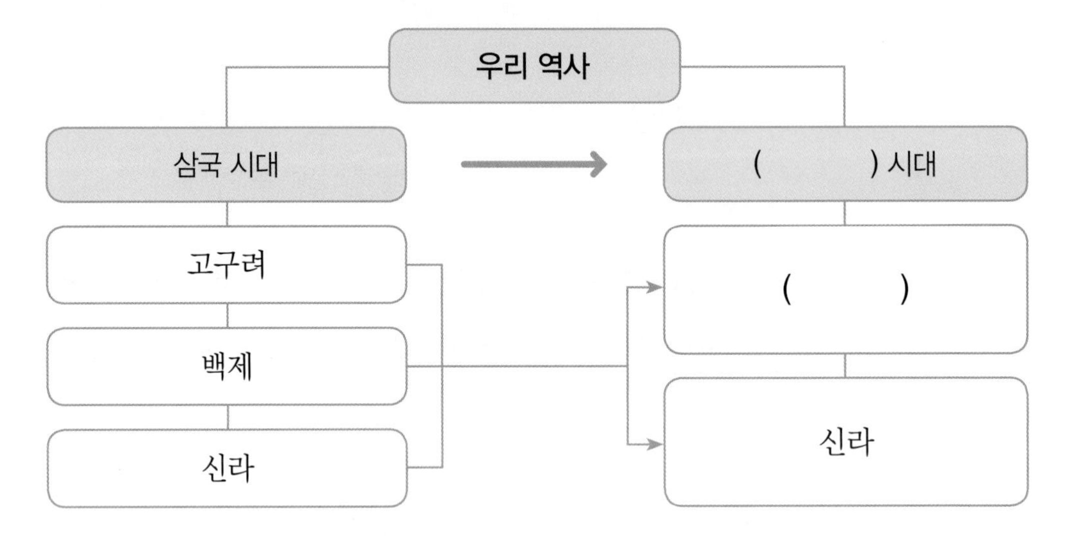

배경지식 발해의 영토와 수도

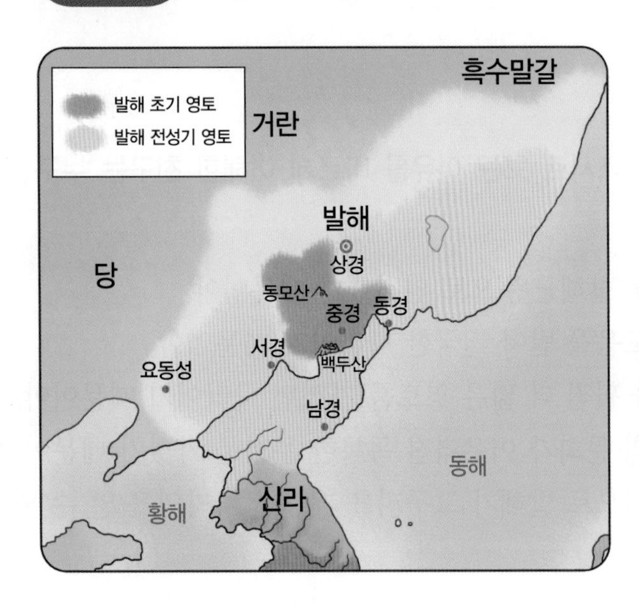

발해는 10대 임금인 선왕 때에 전성기를 맞아 최대의 영토를 가지게 되었다. 발해의 수도는 상경, 중경, 동경, 서경, 남경의 5개로, 이를 가리켜 5경이라고 했다.

오늘의 어휘

정답과 해설 08쪽

다음 낱말의 알맞은 뜻을 찾아 선으로 이으세요.

낱말	뜻
건국 •	• 망하여 없어진 나라의 백성.
유민 •	• 나라가 세워짐. 또는 나라를 세움.
번창 •	• 전에 있던 것을 물려받아 이어 나감.
계승 •	• 형세나 세력 등이 한창 왕성한 시기.
전성기 •	• 한창 기세가 크게 일어나 잘 뻗어 나감.

1 다음 문장의 빈칸에 들어갈 알맞은 말을 오늘의 어휘 에서 찾아 쓰세요.

- 새로운 사업의 [ ]을 기원했다.
- 내 인생의 [ ]는 바로 지금이다.
- 발해의 지배층은 고구려의 [ ]이었다.
- 전통문화를 잘 [ ]하는 것이 우리의 과제이다.
- 발해는 고구려 유민이 중심이 되어 [ ]되었다.

2 다음 글에서 밑줄 친 말과 뜻이 반대되는 말을 찾아 두 글자로 쓰세요.

고려를 끝까지 지키고 싶었던 정몽주는 조선 건국의 중심 세력인 이성계와 정도전의 뜻에 따를 수 없었다. 정몽주를 비롯한 고려의 마지막 충신들은 기울어 가는 고려에 대한 안타까움과 망국의 슬픔을 시조에 담아 표현하기도 했다.

(　　　　　　　　)

KEY WORD

강화도

글자 수

744

400 600 800 1000

강화도에 있는 고조선의 유적

1 우리 민족 최초의 나라는 단군이 세운 **고조선**이다. 강화도에는 남한에서 볼 수 있는 몇 안 되는 고조선의 유적인 참성단과 삼랑성이 있다.

2 강화도에 있는 마니산은 '머리가 되는 산'이라는 뜻에서 생긴 말로, 백두산과 한라산 사이의 중심에 위치해 있다. 이런 이유로 예로부터 마니산을 민족의 **정기**가 모인 곳이라 여겼고, 단군이 그곳에 돌을 쌓아 올려 참성단을 만들었다. 참성단은 하늘에 나라의 안녕을 **기원**하는 제사를 드리기 위해 돌을 쌓아 올려 만든 단이다. 참성단의 모양을 보면 하늘은 둥글고 땅은 네모나다고 믿었던 고조선 사람들의 생각이 잘 나타나 있다. 참성단의 아랫부분은 하늘의 모양을 본떠 원형으로 쌓았고, 윗부분은 땅의 모양을 본떠 네모꼴로 쌓았다.

3 강화도에 있는 삼랑성은 정족산에 있어서 '정족산성'으로 불리기도 한다. 단군은 먼 훗날 다른 나라가 이 땅을 **침략**할 것을 염려했고, 나라를 지키기 위해서 한강의 입구인 강화도에 튼튼한 산성을 쌓아야겠다고 생각했다. 이런 단군의 명을 받은 세 아들이 성을 쌓았다고 하여 '삼랑성'이라는 이름이 붙었다. 훗날 조선 후기에 프랑스 군대가 강화도를 **점령**하는 위급한 상황에 처했을 때, 양헌수 장군은 적군을 삼랑성으로 **유인**해서 큰 승리를 거두게 된다. 결국 단군의 **예언**대로 삼랑성이 나라를 지킨 것이다.

4 고조선과 관련한 유적 대부분은 중국이나 북한에 있어서 남한에서는 찾아보기 힘들다. 다행스럽게도 강화도에 참성단과 삼랑성이 있어 우리 민족의 역사의 시작점인 고조선의 **흔적**을 볼 수 있다.

- **고조선**(古 옛 고, 朝 아침 조, 鮮 고울 선) 단군이 세운 우리 민족 최초의 국가.
- **정기**(精 찧을 정, 氣 기운 기) 민족의 정신과 기운.
- **기원**(祈 빌 기, 願 바랄 원) 바라는 일이 이루어지기를 빎.
- **침략**(侵 침노할 침, 略 다스릴 략) 정당한 이유 없이 남의 나라에 쳐들어감.
- **점령**(占 차지할 점, 領 거느릴 령) 남의 땅이나 장소를 폭력이나 무력으로 빼앗아 차지함.
- **유인**(誘 꾈 유, 引 끌 인) 남을 속이거나 꾀어 끌어들임.
- **예언**(豫 미리 예, 言 말씀 언) 앞으로 다가올 일을 미리 알거나 짐작하여 말함.
- **흔적**(痕 흉터 흔, 跡 자취 적) 어떤 현상이 없어지고 난 뒤에 남은 자국이나 자취.

설명 대상

1 **이 글은 무엇에 대해 설명하고 있는지 두 가지를 찾아 쓰세요.**

(,)

내용 이해

2 **이 글을 통해 알 수 있는 내용을 모두 찾아 ○표를 하세요.**

(1) 마니산 이름의 유래 ( )
(2) 삼랑성의 다른 이름 ( )
(3) 참성단의 변화된 모습 ( )
(4) 삼랑성에 얽힌 이야기 ( )

어휘·어법

3 **3 문단의 내용에 가장 어울리는 한자 성어는 무엇인가요? ( )**

① 다다익선: 많으면 많을수록 더욱 좋음.
② 대기만성: 크게 될 사람은 늦게 이루어짐.
③ 유비무환: 미리 준비가 되어 있으면 걱정할 것이 없음.
④ 오리무중: 무슨 일에 대하여 방향이나 갈피를 잡을 수 없음.
⑤ 어부지리: 두 사람이 서로 싸우는 사이에 엉뚱한 사람이 애쓰지 않고 이익을 가로챔.

적용하기

4 **이 글을 읽고 고조선에 대해 알맞게 말하지 못한 친구는 누구인가요? ( )**

① 도영: 고조선은 우리 역사상 최초의 국가라고 할 수 있어.
② 진우: 고조선 사람들은 하늘은 둥글고 땅은 네모난 것으로 믿었어.
③ 상민: 고조선 사람들은 침략에 대비해 한강을 따라 긴 성을 쌓았어.
④ 유현: 고조선의 영토 대부분은 지금의 북한과 중국 쪽에 있었을 거야.
⑤ 신지: 고조선 사람들은 나라의 안녕을 기원하기 위해 하늘에 제사를 지냈어.

지문 분석

정답과 해설 09쪽

1 문단 요약 다음은 각 문단의 중심 내용을 정리한 것입니다. 문단의 순서대로 기호를 쓰세요.

㉮	삼랑성에 대한 소개
㉯	참성단에 대한 소개
㉰	참성단과 삼랑성의 의의
㉱	고조선의 유적인 참성단과 삼랑성

( ) → ( ) → ( ) → ( )

2 글의 구조 다음 빈칸을 채워 이 글의 내용을 정리해 보세요.

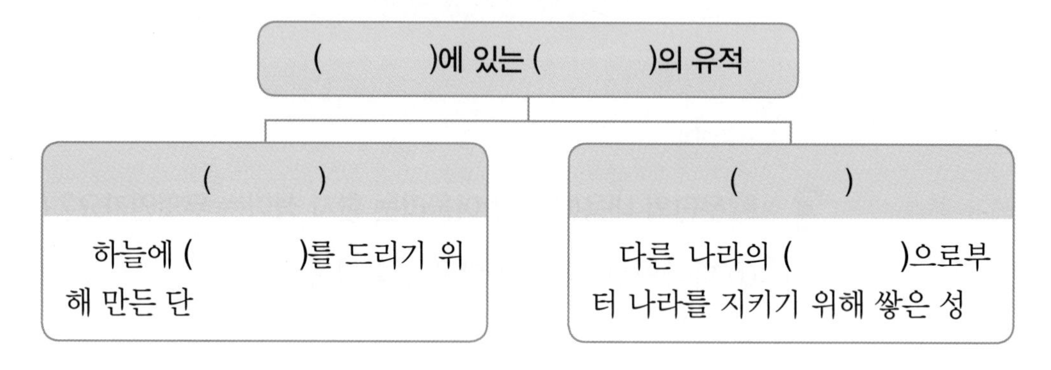

배경지식 강화도로 떠나는 역사 여행

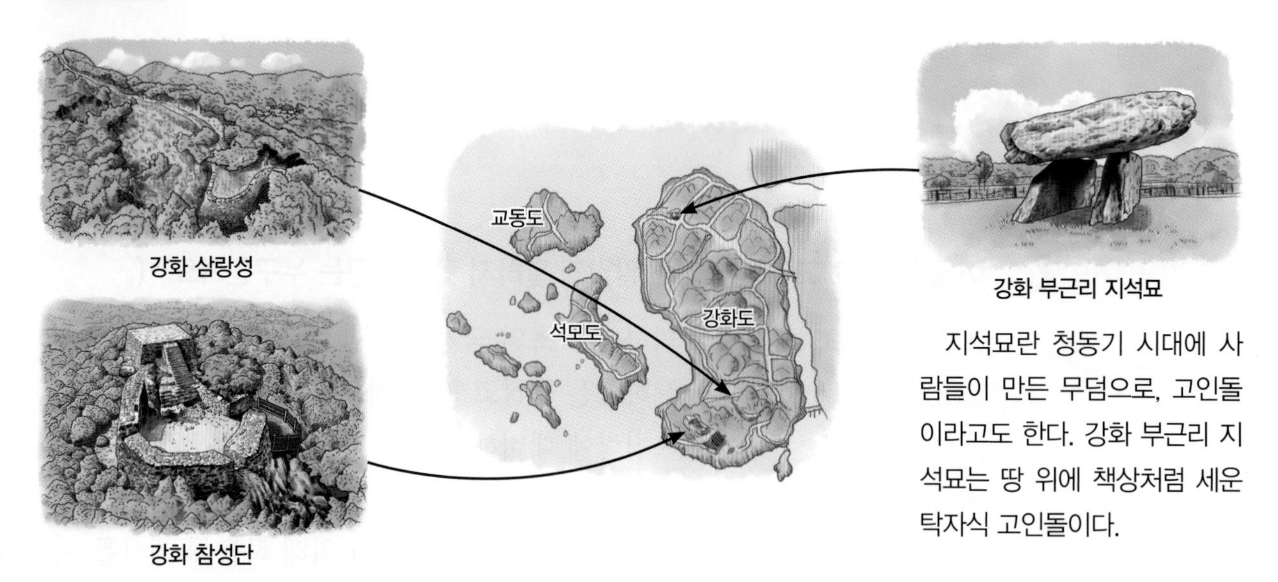

강화 삼랑성

강화 참성단

강화 부근리 지석묘

지석묘란 청동기 시대에 사람들이 만든 무덤으로, 고인돌이라고도 한다. 강화 부근리 지석묘는 땅 위에 책상처럼 세운 탁자식 고인돌이다.

오늘의 어휘

다음 낱말의 알맞은 뜻을 찾아 선으로 이으세요.

정기 •	• 민족의 정신과 기운.
기원 •	• 바라는 일이 이루어지기를 빎.
점령 •	• 남을 속이거나 꾀어 끌어들임.
유인 •	• 앞으로 다가올 일을 미리 알거나 짐작하여 말함.
예언 •	• 남의 땅이나 장소를 폭력이나 무력으로 빼앗아 차지함.

1 다음 문장의 빈칸에 들어갈 알맞은 말을 오늘의 어휘 에서 찾아 쓰세요.

- 일제는 36년간 우리나라를 [ ] 했다.
- 백두산에는 한민족의 [ ] 가 서려 있다.
- 그 사람은 내가 꼭 합격할 것이라고 [ ] 했다.
- 할머니께서는 절에 가셔서 가족의 건강을 [ ] 하셨다.
- 사냥꾼은 동물들이 좋아하는 먹이로 [ ] 해서 사냥을 했다.

2 다음 글에서 밑줄 친 말과 뜻이 비슷한 말을 찾아 두 글자로 쓰세요.

일본은 오래전부터 독도가 자기네 땅이라는 말도 안 되는 주장을 하고 있다. 일본의 역사 교과서에도 한국이 독도를 불법으로 <u>점거</u>하고 있다는 내용을 싣게 했다고 한다. 일제가 강제로 우리 땅을 점령했던 기억을 잊지 말고, 독도에 대한 사랑과 관심을 가지고 우리 땅을 소중히 지켜야 한다.

( )

선거의 원칙의 의미와 필요성

KEY WORD

선거

글자 수

852

400 600 800 1000

1 선거란 자신들을 대표할 사람을 뽑는 것을 말한다. 그러나 선거가 단순히 투표만 하는 것을 의미하지는 않는다. 투표는 자신의 선택을 표시하여 내는 일을 뜻하고, 선거는 일정한 **절차**와 원칙에 따라 특정한 자격을 갖춘 **후보** 중에서 어느 한쪽을 뽑는 것을 뜻한다. 만약 선거의 원칙 없이 마음대로 투표한다면 그것은 선거라고 할 수 없다. 그렇다면 선거의 원칙에는 어떤 것이 있을까?

2 첫째, 보통 선거이다. 이는 법에 따라 일정한 나이가 되면 모든 국민에게 **투표권**을 주는 원칙이다. 국민 모두에게 투표권을 준다면 **판단력**이 부족한 어린 사람들도 투표할 수 있게 되어 잘못된 결정이 내려질 수도 있기 때문에 '일정한 나이'라는 원칙이 필요한 것이다.

3 둘째, 평등 선거이다. 이는 신분의 높고 낮음, 재산의 많고 적음, 성별이나 **학력** 등의 조건과 관계없이 한 사람이 한 표씩 동등하게 투표할 수 있는 원칙이다. 만약 특정 집단의 사람들이 두 표씩 투표할 수 있다면 선거 결과에 그 집단의 의견이 더 반영될 수 있다.

4 셋째, 직접 선거이다. 이는 투표권이 있는 사람이 직접 투표해야 하는 원칙이다. 몸이 아프다고, 또는 바쁘다고 해서 다른 사람에게 투표를 대신 하게 한다면 자신의 생각과는 다른 투표를 할 수도 있다.

5 넷째, 비밀 선거이다. 이는 투표권을 가진 사람이 누구에게 투표하는지 다른 사람이 알지 못하게 비밀을 지켜 주는 원칙이다. 자신이 누구를 뽑았는지 다른 사람이 알게 되면 정작 자신이 원하는 사람에게 투표를 하지 못할 수도 있다.

6 선거는 국민이 나라의 주인으로서 정치에 참여하는 가장 기본적인 방법이기 때문에 '**민주주의**의 꽃'이라고 한다. 따라서 선거의 4원칙은 **공정**한 선거를 위해 꼭 필요한 민주주의의 기본 원리라고 할 수 있다.

- **절차**(節 마디 절, 次 버금 차) 일을 치르는 데 거쳐야 하는 순서나 방법.
- **후보**(候 기후 후, 補 기울 보) 선거에서, 어떤 직위나 신분을 얻으려고 일정한 자격을 갖추어 나선 사람.
- **투표권**(投 던질 투, 票 표 표, 權 권세 권) 투표할 수 있는 권리.
- **판단력**(判 판가름할 판, 斷 끊을 단, 力 힘 력) 사물을 판단하는 힘.
- **학력**(學 배울 학, 歷 지낼 력) 개인이 학교 교육을 받은 사실이나 경험.
- **민주주의**(民 백성 민, 主 주인 주, 主 주인 주, 義 옳을 의) 국민이 권력을 가지고 그 권력을 스스로 행사하는 제도.
- **공정**(公 공평할 공, 正 바를 정) 어느 한쪽으로 이익이나 손해가 치우치지 않고 올바름.

설명 대상

1 **이 글은 무엇에 대해 쓴 글인가요? (　　　　)**

① 선거의 절차
② 선거의 원칙
③ 후보의 자격
④ 민주주의의 의미
⑤ 투표를 하는 순서

내용 이해

2 **다음 설명에 해당하는 선거의 원칙을 각각 쓰세요.**

(1) 다른 사람이 대신 투표할 수 없는 원칙 (　　　　　　　　)
(2) 누구에게 투표하는지 아무도 모르게 하는 원칙 (　　　　　　　　)
(3) 일정한 나이가 되면 누구나 투표권을 갖는 원칙 (　　　　　　　　)
(4) 한 사람이 한 표씩 동등하게 투표할 수 있는 원칙 (　　　　　　　　)

추론하기

3 **이 글을 통해 답을 알 수 있는 질문이 아닌 것은 무엇인가요? (　　　　)**

① 선거와 투표는 같은 말일까요?
② 선거의 원칙은 언제 생겼을까요?
③ 몸이 아픈데도 꼭 직접 선거해야 하는 까닭은 무엇일까요?
④ 국민이 정치에 참여하는 가장 기본적인 방법은 무엇일까요?
⑤ 보통 선거에서 '일정한 나이'라는 조건이 붙은 까닭은 무엇일까요?

적용하기

4 **학교 회장을 뽑는 선거를 하려고 합니다. 선거의 원칙에 맞게 적절하게 말한 친구는 누구인가요? (　　　　)**

① 다현: 우린 다 아는 사이니까 내일 바로 투표해서 뽑자.
② 찬서: 그래, 누가 되면 좋을지 손 들고 하는 방법이 편하겠어.
③ 신형: 난 내일 몸이 아파서 못 올 것 같아. 유주 네가 나 대신 투표해.
④ 유주: 난 작년에 부회장을 해 본 적이 있으니 신형이 표까지 두 번 투표할게.
⑤ 시온: 안 돼. 신형이 생각과 유주의 생각은 다를 수 있으니 신형이가 직접 해야 해.

지문 분석

정답과 해설 10쪽

1 문단 요약

각 문단의 중심 내용으로 알맞은 것에 ○표, 틀린 것에 ×표를 하세요.

1 문단	선거는 원칙에 따라 자신들의 대표를 뽑는 것이다.	(　　)
2 문단	보통 선거는 모든 국민에게 투표권을 주는 것이다.	(　　)
3 문단	평등 선거는 한 사람이 한 표씩 투표하는 것이다.	(　　)
4 문단	직접 선거는 자신이 직접 투표해야 하는 것이다.	(　　)
5 문단	비밀 선거는 누구를 뽑았는지 공개하지 않는 것이다.	(　　)
6 문단	민주주의에서 나라의 주인은 국민이어야 한다.	(　　)

2 글의 구조

다음 빈칸을 채워 이 글의 내용을 정리해 보세요.

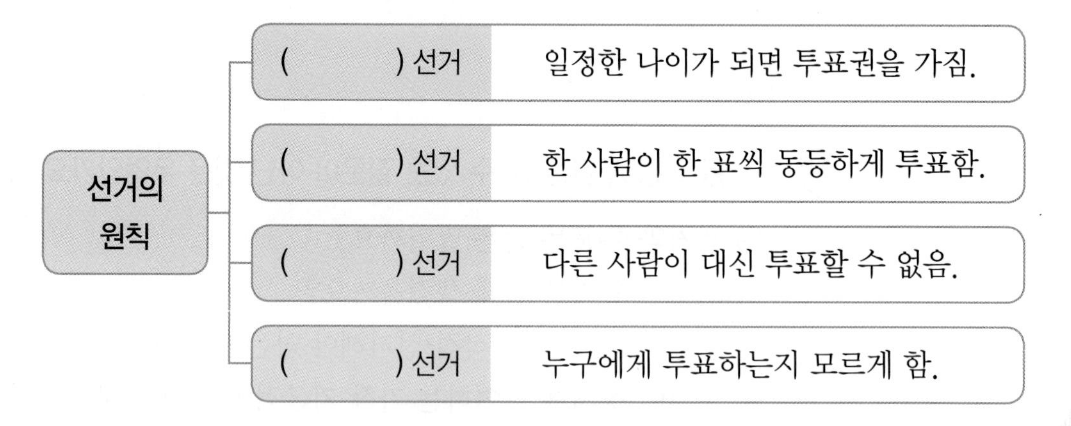

배경지식 투표를 하는 순서

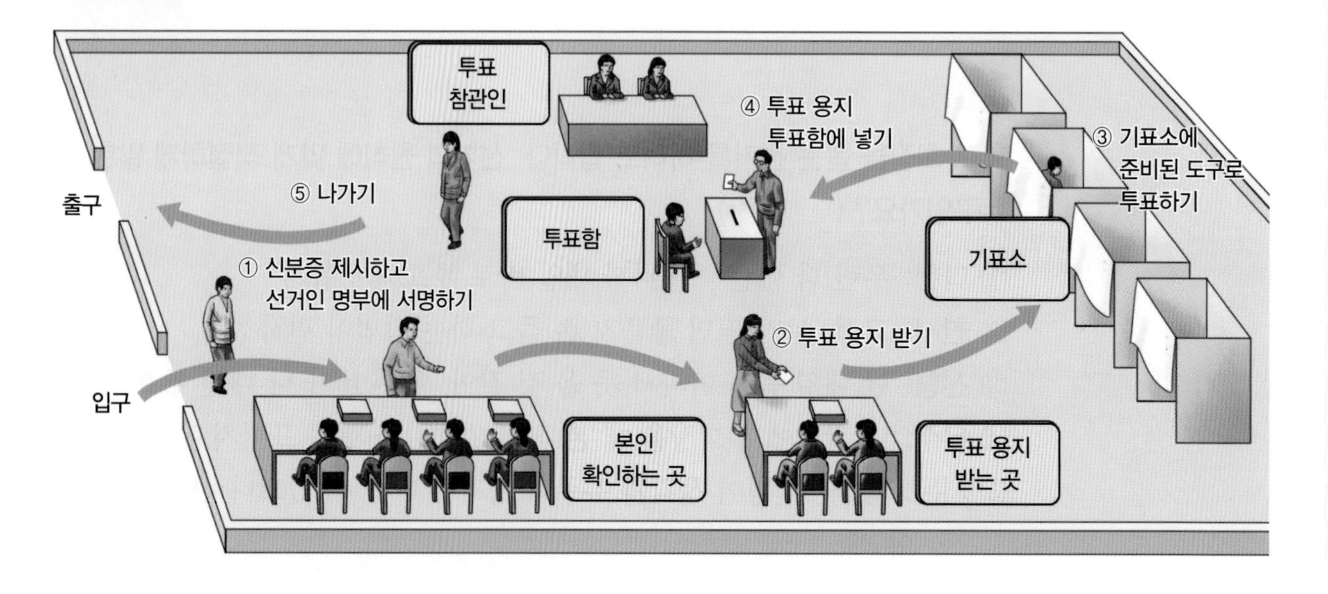

오늘의 어휘

다음 낱말의 알맞은 뜻을 찾아 선으로 이으세요.

낱말	뜻
절차 •	• 사물을 판단하는 힘.
후보 •	• 개인이 학교 교육을 받은 사실이나 경험.
판단력 •	• 일을 치르는 데 거쳐야 하는 순서나 방법.
학력 •	• 어느 한쪽으로 이익이나 손해가 치우치지 않고 올바름.
공정 •	• 선거에서, 어떤 직위나 신분을 얻으려고 일정한 자격을 갖추어 나선 사람.

1 다음 문장의 빈칸에 들어갈 알맞은 말을 오늘의 어휘 에서 찾아 쓰세요.

- ( )에 따라 사람을 차별하면 안 된다.
- 가난한 사람에게 세금을 덜 걷는 것은 ( )한 일이다.
- 공항에서 일정한 ( )를 거쳐야 비행기를 탈 수 있다.
- 여러 ( ) 중에서 대통령에 당선될 사람은 누구일까?
- 아이들은 아직 ( )이 부족하기 때문에 어른의 보호가 필요하다.

2 다음 글에서 밑줄 친 말과 뜻이 비슷한 말을 찾아 두 글자로 쓰세요.

화분에 씨앗을 심는 과정은 다음과 같다. 우선 화분에 흙을 담고, 손가락으로 흙에 구멍을 만든다. 그다음에는 씨앗을 구멍에 넣은 후 흙으로 덮어 준다. 마지막 절차는 물을 주고 나서 해가 잘 드는 곳에 두는 것이다.

( )

KEY WORD

글자 수

788

400 600 800 1000

미래 직업을 위한 자세

1 20년 후, 우리는 어떤 직업을 갖고 있을까? 운동선수, 연예인, 교사, 의사 등의 직업이 미래에도 인기가 있을까? 이런 질문에 아무도 확실한 답을 줄 수는 없다. 다만 **급격한** 기술의 발달로 인해 지금 인기가 많고 돈을 많이 벌 수 있는 직업이 사라질 수도 있고, 지금은 상상도 못하는 새로운 직업이 생겨날 수도 있다.

2 미래에는 로봇 공학, 우주 공학, **유전 공학** 등 새로운 기술이 발달하면서 이와 관련된 직업이 생겨날 수 있다. 또한 석유, 석탄과 같은 화석 연료가 바닥이 나면 이를 대신할 새로운 연료가 필요한데 이와 관련된 직업도 필요하게 될 것이다. 그리고 환경을 오염시키지 않으면서 자연을 이용하는 기술과 관련된 직업과, 인간이 행복하고 더 편리한 생활을 하기 위해 필요한 의료 및 **사회 복지**와 관련된 직업도 인기를 누릴 것이다.

3 그렇다면 우리는 달라지는 미래 직업을 위해 어떤 준비를 해야 할까? 로봇이 가질 수 없는 인간만의 능력을 키우기 위한 교육이 필요할 것이다. 특히 여러 사람과 **협력**하고 다른 사람의 마음에 **공감**하는 **소통** 능력을 지금부터 키워 나가야 한다.

4 한 학자는 20년 안에 세계 직업의 절반이 사라질 것이라고 말했다. 반면 어떤 학자는 10년 후 직업의 절반 이상은 앞으로 새로 생길 것이라고 했다. 두 사람의 말은 모두 **예측**이지만, 미래에 대한 걱정과 기대를 잘 드러내는 말이기도 하다. 그러나 불확실한 미래 직업에 대해 걱정만 하거나, 무조건 잘될 것이라고만 생각하는 것은 바람직하지 않다. 미래 사회에 필요한 사람이 되겠다는 마음가짐으로 미리 준비하는 자세가 중요할 것이다.

- **급격(急 급할 급, 激 과격할 격)한** 변화의 움직임이 몹시 급한.
- **유전 공학(遺 남길 유, 傳 전할 전, 工 장인 공, 學 배울 학)** 생물의 유전자를 인공으로 합성하거나 변형하여 생물을 대량 생산하거나 유전이 되는 병을 치료하는 방법을 연구하는 학문.
- **사회 복지(社 모일 사, 會 모일 회, 福 복 복, 祉 복 지)** 모든 국민의 생활을 편안하게 하기 위한 사회적 정책과 시설.
- **협력(協 도울 협, 力 힘 력)** 힘을 합하여 서로 도움.
- **공감(共 함께 공, 感 느낄 감)** 남의 감정, 의견, 주장 등에 대하여 자기도 그렇다고 느낌.
- **소통(疏 트일 소, 通 통할 통)** 뜻이 서로 통하여 오해가 없음.
- **예측(豫 미리 예, 測 잴 측)** 미리 헤아려 짐작함.

지문 독해

설명 대상

1 **이 글은 무엇에 대해 쓴 글인지 찾아 네 글자로 쓰세요.**

( )

내용 이해

2 **이 글을 통해 알 수 있는 내용을 모두 찾아 ○표를 하세요.**

(1) 요즘 인기 있는 직업의 예 ( )
(2) 미래 직업에 대한 확실한 정보 ( )
(3) 미래에 더 발달하게 될 기술의 예 ( )
(4) 미래에 대한 무조건적인 긍정의 필요성 ( )

내용 이해

3 **이 글의 내용으로 보아, 미래에 더욱 필요할 직업으로 적절하지 않은 것은 무엇인가요? ( )**

① 의료 및 사회 복지와 관련된 직업
② 매장에서 주문을 받고 계산을 해 주는 직업
③ 화석 연료를 대신할 새로운 연료와 관련된 직업
④ 로봇 공학, 우주 공학, 유전 공학 등과 관련된 직업
⑤ 환경 오염 없이 자연을 이용하는 기술과 관련된 직업

적용하기

4 **이 글의 주장을 가장 잘 실천하고 있는 친구는 누구인가요? ( )**

① 준하: 미래는 알 수 없으니 굳이 지금부터 뭘 준비할 필요는 없어.
② 윤지: 미래에는 로봇과 일할 테니 사람들과 친해질 필요가 없겠어.
③ 현서: 요즘에 가장 인기가 많은 직업을 장래 희망으로 삼아야겠어.
④ 시은: 석유가 바닥날지도 모른다니 석유 대체 기술과 관련된 직업만 찾아봐야겠어.
⑤ 주영: 불확실한 미래 직업을 위해 인간만이 갖는 능력을 키우기 위해서 노력해야겠어.

지문 분석

정답과 해설 11쪽

1 문단 요약 각 문단의 중심 내용을 알맞게 선으로 이으세요.

1 문단 •		• 미래 직업의 예
2 문단 •		• 미래 직업의 불확실성
3 문단 •		• 미래 직업을 위해 필요한 준비
4 문단 •		• 미래 직업에 대한 올바른 마음가짐

2 중심 내용 다음 빈칸을 채워 이 글의 중심 내용을 완성하세요.

(　　　　)에는 현재 있는 직업이 사라지기도 하고 새로운 직업이 생겨나기도 할 것이다. 이러한 미래 직업의 불확실성에 대비하여 로봇이 가질 수 없는 (　　　　)만의 능력을 키우기 위한 (　　　　)을 통해 미리 준비하는 자세를 갖도록 하자.

배경지식 우주에서 찾는 미래 직업

우주여행 가이드
우주여행을
안내하는 사람

우주 항공 기술자
고장 난 우주선을
고치는 사람

우주 택배 기사
우주에서 택배를
배달하는 사람

우주 환경미화원
우주 쓰레기를
청소하는 사람

오늘의 어휘

다음 낱말의 알맞은 뜻을 찾아 선으로 이으세요.

낱말	뜻
급격한 •	• 미리 헤아려 짐작함.
협력 •	• 힘을 합하여 서로 도움.
공감 •	• 변화의 움직임이 몹시 급한.
소통 •	• 뜻이 서로 통하여 오해가 없음.
예측 •	• 남의 감정, 의견, 주장 등에 대하여 자기도 그렇다고 느낌.

1 다음 문장의 빈칸에 들어갈 알맞은 말을 오늘의 어휘 에서 찾아 쓰세요.

- 이웃의 아픔에 (   )하는 사람이 되자.
- 두 기업은 서로 (   )하여 문제를 해결했다.
- 사춘기에는 신체적, 심리적으로 (   ) 변화가 생긴다.
- 동료 간에 의견이 잘 (   )되어야 일의 진행이 빠르다.
- 미래학자들은 미래에 직업이 많이 생겨날 것이라고 (   )한다.

2 다음 글에서 밑줄 친 말과 뜻이 비슷한 말을 찾아 두 글자로 쓰세요.

처음에 우리 모둠은 서로 <u>협동</u>이 잘 되지 않았다. 문제를 해결하기 위해 차분하게 이야기를 나누어 보았더니 서로 부족했던 부분을 알 수 있었다. 그리고 나서는 모둠원끼리 협력하여 다른 모둠보다 훨씬 빨리 실험을 마칠 수 있었다. 선생님께서도 우리 모둠을 칭찬해 주셨다.

(   )

귀촌, 귀농 현상의 원인과 의의

KEY WORD

귀촌, 귀농

글자 수

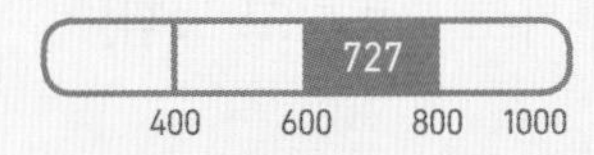

1 우리나라는 1970년대부터 진행된 **산업화**로 전체 인구의 대부분이 도시에 집중되어 있다. 그러나 최근에는 도시에서 시골로 **이주**하는 귀촌, 귀농 현상이 늘고 있다. 귀촌은 시골로 돌아가서 생활하는 것을 뜻하고, 귀농은 농사를 짓기 위해 농촌으로 돌아가는 것을 뜻한다.

2 사람들이 귀촌이나 귀농을 하는 이유는 시대나 연령층에 따라 다양하다. 예전에는 비싼 집값이나 복잡한 교통, 환경 오염 등 도시에서 발생하는 여러 문제를 피해 직장을 **은퇴**한 60대 이상의 사람들이 주로 귀촌을 선택했다. (㉠) 요즘에는 귀촌 현상이 전 세대에 걸쳐 활발히 일어나고 있다. 20~30대와 같은 젊은 층에서도 건강이나 삶의 질을 이유로 귀촌을 선택하는 경우가 있으며, 생활하는 데 드는 돈과 집값을 줄이기 위한 현실적인 목적으로 시골로 이주하는 사람들도 많다.

3 귀촌, 귀농을 선택한 사람들이 성공한 사례도 늘고 있다. ㉡새로운 과학 기술과 농업을 **융합**하여 농촌에서도 경제적 소득을 높이는 사례가 대표적이다. 친환경적인 방법으로 농작물을 재배하여 건강한 먹거리를 인터넷을 통해 소비자에게 직접 파는 젊은 농촌 사업가들도 있다.

4 귀촌, 귀농은 도시에 인구가 집중되는 현상을 **완화**시켜 준다는 점에서 국토를 균형 있게 발전시키는 데 도움이 된다. 그래서 귀촌, 귀농을 하려는 사람들에게는 정부의 적극적인 지원이 있을 뿐만 아니라, 농촌 지역의 **지방 자치 단체**에서도 출산 **장려** 정책이나 지역 이주민에 대한 특별한 혜택 등 다양한 지원을 내놓고 있다.

- **산업화**(産 낳을 산, 業 업 업, 化 될 화) 농업을 바탕으로 하는 전통 사회가 공업 생산을 바탕으로 하는 사회로 변화되는 과정.
- **이주**(移 옮길 이, 住 살 주) 다른 곳으로 옮겨 가서 사는 것.
- **은퇴**(隱 숨을 은, 退 물러날 퇴) 공적인 사회 활동에서 손을 떼고 한가히 지냄.
- **융합**(融 녹을 융, 合 합할 합) 둘 이상을 섞거나 조화시켜 하나로 합함.
- **완화**(緩 느릴 완, 和 화목할 화) 긴장된 상태나 여유 없이 급한 것을 느슨하게 함.
- **지방 자치 단체** 국가 영토의 일부를 구역으로 하여 그 구역 내에서 법이 인정하는 한도의 지배권을 갖는 단체.
- **장려**(奬 장려할 장, 勵 힘쓸 려) 좋은 일에 힘쓰도록 북돋아 줌.

지문 독해

핵심어

1 **이 글에서 중심이 되는 낱말 두 가지를 찾아 쓰세요.**

(,)

내용 이해

2 **이 글을 통해 알 수 있는 내용을 모두 찾아 ○표를 하세요.**

(1) 오늘날 사람들이 도시로 이주하는 까닭 ( )
(2) 농촌이 도시보다 인구가 더 많아진 까닭 ( )
(3) 과거에 사람들이 귀촌, 귀농을 했던 까닭 ( )
(4) 귀촌, 귀농이 국가 발전에 도움이 되는 까닭 ( )

어휘·어법

3 **㉠에 들어갈 말로 가장 어울리는 것은 무엇인가요? ( )**

① 또한 ② 그리고 ③ 그러나
④ 그래서 ⑤ 왜냐하면

적용하기

4 **다음은 미래의 청년 농부를 꿈꾸는 친구들의 대화입니다. ㉡에 해당하는 사례가 아닌 것은 무엇인가요? ( )**

① 진하: 과일의 신선함이 오래 유지되는 기술을 개발할 거야.
② 윤정: 두 과일의 맛을 합친 새로운 종류의 과일을 만들고 싶어.
③ 소명: 껍질이 쉽게 상하지 않는 복숭아를 개발해서 키우고 싶어.
④ 지온: 내가 제일 좋아하는 딸기를 농약을 쓰지 않고 재배할 거야.
⑤ 예리: 과일의 새콤한 맛과 달콤한 맛을 조절하는 기술을 배울 거야.

지문 분석

정답과 해설 12쪽

1 문단 요약 다음 질문의 답을 찾을 수 있는 문단을 찾아 선으로 이으세요.

귀촌, 귀농의 뜻이 무엇인가요?	• •	1 문단
귀촌, 귀농의 성공 사례가 궁금해요.	• •	2 문단
귀촌, 귀농 현상의 원인은 무엇인가요?	• •	3 문단
나라에서 귀촌, 귀농을 적극 지원하는 까닭은 무엇인가요?	• •	4 문단

2 글의 구조 다음 빈칸을 채워 이 글의 내용을 정리해 보세요.

귀촌, 귀농

의미	원인	(　　　) 사례
• (　　　): 시골로 돌아가서 생활함. • (　　　): 농사를 짓기 위해 농촌으로 돌아감.	• 과거: (　　　)한 사람들이 각종 도시 문제를 피하려고 • 요즘: 건강이나 삶의 질, 현실적인 목적 때문에	• 과학 기술과 농업을 (　　　)하여 경제적 소득을 높임. • 친환경 농작물을 재배하여 (　　　)와 직접 거래함.

배경지식 귀촌의 유형

U형 귀촌 농촌 출신인 도시 거주자가 고향으로 귀촌함.

J형 귀촌 농촌 출신인 도시 거주자가 고향이 아닌 곳으로 귀촌함.

I형 귀촌 도시에서 태어나 살던 사람이 귀촌함.

오늘의 어휘

다음 낱말의 알맞은 뜻을 찾아 선으로 이으세요.

낱말	뜻
산업화 •	• 다른 곳으로 옮겨 가서 사는 것.
이주 •	• 둘 이상을 섞거나 조화시켜 하나로 합함.
은퇴 •	• 공적인 사회 활동에서 손을 떼고 한가히 지냄.
융합 •	• 긴장된 상태나 여유 없이 급한 것을 느슨하게 함.
완화 •	• 농업을 바탕으로 하는 전통 사회가 공업 생산을 바탕으로 하는 사회로 변화되는 과정.

1 다음 문장의 빈칸에 들어갈 알맞은 말을 오늘의 어휘 에서 찾아 쓰세요.

- 긴장을 (   )하려고 숨을 크게 쉬었다.
- 외국어 공부를 위해 해외 (   )를 결심했다.
- 다문화 사회에서는 소통과 (   )이 중요하다.
- 급격한 (   )로 인해 다양한 직업들이 생겨났다.
- 할아버지께서는 직장에서 (   )하시고 여행을 다니신다.

2 다음 글에서 밑줄 친 말과 뜻이 비슷한 말을 찾아 두 글자로 쓰세요.

국내에서 일하는 외국인 근로자와 국제결혼에 따른 <u>이민</u>이 증가하면서 다문화 가정은 해마다 늘어나고 있다. 우리나라로 이주해 온 여러 국적의 외국인들로 인해 우리 사회에 다양한 문화가 공존하게 되었다.

(   )

생활 속 장애인 ㉠

KEY WORD

장애인 편의 시설

글자 수

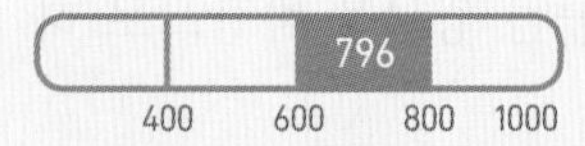

1 장애인에게 **편의** 시설은 단순히 더 편해지기 위한 시설이 아니라, 삶을 유지하기 위한 **필수적**인 시설이라고 할 수 있다. 그렇다면 우리 생활 속의 장애인 편의 시설에는 어떤 것이 있을까?

2 첫째는 저상 버스이다. 저상 버스는 출입구에 계단이 없고 경사판이 설치되어 있으며 바닥이 낮아서 장애인들이 휠체어를 타고 편하게 오를 수 있다. 저상 버스가 더 많이 **도입**되면 장애인뿐만 아니라 아기를 태운 유모차, 무릎이 불편한 노인, 다리를 다친 환자 등 대중교통을 이용하는 시민들도 편하게 이용할 수 있다.

3 둘째는 엘리베이터이다. 엘리베이터는 대부분의 건물에서 볼 수 있고 모든 사람들이 함께 이용하는 시설이다. 그런 점에서 엘리베이터는 장애인이 이용할 수 있는 시설을 만들어 놓으면 장애인을 포함한 모든 사람들이 편하게 이용할 수 있다는 것을 보여 주는 좋은 예이다.

4 셋째는 점자를 이용한 시설이다. 점자란 도드라진 점들을 손으로 더듬어 읽는 시각 장애인용 문자이다. 엘리베이터의 버튼에도 점자가 함께 표시되어 있고, 우리가 마시는 음료 캔 뚜껑에도 점자가 표시되어 있다. 또한 건물의 출입구에는 바닥에 노란색 점자 블록을 깔아서 시각 장애인들이 건물의 위치를 다른 사람에게 묻지 않아도 찾아갈 수 있게 해 준다.

5 이 밖에도 장애인 화장실, **경사로** 등 다양한 편의 시설이 있지만, 우리나라는 시설을 만드는 데 드는 비용 문제로 인해 장애인 편의 시설이 한참 부족한 상황이다. 앞으로는 ㉡장애인 **전용** 시설을 추가로 설치하는 방식보다, 장애인과 비장애인의 구별 없이 모든 사람들이 시설을 이용할 수 있는 방식으로 편의 시설을 **확충**할 필요가 있다.

- **편의**(便 편할 편, 宜 마땅할 의) 형편이나 조건 등이 편하고 좋음.
- **필수적**(必 반드시 필, 須 모름지기 수, 的 과녁 적) 꼭 있어야 하거나 해야 하는 것.
- **도입**(導 이끌 도, 入 들 입) 기술, 방법, 물건 등을 끌어들임.
- **경사로**(傾 기울 경, 斜 비낄 사, 路 길 로) 계단을 없애고 비스듬히 기울게 만든 길.
- **전용**(專 오로지 전, 用 쓸 용) 특정한 사람이나 단체만 사용하게 되어 있는 것.
- **확충**(擴 넓힐 확, 充 가득할 충) 늘리고 넓혀 알차고 단단하게 함.

제목

1 **이 글의 제목으로 어울리도록 ㉠에 들어갈 알맞은 말을 네 글자로 쓰세요.**

( )

내용 이해

2 **이 글을 통해 알 수 있는 내용을 모두 찾아 ○표를 하세요.**

(1) 점자의 뜻 ( )
(2) 저상 버스의 장점 ( )
(3) 외국의 장애인 편의 시설 사례 ( )
(4) 장애인 편의 시설 이용 시 만족 정도 ( )

내용 이해

3 **이 글의 내용과 일치하지 않는 것은 무엇인가요? ( )**

① 저상 버스는 모든 사람이 이용할 수 있다.
② 엘리베이터는 장애인 전용 시설의 좋은 예이다.
③ 점자를 활용한 시설은 시각 장애인들을 위한 것이다.
④ 우리나라는 장애인 편의 시설이 한참 부족한 상황이다.
⑤ 저상 버스는 출입구에 계단 대신 경사판이 설치된 버스이다.

적용하기

4 **다음 중 ㉡의 사례로 볼 수 있는 것은 무엇인가요? ( )**

① 일반 화장실보다 공간이 넓은 화장실 칸
② 지하철 역의 계단 옆에 설치된 휠체어 리프트
③ 출입구에 계단을 없애고 경사로를 설치한 식당
④ 손으로 밀지 않아도 열리는 자동문이 설치된 건물
⑤ 한쪽은 계단이고 다른 한쪽은 경사로인 대형 병원 출입구

지문 분석

정답과 해설 13쪽

1 문단 요약 다음은 각 문단의 중심 내용을 정리한 것입니다. 문단의 순서대로 기호를 쓰세요.

㉮	저상 버스의 특징
㉯	엘리베이터의 특징
㉰	점자를 이용한 시설의 특징
㉱	장애인에게 필수적인 편의 시설
㉲	장애인 편의 시설 확충의 필요성

(　　　)→(　　　)→(　　　)→(　　　)→(　　　)

2 글의 구조 다음 빈칸을 채워 이 글의 내용을 정리해 보세요.

장애인 편의 시설

(　　　) 버스	(　　　　　)	(　　　) 이용 시설
출입구에 계단을 없애고 (　　　)을 설치한 바닥이 낮은 버스	대부분의 건물에 있는, 모든 사람이 함께 이용하는 시설	• 엘리베이터 버튼과 캔 뚜껑에 점자 표시 • 바닥의 점자 블록

배경지식 생활 속 장애인 편의 시설

오늘의 어휘

다음 낱말의 알맞은 뜻을 찾아 선으로 이으세요.

낱말	뜻
편의 •	• 꼭 있어야 하거나 해야 하는 것.
필수적 •	• 늘리고 넓혀 알차고 단단하게 함.
경사로 •	• 형편이나 조건 등이 편하고 좋음.
전용 •	• 계단을 없애고 비스듬히 기울게 만든 길.
확충 •	• 특정한 사람이나 단체만 사용하게 되어 있는 것.

1 다음 문장의 빈칸에 들어갈 알맞은 말을 오늘의 어휘 에서 찾아 쓰세요.

- 물은 인간의 생명 유지에 [ ]이다.
- 자동차 [ ] 도로에서는 자전거를 탈 수 없다.
- 아파트 단지 내에 편의 시설을 [ ]할 필요가 있다.
- 친구의 사정을 생각하여 최대한의 [ ]를 봐 주었다.
- 건물 입구에 [ ]가 있어서 휠체어 이동이 가능하다.

2 다음 글에서 밑줄 친 말과 뜻이 반대되는 말을 찾아 두 글자로 쓰세요.

편의 시설을 설치할 때 처음부터 장애인도 이용할 수 있도록 만들면 장애인 전용 시설을 추가적으로 설치하는 별도의 비용이 들지 않는다. 우리나라도 장애인을 비롯한 모든 사람들이 공용으로 쓸 수 있는 시설이 마련되어 장애인의 불편함이 특별한 일이 되지 않도록 해야 한다.

(   )

악성 댓글의 심각성과 해결 방안

KEY WORD

악성 댓글

글자 수

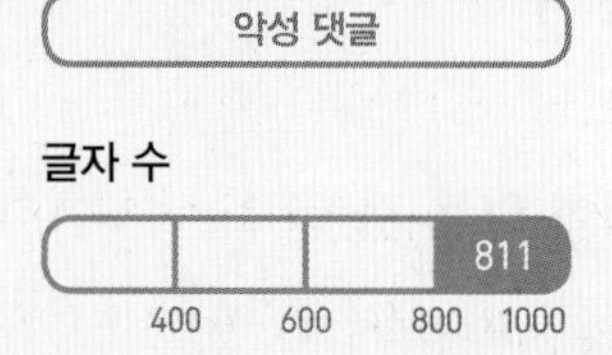

1 댓글은 인터넷 게시물 밑에 남길 수 있는 짧은 글로, 쌍방향 소통이라는 인터넷의 특징을 잘 보여 주는 수단이다. 댓글을 통해 다양한 생각을 공유하는 것은 긍정적인 소통 방식이라고 할 수 있다. 그러나 소통하기 위한 것이 아닌 악성 댓글은 심각한 사회적 문제가 되고 있다.

2 악성 댓글은 인터넷에 올려진 글에 대해 **악의**적인 평가를 하거나, **상습적**으로 남을 공격하고 **허위** 사실을 퍼뜨리는 모든 행동을 포함한다. 이러한 행동은 상대방에게 마음의 상처를 줄 수 있다.

3 악성 댓글의 원인은 인터넷이 **익명성**을 갖기 때문이다. 누리꾼들이 이러한 익명성을 나쁘게 이용하여 상대방에 대한 감정적인 비난을 거리낌 없이 하는 것이다. 또한 다른 사람들과의 관계에 문제가 있거나 **독선적**인 성격을 가진 사람들이 악성 댓글을 달기도 한다.

4 악성 댓글을 막기 위한 해결 방안으로 우선 제도적인 **규제**를 들 수 있다. 표현의 자유를 막을 수 있다는 반대 **여론** 때문에 아직 제대로 갖추어진 법은 없지만, 악성 댓글을 단 사람을 고소하는 피해자들이 늘고 있다. 또한 포털 사이트의 사회적 책임 의식도 중요하다. 누리꾼들의 의식이 성장하면서 악성 댓글을 내버려 두는 포털 사이트는 이용하지 말자는 운동을 펼치기도 한다. 이런 적극적인 활동 덕분에 최근에는 포털 사이트들이 악성 댓글을 줄이기 위한 노력을 기울이고 있다.

5 악성 댓글은 폭력이자 범죄이다. 하지만 지나친 규제는 인터넷의 장점인 자유로운 의사 표현을 막을 우려가 있는 것도 사실이다. 따라서 올바른 인터넷 사용 교육을 통해 제대로 된 시민 의식을 갖추도록 누리꾼들 스스로가 적극적으로 노력하는 것이 최선의 해결 방안이 될 것이다.

- **악의**(惡 악할 악, 意 뜻 의) 나쁜 마음.
- **상습적**(常 항상 상, 習 익힐 습, 的 과녁 적) 좋지 않은 일을 버릇처럼 하는 것.
- **허위**(虛 빌 허, 僞 거짓 위) 진실이 아닌 것을 진실인 것처럼 꾸민 것.
- **익명성**(匿 숨길 익, 名 이름 명, 性 성품 성) 어떤 행동을 한 사람이 누구인지 드러나지 않는 특성.
- **독선적**(獨 홀로 독, 善 착할 선, 的 과녁 적) 자기 혼자만이 옳다고 믿고 행동하는 성향을 가진 것.
- **규제**(規 법 규, 制 억제할 제) 규칙이나 규정에 의하여 일정한 한도를 정하거나 정한 한도를 넘지 못하게 막음.
- **여론**(輿 수레 여, 論 논의할 론) 어떤 사회적인 일에 대한 대중의 공통된 의견.

지문 독해

핵심어

1 이 글에서 가장 중심이 되는 말을 찾아 네 글자로 쓰세요.

( )

내용 이해

2 이 글을 통해 알 수 있는 내용을 모두 찾아 ○표를 하세요.

(1) 인터넷 댓글의 장점 ( )
(2) 악성 댓글로 인한 문제점 ( )
(3) 악성 댓글에 대한 포털 사이트의 법적인 책임 ( )
(4) 인터넷의 익명성을 보장하기 위한 제도적인 장치 ( )

내용 이해

3 이 글의 내용과 일치하지 않는 것은 무엇인가요? ( )

① 인터넷의 익명성은 악성 댓글의 원인이 되기도 한다.
② 댓글은 쌍방향 소통이라는 인터넷의 특징을 잘 보여 준다.
③ 상습적으로 남을 공격하고 허위 사실을 퍼뜨리는 행위는 범죄이다.
④ 표현의 자유를 위해 악성 댓글을 규제하는 제도적인 장치가 필요하다.
⑤ 인간관계나 성격에 문제가 있는 사람들이 악성 댓글을 다는 경우가 있다.

적용하기

4 악성 댓글의 해결 방안에 대해 이 글의 글쓴이와 생각이 같은 친구는 누구인가요?

( )

① 규민: 악성 댓글을 막기 위해서 아예 댓글 자체를 달지 못하게 해야 해.
② 혜연: 익명성이 주는 장점이 단점보다 훨씬 크기 때문에 작은 희생은 어쩔 수 없어.
③ 진운: 익명성으로 인한 악성 댓글의 피해가 심각하니 실명으로만 댓글을 달도록 해야 해.
④ 준영: 지나치게 규제를 하기보다는 우리들 스스로 문제를 해결하려는 노력이 가장 중요해.
⑤ 희준: 제도적인 규제도 개인의 노력도 소용이 없으니 포털 사이트의 사회적 책임 의식이 가장 필요해.

지문 분석

1 문단 요약

다음 빈칸을 채워 각 문단의 중심 내용을 정리해 보세요.

1문단	(　　　　)의 의미와 장단점
2문단	(　　　　) 댓글의 의미와 문제점
3문단	악성 댓글의 (　　　　)
4문단	악성 댓글의 (　　　　) 방안
5문단	악성 댓글을 막기 위한 (　　　　)의 필요성

2 글의 구조

다음 빈칸을 채워 이 글의 내용을 정리해 보세요.

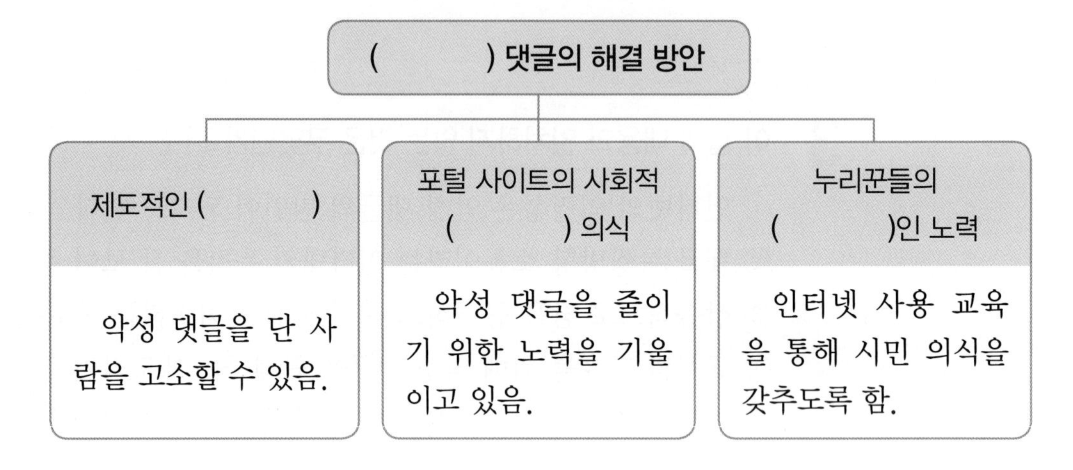

배경지식 선플 운동에 참여하는 방법

선플 운동이란 용기와 희망을 주는 댓글인 선플을 달아 주자는 운동이다.

출처: www.sunfull.or.kr

정답과 해설 14쪽

오늘의 어휘

다음 낱말의 알맞은 뜻을 찾아 선으로 이으세요.

낱말	뜻
상습적 •	• 좋지 않은 일을 버릇처럼 하는 것.
허위 •	• 진실이 아닌 것을 진실인 것처럼 꾸민 것.
익명성 •	• 어떤 사회적인 일에 대한 대중의 공통된 의견.
독선적 •	• 어떤 행동을 한 사람이 누구인지 드러나지 않는 특성.
여론 •	• 자기 혼자만이 옳다고 믿고 행동하는 성향을 가진 것.

1 다음 문장의 빈칸에 들어갈 알맞은 말을 오늘의 어휘에서 찾아 쓰세요.

- 인터넷에서는 [　　　　]이 보장된다.
- 토론에서는 [　　　　]인 태도를 버려야 한다.
- 정치인들은 [　　　　]에 귀 기울일 필요가 있다.
- [　　　　]로 가득 찬 사람과는 진실한 친구가 될 수 없다.
- 양치기 소년은 거짓말을 [　　　　]으로 했기 때문에 사람들이 그의 말을 믿어 주지 않았다.

2 다음 글에서 밑줄 친 말과 뜻이 반대되는 말을 찾아 두 글자로 쓰세요.

박지원의 「호질」은 호랑이의 입을 빌려 양반의 허위를 폭로하는 고전 소설이다. 비판의 대상이 되는 인물은 북곽 선생으로, 그는 많은 사람의 존경을 받는 양반이었지만 <u>진실</u>은 강한 자에게 아첨하는 인물이었다. 이런 인간을 동물인 호랑이가 질책하는 방식으로 양반을 비판하고 있는 것이다.

(　　　　　　　)

㉠ 을 대하는 올바른 자세

KEY WORD

반려동물

글자 수

771

400 600 800 1000

1 반려동물이란 사람이 집에서 기르며 같이 생활하는 동물을 의미한다. '반려'란 짝이 되는 친구라는 의미이다. 예전에는 이런 동물들을 사람에게 즐거움을 주기 위해 기른다는 뜻으로 '애완동물'이라고 불렀다. 하지만 이제는 동물이 장난감과 같은 존재가 아닌, 사람과 함께 살아가는 가족이나 친구와 같은 존재라는 인식이 널리 퍼져 있다.

2 반려동물을 키우면 정서적으로 안정을 주어 정신 건강에 큰 도움이 된다. 특히 혼자 사는 노인의 경우 반려동물과 함께 산책하고 외출도 하면서 우울증이나 외로움을 이겨 낼 수 있다. 또한 어린아이들은 반려동물을 돌보는 경험을 통해 **사회성**과 **공감** 능력 등을 익힐 수도 있다.

3 반려동물과 함께 살아가려면 반드시 지켜야 할 책임과 의무가 있다. 예를 들면 반려동물과 함께 외출할 때에는 목줄과 **배설물** 처리를 위한 봉투를 꼭 챙겨야 하며, 주인의 정보를 적은 표를 달아 주어야 한다. 또한 공동 주택에서 반려동물을 키우려면 **소음**이나 **방치**되는 배설물로 다른 사람에게 피해를 주지 않도록 조심해야 한다. 무엇보다도 반려동물의 주인은 동물을 **학대**하는 것을 막고 동물의 생명을 보호하기 위해 만들어진 '동물 보호법'에 대해 잘 알고 이를 지켜야 한다.

4 우리나라도 혼자 사는 사람 수가 늘어나면서 반려동물을 키우는 사람도 많아졌다. 그러나 동시에 **유기** 동물도 늘고 있다. 아직도 집에서 키우는 동물을 주인 마음대로 다루는 장난감으로 생각해서 돌보는 게 힘들어지면 쉽게 버리는 사람들이 있다. 반려동물을 키우기 전에 주인이 될 준비가 되어 있는지 스스로 생각해 볼 필요가 있다.

- **사회성**(社 모일 사, 會 모일 회, 性 성품 성) 사회에 잘 적응하는 성질.
- **공감**(共 함께 공, 感 느낄 감) 어떤 사실에 대하여 함께 똑같이 느끼고 생각함.
- **배설물**(排 물리칠 배, 泄 샐 설, 物 만물 물) 몸 밖으로 내보내는 똥, 오줌, 땀 등의 물질.
- **소음**(騷 떠들 소, 音 소리 음) 불쾌하고 시끄러운 소리.
- **방치**(放 놓을 방, 置 둘 치) 내버려 둠.
- **학대**(虐 사나울 학, 待 기다릴 대) 몹시 괴롭히거나 모질게 대함.
- **유기**(遺 남길 유, 棄 버릴 기) 내다 버림.

지문 독해

제목

1 이 글의 제목으로 어울리도록 ㉠에 들어갈 알맞은 낱말을 쓰세요.

( )

내용 이해

2 이 글을 통해 알 수 있는 내용을 모두 찾아 ○표를 하세요.

(1) 반려동물을 들이는 방법 ( )
(2) 반려동물을 키우면 좋은 점 ( )
(3) 반려동물과 애완동물의 차이 ( )
(4) 반려동물에게 먹이를 주는 방법 ( )

추론하기

3 이 글의 내용에서 답을 찾을 수 있는 질문은 무엇인가요? ( )

① 동물 보호법은 언제 만들어졌나요?
② 반려동물이 아프면 어떻게 해야 하나요?
③ 유기 동물이 과거보다 얼마나 늘었나요?
④ 반려동물을 목욕시킬 때는 어떻게 하나요?
⑤ 반려동물과 함께 외출하려면 무엇을 준비해야 하나요?

적용하기

4 다음 중 4 문단의 내용을 가장 잘 이해한 친구는 누구인가요? ( )

① 샘: 내가 명령하면 무조건 따르는 강아지를 키우고 싶어.
② 한결: 시끄럽게 짖지 않는 순한 강아지를 골라 키워야겠어.
③ 솔이: 내가 먹기 싫은 콩과 멸치를 먹어 줄 동물을 키우면 좋겠어.
④ 주연: 강아지를 키우고 싶지만 잘 돌볼 수 있을지 먼저 고민해 봐야지.
⑤ 세진: 난 형제가 없어서 심심해. 고양이 한 마리를 키우면 재미있을 거야.

지문 분석

정답과 해설 15쪽

1 정보 확인

보기 에서 이 글의 핵심어를 찾아 ○표를 하세요.

보기

애완동물 반려동물 유기 동물 동물 보호법

2 글의 구조

다음 빈칸을 채워 이 글의 내용을 정리해 보세요.

반려동물을 키우면 좋은 점	반려동물을 키울 때의 ( )과 의무
• 정서적으로 ( )을 주어 정신 건강에 도움이 됨. • 혼자 사는 노인은 우울증이나 외로움을 이겨 낼 수 있음. • 어린아이들은 ( )과 공감 능력을 익힐 수 있음.	• 외출 시 ( )과 배설물 봉투를 꼭 챙기고, 주인의 정보를 적은 표를 달아 주도록 함. • ( )이나 방치되는 배설물로 피해를 주지 않도록 조심함. • 동물 보호법을 잘 알고 지킴.

↓

반려동물을 키우기 전에 주인이 될 (   )가 되어 있는지 스스로 생각해 보아야 함.

배경지식 독특한 반려동물들

오늘의 어휘

다음 낱말의 알맞은 뜻을 찾아 선으로 이으세요.

사회성 •	• 내다 버림.
배설물 •	• 내버려 둠.
소음 •	• 불쾌하고 시끄러운 소리.
방치 •	• 사회에 잘 적응하는 성질.
유기 •	• 몸 밖으로 내보내는 똥, 오줌, 땀 등의 물질.

1 다음 문장의 빈칸에 들어갈 알맞은 말을 오늘의 어휘 에서 찾아 쓰세요.

- 강아지를 산책시킬 때 [　　　　] 봉투를 챙겼다.
- 동물을 기르면 아이들의 [　　　　] 발달에 좋다.
- 층간 [　　　　] 때문에 이웃 간에 사이가 좋지 않다.
- 동물 학대는 [　　　　]해서는 안 될 심각한 문제이다.
- 쓰레기를 아무 데나 [　　　　]하면 벌금을 낼 수 있다.

2 다음 글에서 밑줄 친 말과 뜻이 비슷한 말을 찾아 두 글자로 쓰세요.

'강 건너 불구경'은 강 건너에서 불이 났는데 그것을 보고만 있다는 말로, 자기에게 관계없는 일이라고 하여 무관심하게 방관하는 모양을 뜻하는 속담이다. 예를 들면 다 같이 해결해야 할 심각한 문제가 있는데 내 일이 아니라 해서 그 문제를 방치해 두는 것과 같은 상황에서 쓸 수 있는 말이다.

(　　　　　　　　)

㉠ 에 따른 옷차림

KEY WORD

기후와 옷차림

글자 수

765

400 600 800 1000

1 전 세계 사람들은 기후에 따라 그에 맞는 옷을 입고 환경에 적응하며 살아가고 있다. 세계의 기후는 크게 한대, 냉대, 온대, 건조, 열대 기후로 구분할 수 있다. 각 기후가 그 지역에 살고 있는 사람들의 옷차림에 어떤 영향을 끼치는지 알아보자.

2 한대와 냉대 기후 지역은 지구에서 가장 추운 곳이다. 이렇게 추운 지역에 사는 사람들은 찬 바람을 막으면서도 열을 최대한 **보존**하기 위해 두꺼운 털옷이나 가죽옷을 입는다. 또한 가죽으로 만든 부츠, 귀마개, 모자 등도 **필수품**이다.

3 온대 기후 지역은 기온이 따뜻하고 사계절의 변화가 뚜렷한 곳으로 우리나라가 이에 속한다. 이 지역에 사는 사람들은 주로 상의, 하의를 구분해서 입으며 계절에 따라 옷을 달리 입는다. 여름에는 얇고 가벼운 옷을 입지만 겨울에는 추위로부터 몸을 보호하는 두꺼운 옷을 입는다.

4 건조 기후 지역은 일 년 내내 비가 거의 내리지 않는 곳으로 중동과 북아프리카가 이에 속한다. 이곳 사람들은 온몸을 덮는 검은 옷을 입고 머리에는 수건을 둘러 감는다. 건조 기후는 한낮에 뜨거운 태양이 내리쬐기 때문에 피부를 가리지 않으면 피부의 물기가 **증발**하게 되고, 머리를 가리지 않을 경우는 **일사병**에 걸릴 수도 있기 때문이다.

5 열대 기후 지역은 일 년 내내 뜨거운 날씨가 계속되는 곳으로, 지구의 **적도**를 중심으로 아프리카 중부 지역과 남아메리카 아마존 **밀림** 등이 이에 속한다. 이 지역은 온도가 높고 **습기**가 많기 때문에 이 지역 사람들은 피부가 많이 드러나는 옷을 입으며, 땀이 잘 마르도록 얇고 바람이 잘 통하는 옷을 입는다.

- **보존**(保 보전할 보, 存 있을 존) 잘 보호하고 간수하여 남김.
- **필수품**(必 반드시 필, 需 구할 수, 品 물건 품) 생활하는 데 꼭 있어야 할 물품.
- **증발**(蒸 찔 증, 發 필 발) 액체가 기체로 변함.
- **일사병**(日 날 일, 射 쏠 사, 病 병들 병) 강한 햇볕을 오래 쬐었을 때 일어나는 병.
- **적도**(赤 붉을 적, 道 길 도) 지구 표면에서 해가 가장 뜨겁게 내리쬐는 지역의 중심이 되는 선.
- **밀림**(密 빽빽할 밀, 林 수풀 림) 큰 나무들이 빽빽하게 들어선 깊은 숲.
- **습기**(濕 축축할 습, 氣 기운 기) 물기가 많아 젖은 듯한 기운.

지문 독해

제목

1 이 글의 제목으로 어울리도록 ㉠에 들어갈 알맞은 낱말은 무엇인가요? (　　　)

① 계절　　② 장소　　③ 체형
④ 기후　　⑤ 상황

내용 이해

2 각 기후별 특징으로 알맞은 것에 모두 ○표를 하세요.

(1) 한대와 냉대 기후: 사계절의 변화가 뚜렷하다. (　　　)
(2) 열대 기후: 일 년 내내 뜨거운 날씨가 계속된다. (　　　)
(3) 건조 기후: 일 년 내내 비가 거의 내리지 않는다. (　　　)
(4) 온대 기후: 지구에서 가장 추운 기후로, 우리나라가 해당한다. (　　　)

적용하기

3 현서네 반 친구들이 전 세계의 옷차림을 보여 주기 위한 패션쇼를 준비하고 있습니다. 알맞지 않은 의견을 말한 친구는 누구인가요? (　　　)

① 남극 지역을 맡은 현서: 나는 두꺼운 털옷과 가죽옷을 준비할게.
② 중동 지역을 맡은 정현: 난 검은색 천으로 온몸을 가리는 옷을 준비할게.
③ 아프리카 중부 지역을 맡은 동하: 바람이 잘 통하는 민소매와 짧은 반바지를 준비할게.
④ 우리나라를 맡은 하은: 겨울에 입는 두꺼운 옷과 여름에 입는 가벼운 옷 두 가지를 준비할게.
⑤ 아마존 밀림 지역을 맡은 정훈: 햇볕으로부터 피부를 보호할 수 있게 온몸을 덮는 옷을 준비할게.

추론하기

4 이 글을 통해 알 수 있는, 전 세계 사람들의 옷차림이 다른 이유는 무엇인가요? (　　　)

① 사람들의 신체적 조건이 다르기 때문에
② 아름다움의 기준이 서로 다르기 때문에
③ 적응해야 할 기후 환경이 다르기 때문에
④ 사람들의 경제적인 수준이 다르기 때문에
⑤ 시대에 따라 옷차림의 유행이 다르기 때문에

지문 분석

정답과 해설 16쪽

1 문단 요약 **각 문단의 중심 내용을 알맞게 선으로 이으세요.**

1 문단 •		• 열대 기후 지역의 옷차림
2 문단 •		• 건조 기후 지역의 옷차림
3 문단 •		• 온대 기후 지역의 옷차림
4 문단 •		• 한대와 냉대 기후 지역의 옷차림
5 문단 •		• 세계의 기후 구분과 옷차림과의 관계

2 글의 구조 **다음 빈칸을 채워 이 글의 내용을 정리해 보세요.**

기후별 (　　　)

기후	옷차림
한대와 냉대 기후	두꺼운 (　　　)이나 가죽옷을 입고, 부츠, 귀마개, 모자 등을 착용함.
(　　　) 기후	주로 상의, 하의를 구분해서 입고, (　　　)에 따라 옷을 다르게 입음.
건조 기후	온몸을 덮는 (　　　) 옷을 입고, 머리에는 수건을 둘러 감음.
(　　　) 기후	피부가 많이 드러나고 얇고 바람이 잘 통하는 옷을 입음.

배경지식 세계의 기후별 전통 의상

오늘의 어휘

다음 낱말의 알맞은 뜻을 찾아 선으로 이으세요.

필수품 •	• 액체가 기체로 변함.
증발 •	• 생활하는 데 꼭 있어야 할 물품.
일사병 •	• 큰 나무들이 빽빽하게 들어선 깊은 숲.
적도 •	• 강한 햇볕을 오래 쬐었을 때 일어나는 병.
밀림 •	• 지구 표면에서 해가 가장 뜨겁게 내리쬐는 지역의 중심이 되는 선.

1 다음 문장의 빈칸에 들어갈 알맞은 말을 오늘의 어휘 에서 찾아 쓰세요.

- 사자는 [　　　　] 의 왕이다.
- 물을 가열하면 [　　　　] 하여 수증기가 된다.
- [　　　　] 부근은 너무 더워서 얇은 옷을 입어야 한다.
- 등산을 안전하게 하기 위해서는 등산화가 [　　　　] 이다.
- 하루 종일 뙤약볕에 서 있던 주차 요원이 [　　　　] 으로 쓰러졌다.

2 다음 글에서 밑줄 친 말과 뜻이 반대되는 말을 찾아 세 글자로 쓰세요.

16세기 이탈리아에서는 소금이 금보다 비싼 사치품이었다. 그래서 귀한 손님을 대접할 때는 음식에 소금을 듬뿍 넣어 정성을 표현했다. 오늘날 소금은 금보다 훨씬 싸지만 모든 음식에 없어서는 안 될 필수품이 되었다.

(　　　　　　　　)

KEY WORD

정월 대보름

글자 수

723

400 600 800 1000

정월 대보름에 즐기는 놀이

1 '정월 대보름'에서 '정월'은 **음력**으로 한 해의 첫 번째 달인 1월을 의미하고, '보름'은 음력으로 그 달의 15일로 보름달이 뜨는 날이다. 우리 조상은 크고 둥근 달을 신비롭게 여겨서 보름달을 보며 소원을 빌기도 했다. 특히 일 년 중 첫 번째로 뜬 보름달을 볼 수 있는 정월 대보름날에는 오곡밥과 나물을 먹고 다양한 놀이를 즐겼다.

2 정월 대보름의 놀이 중 가장 대표적인 것은 줄다리기이다. 줄다리기는 여러 사람이 편을 나누어 밧줄을 당겨 **승부**를 겨루는 놀이이다. 남자와 여자가 줄다리기를 하는 경우에는 남자가 일부러 져 주었다고 한다. 왜냐하면 여자가 이겨야 **풍년**이 든다고 믿었기 때문이다.

3 정월 대보름 전날에 하는 쥐불놀이는 논이나 밭에 불을 놓아 잡초나 잔디를 태우는 놀이이다. 이렇게 하면 농사에 방해가 되는 쥐나 **해충**을 없앨 수 있고, 타고 남은 **재**가 **거름**이 되어 그 해 농사가 잘된다고 한다. 아이들은 깡통에 구멍을 내서 작은 나뭇가지를 넣고 불을 지펴 빙글빙글 돌리며 놀기도 하였다.

4 다리밟기는 정월 대보름날 밤에 하는 놀이이다. 우리 조상은 마을에 있는 다리 위를 밟으면 그 해에 다리에 병이 나지 않는다고 믿었다. 이는 물 위의 '다리'와 사람의 '다리'가 발음이 같은 것에서 비롯된 것이다. 정월 대보름날 마을의 다리 위에는 다리밟기를 하기 위해 많은 사람들이 모였다고 한다.

5 이렇게 ㉠ 정월 대보름은 마을 사람들과 함께 다양한 놀이를 즐기며 풍년을 **기원**하는 한 해의 큰 ㉡ 명절이었다.

- **음력**(陰 응달 음, 曆 책력 력) 지구 주위를 도는 달의 수기를 기준으로 만든 달력.
- **승부**(勝 이길 승, 負 짐질 부) 이김과 짐.
- **풍년**(豐 풍년 풍, 年 해 년) 농사가 잘된 해.
- **해충**(害 해로울 해, 蟲 벌레 충) 사람, 가축, 농작물 등에 해를 끼치는 벌레.
- **재** 물건이 불에 타고 남는 것.
- **거름** 식물이 잘 자라도록 땅에 뿌리거나 섞는 물질.
- **기원**(祈 빌 기, 願 바랄 원) 바라는 일이 이루어지기를 간절히 바람.

핵심어

1 **이 글에서 가장 중심이 되는 말을 찾아 다섯 글자로 쓰세요.**

( )

내용 이해

2 **이 글에서 알 수 있는 내용을 모두 찾아 ○표를 하세요.**

(1) 정월 대보름의 의미 ( )
(2) 줄다리기 놀이 방법 ( )
(3) 쥐불놀이를 하는 이유 ( )
(4) 다리에 병이 생기는 이유 ( )

내용 이해

3 **다음 중 이 글에서 설명한 내용과 일치하는 것은 무엇인가요? ( )**

① 정월 대보름은 양력으로 1월 15일이다.
② 논과 밭을 밟아 주면 그 해 농사가 잘된다고 믿었다.
③ 줄다리기와 쥐불놀이는 모두 풍년을 기원하는 놀이이다.
④ 줄다리기에서 남자가 이기면 그 해 풍년이 든다고 믿었다.
⑤ 정월 대보름날 밤에는 일 년 중 가장 큰 보름달을 볼 수 있다.

어휘·어법

4 **㉠과 ㉡의 관계를 잘 설명한 친구는 누구인가요? ( )**

① 재윤: ㉠은 ㉡에 포함되는 낱말이야.
② 하선: ㉠은 ㉡을 포함하는 낱말이야.
③ 연주: ㉠은 ㉡과 같은 의미의 낱말이야.
④ 준서: ㉠과 ㉡은 서로 반대되는 낱말이야.
⑤ 우영: ㉠과 ㉡은 의미는 같고 소리가 다른 낱말이야.

지문 분석

1 문단 요약 다음은 각 문단의 중심 내용을 정리한 것입니다. 문단의 순서대로 기호를 쓰세요.

㉮	정월 대보름의 의미와 풍습
㉯	한 해의 큰 명절인 정월 대보름
㉰	정월 대보름에 즐기는 놀이인 쥐불놀이
㉱	정월 대보름에 즐기는 놀이인 줄다리기
㉲	정월 대보름에 즐기는 놀이인 다리밟기

(　　　)→(　　　)→(　　　)→(　　　)→(　　　)

2 글의 구조 다음 빈칸을 채워 이 글의 내용을 정리해 보세요.

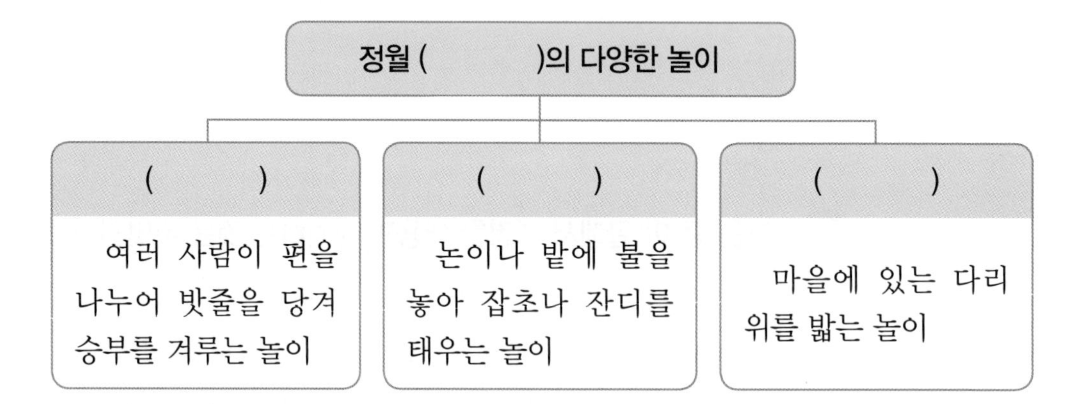

배경지식 정월 대보름에 하는 민속놀이

정답과 해설 17쪽

오늘의 어휘

다음 낱말의 알맞은 뜻을 찾아 선으로 이으세요.

음력 •	• 농사가 잘된 해.
풍년 •	• 물건이 불에 타고 남는 것.
해충 •	• 사람, 가축, 농작물 등에 해를 끼치는 벌레.
재 •	• 식물이 잘 자라도록 땅에 뿌리거나 섞는 물질.
거름 •	• 지구 주위를 도는 달의 주기를 기준으로 만든 달력.

1 다음 문장의 빈칸에 들어갈 알맞은 말을 오늘의 어휘에서 찾아 쓰세요.

- 불에 다 타 버리고 [ ]만 남았다.
- 밭에 [ ]을 주어야 농작물이 잘 자란다.
- [ ]을 없애기 위해 밭에 농약을 뿌렸다.
- 올해는 날이 좋아 벼농사가 [ ]일 것이다.
- 명절은 양력이 아니라 [ ]을 기준으로 한다.

2 다음 글에서 밑줄 친 말과 뜻이 반대되는 말을 찾아 두 글자로 쓰세요.

몇 해 동안 <u>흉년</u>이 계속되어 농민의 삶이 더욱 어려워졌다. 하늘에 풍년을 기원하는 제사를 지내 보았지만 아무 소용이 없었다. 임금도 자신이 덕이 없어 백성의 굶주림이 깊어지는 것 같아 근심 걱정이 많았다.

( )

온라인 비대면 수업의 형태

KEY WORD

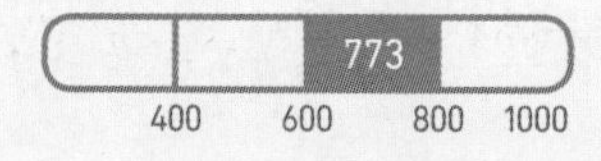

글자 수

773

400 600 800 1000

1 감염병 등의 이유로 학교에서 **대면** 수업을 하기 어려운 경우, 수업을 온라인 **비대면** 형태로 진행하기도 한다. 이러한 ㉠온라인 비대면 수업의 형태는 몇 가지 방식으로 구분할 수 있다.

2 첫째, 이미 제작된 영상 등 기존의 학습 자료를 수업 중에 보여 주는 방식이다. 이 방식은 학생들의 **개별적**인 특성과 요구, 학급별 상황 등을 반영하지 못하기 때문에 학부모와 학생들 모두 **만족도**가 낮다.

3 둘째, 선생님이 직접 **실시간**으로 수업하는 방식이다. 대부분의 학부모들은 선생님이 실시간으로 수업을 진행하며 집중하지 않는 학생들을 바로바로 지도할 수 있는 이 방식을 **선호**한다. 하지만 교사 입장에서 보면 같은 내용의 수업을 진행하기 위해 매시간 컴퓨터 앞에서 방송을 해야 하며, 온라인에 접속한 학생들을 관찰하는 한편 가르치는 과목에 대한 내용도 이야기해야 하는 불편함이 있다.

4 셋째, 선생님이 수업을 녹화한 후, 각 학급별로 녹화 영상을 틀어 주는 방식이다. ㉡이 방식은 한 번의 녹화로 여러 반의 수업을 할 수 있기 때문에 교사 입장에서도 유용할 뿐 아니라 학생들에게도 좋다. 왜냐하면 녹화 영상을 틀어 놓고 선생님이 실시간으로 학생들의 학습 태도를 지도할 수 있으니 학생들이 수업에 집중하게 되고, 채팅창을 통해 모르는 것을 질문하며 학생들과 선생님이 소통할 수도 있기 때문이다.

5 학교 현장에서 이루어지는 온라인 비대면 수업은 교사, 학부모, 학생들의 다양한 의견을 **수렴**하며 점차 나아지고 있다. 앞으로도 온라인 비대면 수업은 그 장점을 살려서 대면 수업과 함께 하는 방식으로 계속 활용될 가능성이 높다.

- **대면**(對 대답할 대, 面 낯 면) 서로 얼굴을 마주 보고 대함.
- **비대면**(非 아닐 비, 對 대답할 대, 面 낯 면) 사람과 사람이 직접 만나지 않음.
- **개별적**(個 낱 개, 別 다를 별, 的 과녁 적) 여럿 중에서 하나씩 따로 나뉘어 있는 것.
- **만족도**(滿 찰 만, 足 발 족, 度 법도 도) 마음에 흡족함을 느끼는 정도.
- **실시간**(實 열매 실, 時 때 시, 間 사이 간) 실제 흐르는 시간과 같은 시간.
- **선호**(選 가릴 선, 好 좋을 호) 여러 가지 중에서 특별히 좋아함.
- **수렴**(收 거둘 수, 斂 거둘 렴) 의견이나 생각 등이 여럿으로 나뉘어 있는 것을 하나로 모아 정리함.

지문 독해

설명 대상

1 이 글은 무엇에 대해 쓴 글인지 찾아 여덟 글자로 쓰세요.

(   )

내용 이해

2 이 글을 통해 알 수 있는 내용을 모두 찾아 ○표를 하세요.

(1) 온라인 비대면 수업의 전망 (   )
(2) 온라인 비대면 수업용 교재 (   )
(3) 온라인 비대면 수업의 형태 (   )
(4) 온라인 비대면 수업을 하게 된 배경 (   )

적용하기

3 ㉠에 대해 바르게 이해하지 못한 친구는 누구인가요? (   )

① 유화: 이미 만들어져 있는 영상을 단순히 보여 주기만 하면 학급별 상황을 고려하기 어렵겠어.
② 영신: 선생님이 실시간으로 온라인 수업을 하면 집중하지 않는 학생들을 바로바로 지도할 수 있겠어.
③ 주연: 선생님이 수업을 미리 녹화한 후 틀어 주면 학생들은 모르는 것을 질문할 방법이 전혀 없겠구나.
④ 진우: 선생님이 수업을 녹화한 영상을 틀어 놓고 동시에 학생들의 학습 태도를 실시간으로 확인할 수 있겠어.
⑤ 다희: 선생님이 직접 실시간으로 온라인 수업을 진행하면 선생님은 동시에 해야 할 일이 많아서 힘들 것 같아.

어휘·어법

4 ㉡에 가장 어울리는 한자 성어는 무엇인가요? (   )

① 이심전심: 마음과 마음으로 서로 뜻이 통함.
② 결초보은: 죽은 뒤에라도 은혜를 잊지 않고 갚음.
③ 일거양득: 한 가지 일을 하여 두 가지 이익을 얻음.
④ 조삼모사: 나쁜 꾀로 남을 속여 놀리는 것을 이르는 말.
⑤ 용두사미: 처음은 왕성하나 끝이 부진한 현상을 이르는 말.

지문 분석

정답과 해설 18쪽

1 문단 요약

각 문단의 중심 내용을 알맞게 선으로 이으세요.

문단		중심 내용
1 문단 •		• 온라인 비대면 수업의 전망
2 문단 •		• 온라인 비대면 수업의 실시 배경
3 문단 •		• 실시간으로 수업하는 온라인 수업 방식
4 문단 •		• 기존 영상을 보여 주는 온라인 수업 방식
5 문단 •		• 녹화 영상을 틀어 주는 온라인 수업 방식

2 글의 구조

다음 빈칸을 채워 이 글의 내용을 정리해 보세요.

	방식	내용
온라인 (　　　) 수업	기존 영상을 보여 주는 방식	학생들의 (　　　)인 특성과 요구, 학급별 상황을 반영할 수 없음.
	(　　　)으로 수업하는 방식	매시간 방송해야 하고, 수업과 동시에 학생들까지 살펴야 함.
	수업 녹화 영상을 틀어 주는 방식	학생들의 학습 태도를 지도하면서 (　　　)을 통해 소통할 수 있음.

배경지식 혼합형 학습이란?

혼합형 학습은 대면 학습과 온라인 학습을 결합한 학습 방식을 말한다. 혼합형 학습은 학습 효과를 높여 주고, 학습 기회를 넓혀 주며, 교육 시간 및 비용을 줄여 준다는 장점이 있다.

오늘의 어휘

정답과 해설 18쪽

다음 낱말의 알맞은 뜻을 찾아 선으로 이으세요.

비대면 •	• 마음에 흡족함을 느끼는 정도.
개별적 •	• 여러 가지 중에서 특별히 좋아함.
만족도 •	• 사람과 사람이 직접 만나지 않음.
선호 •	• 여럿 중에서 하나씩 따로 나뉘어 있는 것.
수렴 •	• 의견이나 생각 등이 여럿으로 나뉘어 있는 것을 하나로 모아 정리함.

1 다음 문장의 빈칸에 들어갈 알맞은 말을 오늘의 어휘 에서 찾아 쓰세요.

- 많은 사람들이 안정적인 직장을 [　　　　]한다.
- 우리 반 친구들의 온라인 수업 [　　　　]는 높은 편이다.
- 질문이 있어서 나중에 [　　　　]으로 선생님을 찾아갔다.
- 현장 체험 학습 장소는 학생들의 의견 [　　　　]을 거쳐 정했다.
- 사이버 공간은 [　　　　]이므로 부정적인 댓글을 쉽게 달게 된다.

2 다음 글에서 밑줄 친 말과 뜻이 반대되는 말을 찾아 세 글자로 쓰세요.

> 우리는 관찰이나 실험을 통해서 세계에 관한 여러 가지 사실들을 발견하게 된다. 과학은 바로 이 개별적인 사실들에서 출발하는데, 이런 여러 사실들로부터 일반적인 규칙을 얻을 수 있다.

(　　　　　　　　)

누리 소통망의 특징

KEY WORD

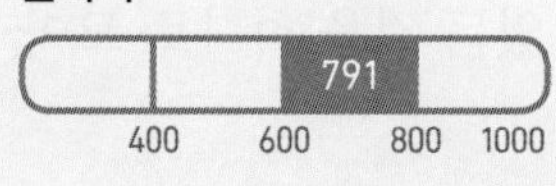

글자 수

791

400 600 800 1000

1 누리 소통망(SNS)은 인터넷 통신망을 통해 사람들 간의 관계를 연결시켜 주는 서비스를 의미한다. 사람들은 스마트폰으로 다양한 누리 소통망을 통해 실시간으로 서로 사진을 공유하고, 대화를 주고받는다.

2 ㉠누리 소통망의 장점은 첫째, 공간의 **제약** 없이 전 세계 누구와도 소통할 수 있다는 것이다. 기술의 발달로 시간과 공간의 **장벽**이 무너져서 지구 반대편에 있는 사람과도 **쌍방향** 소통이 가능해졌다. 둘째, 새로운 친구를 만들 수 있다. 관심이나 취미가 비슷한 사람과 친구가 될 수 있고, 친구의 친구와도 친해질 수 있다. 셋째, 적은 **비용**을 들여서 다양한 정보를 얻을 수 있다. 특정 분야에 관한 전문가의 지식과 의견을 쉽게 접할 수 있고, 글, 동영상, 사진 등을 공유하며 다양한 정보를 쉽게 얻을 수 있다.

3 그러나 누리 소통망은 여러 단점도 있다. 첫째, 개인 정보가 유출되거나 사생활이 **침해**당할 수 있다. 회원 가입을 할 때 제공하는 이름, 휴대폰 번호와 같은 개인 정보가 유출되어 범죄에 이용되거나, 사이버 괴롭힘을 당할 수도 있다. 둘째, 인터넷을 이용한 새로운 종류의 범죄가 발생할 수 있다. **익명성**이라는 사이버 공간의 특징으로 인해 누군가가 올린 글에 비난이나 욕설과 같은 악성 댓글을 다는 것이 심각한 사회 문제가 되고 있다. 셋째, 정확하지 않거나 잘못된 정보들이 있을 수 있다. 전문가도 아니면서 전문가인 것처럼 글을 남기거나, 근거도 없이 일부의 내용만 전달하는 경우도 있다.

4 누리 소통망이 **건전한** 소통의 도구가 되기 위해서는 우리 모두 ㉡누리 소통망의 특징을 잘 이해하고 올바르게 이용하려는 노력이 필요하다.

- **제약**(制 억제할 제, 約 맺을 약) 조건을 붙여 내용을 제한함. 또는 그 조건.
- **장벽**(障 가로막을 장, 壁 벽 벽) 장애가 되는 것이나 극복하기 어려운 것.
- **쌍방향**(雙 쌍 쌍, 方 모 방, 向 향할 향) 한쪽으로만 향하는 것이 아니라 양쪽을 서로 향하는 것.
- **비용**(費 쓸 비, 用 쓸 용) 어떤 일을 하는 데 드는 돈.
- **침해**(侵 침노할 침, 害 해로울 해) 함부로 남의 일에 끼어들어 해를 끼침.
- **익명성**(匿 숨길 익, 名 이름 명, 性 성품 성) 어떤 행위를 한 사람이 누구인지 드러나지 않는 특성.
- **건전**(健 굳셀 건, 全 온전할 전)**한** 잘못된 생각에 물들지 않고 올바른.

핵심어

1 **이 글에서 가장 중심이 되는 말을 찾아 다섯 글자로 쓰세요.**

( )

내용 이해

2 **이 글을 통해 알 수 있는 내용을 모두 찾아 ○표를 하세요.**

(1) 누리 소통망의 유래 ( )
(2) 누리 소통망의 장점 ( )
(3) 누리 소통망의 단점 ( )
(4) 누리 소통망의 발전 과정 ( )

내용 이해

3 **다음 중 ㉠으로 알맞은 것은 무엇인가요? ( )**

① 다른 사람의 개인 정보를 쉽게 얻을 수 있다.
② 개인의 사생활이 철저하게 보호받을 수 있다.
③ 적은 비용을 들여서 다양한 정보를 얻을 수 있다.
④ 익명성이 보장되므로 어떤 말을 해도 문제 될 것이 없다.
⑤ 정확한 정보만 올리기 때문에 믿을 만한 정보를 쉽게 얻을 수 있다.

적용하기

4 **㉡을 가장 잘 실천하고 있는 친구는 누구인가요? ( )**

① 세영: 누리 소통망에 가입할 때 내 정보를 모두 공개할 거야.
② 명호: 몰라도 아는 척 글을 올리면 다들 내가 전문가인 줄 알아.
③ 미주: 숙제할 때 모르는 건 무조건 누리 소통망에 검색해 보면 돼.
④ 정안: 나의 댓글이 누군가에게 상처를 줄 수도 있으니 조심해야 해.
⑤ 진교: 누리 소통망에 맨날 맛있는 것만 먹고 행복한 것처럼 글을 올릴 거야.

지문 분석

정답과 해설 19쪽

1 문단 요약

다음 질문의 답을 찾을 수 있는 문단을 찾아 선으로 이으세요.

누리 소통망이 무엇인가요?	• •	1문단
누리 소통망의 문제점은 무엇일까요?	• •	2문단
누리 소통망은 어떤 장점이 있을까요?	• •	3문단
누리 소통망을 이용할 때 유의할 점은 무엇일까요?	• •	4문단

2 글의 구조

다음 빈칸을 채워 이 글의 내용을 정리해 보세요.

누리 소통망

장점	단점
• ( )의 제약 없이 전 세계 누구와도 소통할 수 있음. • 새로운 ( )를 만들 수 있음. • 적은 비용을 들여서 다양한 정보를 얻을 수 있음.	• 개인 ( )가 유출되거나 사생활이 침해당할 수 있음. • 인터넷을 이용한 새로운 종류의 범죄가 발생할 수 있음. • 정확하지 않거나 ( ) 정보들이 있을 수 있음.

배경지식 유행에서 소외되는 것을 두려워하는 증상: 포모(FOMO) 증후군

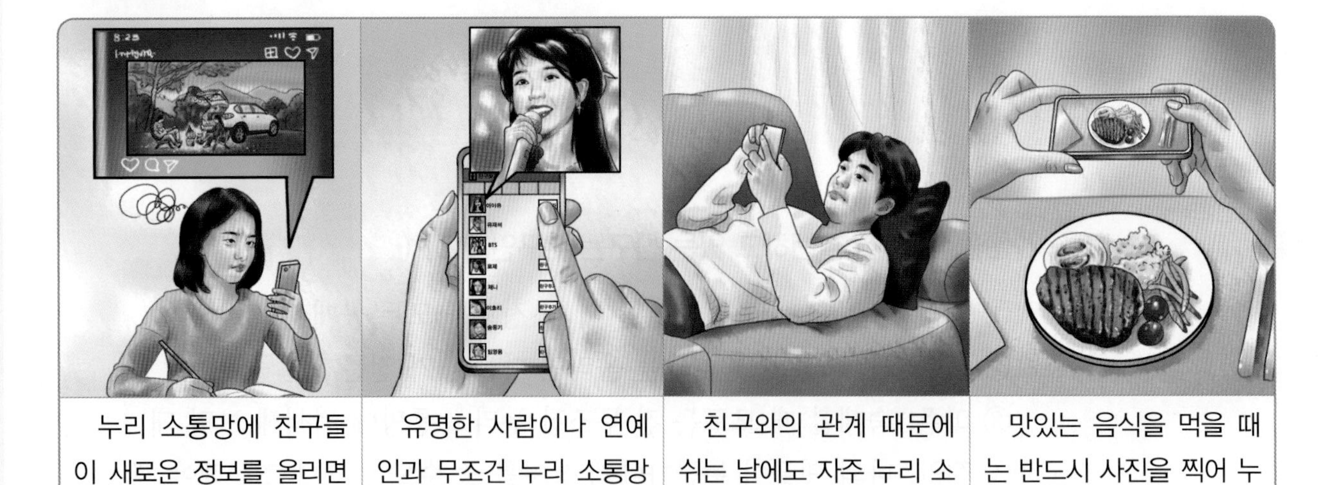

누리 소통망에 친구들이 새로운 정보를 올리면 마음이 불편하다.	유명한 사람이나 연예인과 무조건 누리 소통망 친구를 맺으려 한다.	친구와의 관계 때문에 쉬는 날에도 자주 누리 소통망을 확인한다.	맛있는 음식을 먹을 때는 반드시 사진을 찍어 누리 소통망에 올린다.

오늘의 어휘

정답과 해설 19쪽

다음 낱말의 알맞은 뜻을 찾아 선으로 이으세요.

제약 •	• 어떤 일을 하는 데 드는 돈.
장벽 •	• 잘못된 생각에 물들지 않고 올바른.
비용 •	• 함부로 남의 일에 끼어들어 해를 끼침.
침해 •	• 장애가 되는 것이나 극복하기 어려운 것.
건전한 •	• 조건을 붙여 내용을 제한함. 또는 그 조건.

1 다음 문장의 빈칸에 들어갈 알맞은 말을 오늘의 어휘 에서 찾아 쓰세요.

- 해외여행은 국내여행에 비해 [   ]이 많이 든다.
- 처음 미국에 가서 언어의 [   ] 때문에 힘들었다.
- 온라인 수업은 시간과 공간의 [   ]으로부터 자유롭다.
- 우리들은 [   ] 학교 생활을 할 수 있도록 노력해야 한다.
- 다른 사람의 글을 맘대로 가져다 쓰면 그 사람의 권리를 [   ]하는 것이다.

2 다음 글에서 밑줄 친 말과 뜻이 비슷한 말을 찾아 두 글자로 쓰세요.

모든 기업들은 사업을 운영할 때 드는 <u>경비</u>를 줄이고 이익을 더 많이 내기 위해 활동을 한다. 따라서 어떤 상품을 만들 것인지를 결정할 때도 만드는 데 들어가는 비용과 이익을 따져 보고 결정하게 된다.

(   )

경제

01 | 물물 교환의 한계와 의의

02 | 기업의 역할과 사회적 책임

03 | 지역 화폐의 목적과 특징

과학

01 | 화산 폭발 실험

02 | 자석을 이용한 나침반의 원리

03 | 소리의 발생과 전달 원리

04 | 음식물이 소화되는 과정

기술

01 | 석빙고에 담긴 과학적 원리

02 | 자전거의 과학적 원리

KEY WORD

물물 교환

글자 수

824

400 600 800 1000

물물 교환의 한계와 의의

1 물물 **교환**이란 물건과 물건을 직접 바꾸는 것을 말한다. 돈을 사용하지 않았던 옛날, 육지에서 사는 사람들은 바다에서 나는 먹을거리가 필요했고, 바닷가에서 사는 사람들은 논과 밭에서 나는 먹을거리가 필요했다. 이러한 필요에 의해 생겨난 물물 교환은 여러 가지 이유로 인해 불편한 점이 많았다.

2 첫째, 물건에 대한 **가치**가 사람마다, 지역마다 다를 수 있다. 육지에 사는 농부와 바닷가에 사는 어부가 물물 교환을 한다고 생각해 보자. 쌀을 갖고 있는 농부는 쌀 한 **되**를 생선 한 마리와 바꾸기를 원하고, 어부는 생선 한 마리를 쌀 두 되와 바꾸는 것이 적당하다고 생각한다면 두 사람 사이의 물물 교환은 이루어지기 어려울 것이다.

3 둘째, 서로 원하는 물건을 교환할 사람을 만나기가 어렵다. 위 예처럼 농부와 어부가 원하는 물건이 맞아떨어지기란 쉬운 일이 아니다. 농부는 생선이 필요한데 생선을 갖고 있는 어부가 쌀이 필요 없다면 물물 교환은 이루어질 수 없기 때문이다. 게다가 내 물건과 바꿀 물건을 가진 사람을 직접 찾아 나서야 하는 **수고**를 해야 했다.

4 셋째, 물건을 다른 사람과 교환하려면 자신의 물건을 직접 들고 가야 했다. 농부와 어부가 물물 교환을 하기 위해서는 각각 무거운 쌀과 쉽게 상하는 생선을 가지고 다녀야 하는 것이다. 그러다 만약 날이 더우면 어부의 생선이 상해 버려서 쌀과 바꾸지 못하게 될 수 있다.

5 이러한 불편함이 있었지만 물물 교환은 돈이 없던 시대에 서로 필요한 것을 교환하는 인간의 첫 **경제** 활동이었다. 옛날 사람들은 상당히 오랜 기간 동안 물물 교환을 통해 필요한 물건을 얻었고, 물물 교환의 불편한 점들을 **해소**하기 위해 **화폐**를 만들 생각을 하게 되었다.

- **의의**(意 뜻 의, 義 옳을 의) 어떤 사실이나 행위가 갖는 중요성이나 가치.
- **교환**(交 사귈 교, 換 바꿀 환) 서로 바꾸거나, 주고받고 함.
- **가치**(價 값 가, 値 값 치) 사물이 지니고 있는 쓸모.
- **되** 곡식, 가루, 액체의 분량을 재는 단위.
- **수고** 일을 하느라고 힘을 들이고 애를 씀.
- **경제**(經 경서 경, 濟 건널 제) 인간의 생활에 필요한 물건이나 서비스를 생산·분배·소비하는 모든 활동.
- **해소**(解 풀 해, 消 꺼질 소) 어려운 일이나 문제가 되는 상태를 해결하여 없애 버림.
- **화폐**(貨 재화 화, 幣 비단 폐) 사물의 가치를 나타내며 상품의 교환에 필요한 물건.

정답과 해설 20쪽

핵심어

1 **이 글에서 가장 중심이 되는 말은 무엇인가요? (　　　　)**

① 육지　　② 어부　　③ 화폐
④ 물물 교환　　⑤ 경제 활동

내용 이해

2 **다음 중 이 글을 통해 알 수 있는 내용을 모두 찾아 ○표를 하세요.**

(1) 물물 교환의 뜻 (　　　)
(2) 쌀과 생선의 가치 (　　　)
(3) 최초의 화폐의 모습 (　　　)
(4) 물물 교환이 생겨난 이유 (　　　)

내용 이해

3 **다음 중 물물 교환의 불편한 점이 아닌 것은 무엇인가요? (　　　　)**

① 사람마다 갖고 있는 물건이 다르다.
② 사람마다 물건에 대한 가치가 다르다.
③ 물건을 직접 들고 다니며 교환해야 한다.
④ 필요한 물건을 갖고 있는 사람을 직접 찾아야 한다.
⑤ 서로가 원하는 물건이 딱 맞아떨어지기가 쉽지 않다.

적용하기

4 **이 글을 읽고 보기 에 대해 적절하게 말한 친구는 누구인가요? (　　　　)**

보기

가난한 잭은 젖소 한 마리를 키우며 살았다. 젖소가 늙어서 더 이상 우유를 만들지 못하자, 젖소를 곡식과 바꾸기 위해 길을 떠난 잭은 한 노인을 만난다. 그 노인은 자신의 마법 콩 한 알과 잭의 젖소를 바꾸자고 한다.

① 대희: 잭의 젖소 한 마리와 노인의 마법 콩 한 알은 가치가 같아.
② 채빈: 잭은 예전보다 젖소 한 마리의 가치를 더 높게 생각할 거야.
③ 연희: 만약 마법 콩이 필요 없다면 잭은 노인의 제안을 거절할 거야.
④ 진하: 노인은 잭의 젖소보다 마법 콩의 가치가 훨씬 크다고 생각했겠군.
⑤ 서우: 잭이 젖소를 직접 데리고 다니면서 교환할 물건을 찾는 것은 물물 교환의 좋은 점이로군.

지문 분석

정답과 해설 20쪽

1 문단 요약 각 문단의 중심 내용으로 알맞은 것에 ○표, 틀린 것에 ×표를 하세요.

1 문단	물물 교환은 물건과 물건을 직접 바꾸는 것이다.	( )
2 문단	물물 교환은 물건의 가치가 저마다 다를 수 있다.	( )
3 문단	물물 교환은 물건을 교환할 사람을 만나기 쉽다.	( )
4 문단	물물 교환은 교환할 물건을 들고 다녀야 한다.	( )
5 문단	화폐 사용의 불편함 때문에 물물 교환이 생겨났다.	( )

2 글의 구조 다음 빈칸을 채워 이 글의 내용을 정리해 보세요.

( ) 교환의 불편한 점

- 물건에 대한 ( )가 서로 다를 수 있음.
- 서로 원하는 물건을 ( )할 사람을 만나기 어려움.
- 물건을 교환하려면 물건을 직접 ( ) 가야 함.

배경지식 화폐의 역사

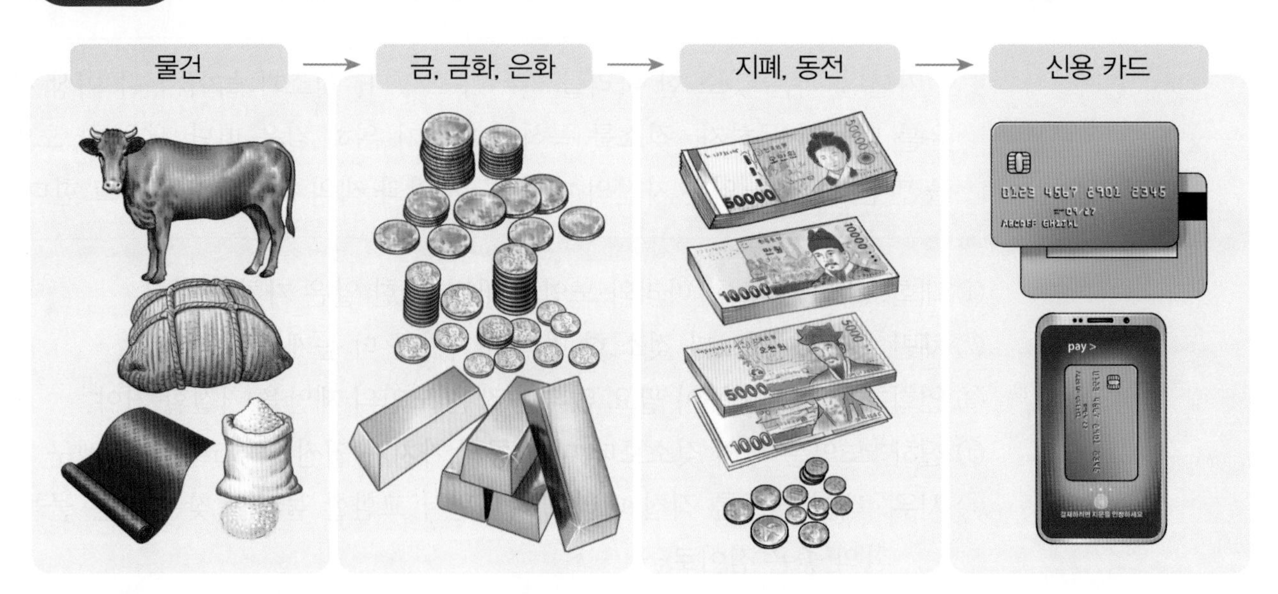

오늘의 어휘

다음 낱말의 알맞은 뜻을 찾아 선으로 이으세요.

교환 •	• 사물이 지니고 있는 쓸모.
가치 •	• 서로 바꾸거나, 주고받고 함.
되 •	• 일을 하느라고 힘을 들이고 애를 씀.
수고 •	• 곡식, 가루, 액체의 분량을 재는 단위.
경제 •	• 인간의 생활에 필요한 물건이나 서비스를 생산·분배·소비하는 모든 활동.

1 **다음 문장의 빈칸에 들어갈 알맞은 말을 오늘의 어휘 에서 찾아 쓰세요.**

- 우리의 [ ]가 헛되지 않길 바란다.
- 그 물건은 너무 흔해서 [ ]가 없다.
- 소금 한 [ ]와 옷감 한 필을 바꾸었다.
- 물물 교환은 사람들의 [ ] 활동의 시작이었다.
- 생일이 같은 현서와 세진이는 서로 선물 [ ]을 했다.

2 **다음 글에서 밑줄 친 말과 뜻이 비슷한 말을 찾아 두 글자로 쓰세요.**

요즘에는 자신이 쓰던 물건 중에서 버리기 아까운 것을 온라인 중고 시장에 내놓고 다른 사람들과 <u>거래</u>를 한다. 물건을 저렴한 가격에 팔거나 자신이 필요한 다른 물건과 교환하기도 한다. 이런 중고 거래는 물건을 쉽게 버리지 않고 자원 낭비를 막는다는 점에서 의미가 있다.

(   )

KEY WORD

기업

글자 수

714

400 600 800 1000

기업의  과 사회적 책임

1 기업은 우리가 살아가는 데 필요한 물건을 생산하는 **주체**로서 경제를 구성하는 기본 단위이다. 기업이 이러한 생산 활동을 하는 가장 큰 목적은 **이윤**을 남기는 것이다. 기업이 사회에서 하는 역할은 다음과 같다.

2 기업이 하는 일 중 가장 중요한 것은 생산 활동이다. 기업은 기술을 개발해서 사회가 필요로 하는 물건을 만들어 내고 그것을 팔아 돈을 번다. 또한 질 좋은 서비스를 제공함으로써 사람들이 더 만족스러운 생활을 할 수 있도록 돕는 역할을 한다.

3 기업은 사람들에게 **일자리**를 제공하는 역할도 한다. 기업은 더 좋은 물건을 더 빨리 더 많이 만들기 위해서 능력 있는 사람들을 **고용**하고, 사람들은 기업이 제공하는 일자리를 통해 돈을 번다.

4 기업은 다른 기업들과 끊임없이 **경쟁**을 한다. 기업의 목적은 높은 이윤을 얻는 것이기 때문에 소비자에게 선택받기 위해서는 좀 더 값이 싸고 질이 좋은 물건을 생산해야 한다. 그리고 유명한 연예인을 광고에 등장시켜 관심을 끌기도 한다. 이러한 기업 간 경쟁으로 소비자는 **품질**이 좋은 물건을 더 싸게 살 수 있고, 기업은 우수한 상품을 많이 개발할 수 있게 된다.

5 이러한 역할 외에도 기업은 나라에 세금을 성실하게 내야 하고, **공정**한 거래 질서가 유지되도록 노력해야 한다. 이에 더 나아가 ㉡기업의 사회적 책임도 요구되고 있다. 기업이 어려운 사람들을 위해 이윤의 일부를 사회에 돌려줌으로써 긍정적인 영향력을 미칠 때 진정한 기업으로 인정받게 되는 것이다.

- **주체**(主 주인 주, 體 몸 체) 사물의 작용이나 어떤 행동의 주가 되는 것.
- **이윤**(利 이로울 이, 潤 윤택할 윤) 장사를 하여 남은 돈.
- **일자리** 살림을 꾸려 나갈 수 있는 수단으로서의 직업.
- **고용**(雇 품팔 고, 用 쓸 용) 돈을 주고 사람에게 일을 시킴.
- **경쟁**(競 다툴 경, 爭 다툴 쟁) 같은 목적에 대하여 이기거나 앞서려고 서로 겨룸.
- **품질**(品 물건 품, 質 바탕 질) 물건의 성질과 바탕.
- **공정**(公 공평할 공, 正 바를 정) 어느 한쪽에게 이익이나 손해가 치우치지 않고 올바름.

제목

1 **이 글의 제목으로 어울리도록 ㉠에 들어갈 알맞은 말을 두 글자로 쓰세요.**

( )

내용 이해

2 **이 글을 통해 알 수 있는 내용을 모두 찾아 ○표를 하세요.**

(1) 기업이 생산 활동을 하는 목적 ( )
(2) 광고에 연예인이 등장하는 이유 ( )
(3) 기업이 사람들을 고용하는 이유 ( )
(4) 기업 간의 경쟁으로 인한 문제점 ( )

내용 이해

3 **다음 중 기업의 역할에 해당하지 않는 것은 무엇인가요? ( )**

① 세금을 성실하게 내야 한다.
② 사람들에게 일자리를 제공해야 한다.
③ 사람들이 필요로 하는 물품을 생산해야 한다.
④ 이윤을 많이 남기기 위해서라면 공정하지 않은 거래도 해야 한다.
⑤ 질 좋은 서비스를 제공함으로써 더 만족스러운 생활을 할 수 있도록 도와야 한다.

추론하기

4 **이 글의 내용으로 보아, ㉡의 구체적인 의미로 알맞은 것은 무엇인가요? ( )**

① 공정한 경쟁이 되도록 규제하고 관리해야 할 의무
② 국가 경제의 발전을 위해 이윤을 추구해야 할 의무
③ 소비자에게 질 좋은 제품과 서비스를 제공해야 할 의무
④ 이윤의 일부를 어려운 이웃에게 나누어 주어야 할 의무
⑤ 사람들의 편안한 삶을 위해 새로운 기술을 개발해야 할 의무

지문 분석

정답과 해설 21쪽

1 문단 요약 각 문단의 중심 내용을 알맞게 선으로 이으세요.

1 문단 •		• 기업 간의 경쟁
2 문단 •		• 기업의 생산 활동
3 문단 •		• 기업의 일자리 제공
4 문단 •		• 기업의 의미와 목적
5 문단 •		• 기업에게 요구되는 사회적 책임

2 글의 구조 다음 빈칸을 채워 이 글의 내용을 정리해 보세요.

기업의 역할

(　　　) 활동	일자리 제공	기업과의 (　　　)
사회가 필요로 하는 물건과 서비스를 제공함.	생산 활동을 위해 사람들을 (　　　) 함.	소비자에게 선택받기 위해 싸고 좋은 물건을 생산하려 함.

배경지식 경제 활동의 세 주체인 가정, 기업, 정부

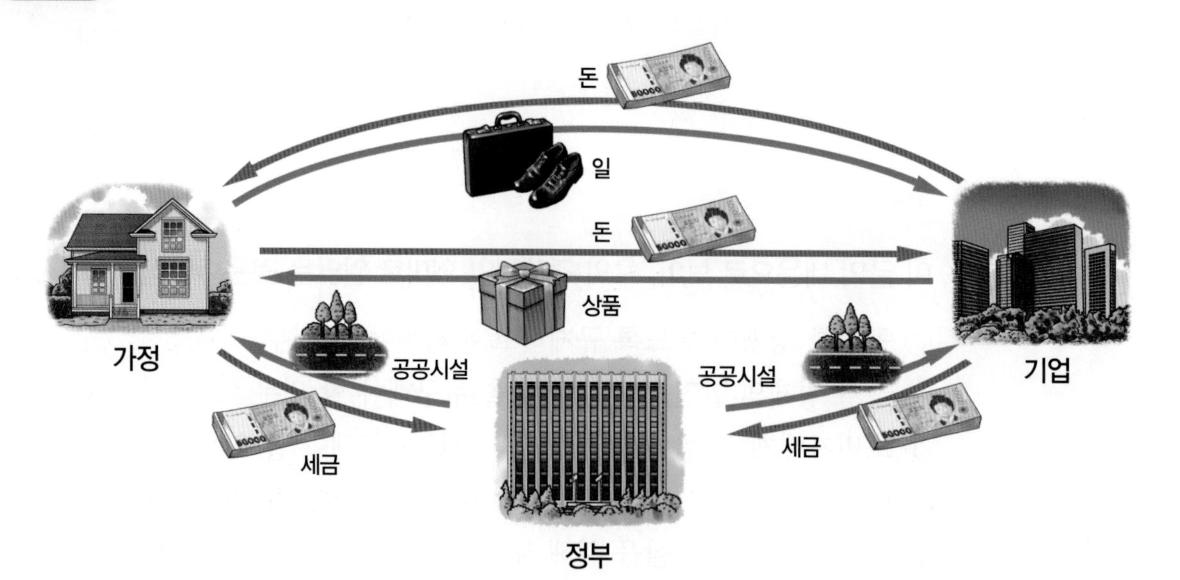

정답과 해설 21쪽

다음 낱말의 알맞은 뜻을 찾아 선으로 이으세요.

이윤 •		• 물건의 성질과 바탕.
일자리 •		• 장사를 하여 남은 돈.
고용 •		• 돈을 주고 사람에게 일을 시킴.
경쟁 •		• 살림을 꾸려 나갈 수 있는 수단으로서의 직업.
품질 •		• 같은 목적에 대하여 이기거나 앞서려고 서로 겨룸.

1 다음 문장의 빈칸에 들어갈 알맞은 말을 오늘의 어휘에서 찾아 쓰세요.

- 물건의 (   )을 비교해 보고 구입했다.
- 기업은 사람들을 (   )해서 물건을 생산한다.
- 장사하는 사람은 (   )을 남기고 물건을 판다.
- 친구끼리 선의의 (   )을 하는 것은 서로에게 좋다.
- 대학교를 졸업한 후에 (   )를 구하기 위해서 노력했다.

2 다음 글에서 밑줄 친 말과 뜻이 반대되는 말을 찾아 두 글자로 쓰세요.

한 사회 안에서 경쟁을 하는 것은 서로 발전할 수 있도록 하기 때문에 긍정적으로 볼 수 있다. 하지만 경쟁이 지나칠 경우 오히려 스트레스와 불안감을 일으키기도 한다. 이런 점에서 학생들은 경쟁도 중요하지만, 친구와의 협력을 통해 함께 문제를 해결하려는 노력을 해야 한다.

(   )

KEY WORD

지역 화폐

글자 수

711

400 600 800 1000

지역 화폐의 목적과 특징

1 특정 지역에서만 쓸 수 있는 돈을 지역 화폐라고 한다. 지역 화폐는 지역 경제의 위기를 이겨 내기 위해 **도입**되었으며, 지역 주민의 소득을 지역 안에서 쓸 수 있도록 하여 지역 경제를 활성화하는 것을 목적으로 한다. 이와 같은 지역 화폐는 국가의 공식적인 **법정** 화폐와는 다른 몇 가지 특징이 있다.

2 첫째, 지역 화폐는 **발행** 주체가 다르다. 법정 화폐는 국가가 중앙은행을 통해 발행한다. 이와 달리 지역 화폐는 지역 **자치** 단체나 시민 단체가 자유롭게 발행하고 운영한다. 이렇게 발행된 지역 화폐는 전통 시장과 **소상공인**의 소득 증가를 이끌 수 있다.

3 둘째, 지역 화폐는 사용 범위가 **제한적**이다. 법정 화폐는 전국 어디에서나 사용할 수 있을 뿐만 아니라 국가 간의 거래에도 교환 수단이 될 수 있다. 그러나 지역 화폐는 그 지역 안에서만 사용할 수 있으며 지역 밖으로 **유출**되지 않는다.

4 셋째, 지역 화폐는 이자가 붙지 않아서 미래 가치가 높지 않다. 법정 화폐는 은행에 저축하면 이자가 붙지만 지역 화폐는 아무리 많이 갖고 있어도 이자가 붙지 않는다. 지역 화폐는 오히려 시간이 갈수록 가치가 떨어지는 경우도 있어서 지역 주민들은 보통 법정 화폐보다 지역 화폐를 먼저 사용한다.

5 이처럼 지역 화폐는 해당 지역 주민들의 **공유물**로서 지역 안에서만 사용되기 때문에 지역 경제의 활성화에 도움이 된다. 또한 지역 화폐는 사람들의 소비를 자극하여 지역 경제를 지키는 역할을 한다.

- **도입**(導 이끌 도, 入 들 입) 기술, 방법, 물건, 재료 등을 끌어 들임.
- **법정**(法 법도 법, 定 정할 정) 법률로 규정함.
- **발행**(發 필 발, 行 다닐 행) 화폐 등을 만들어 세상에 내놓아 널리 쓰도록 함.
- **자치**(自 스스로 자, 治 다스릴 치) 자기 일을 스스로 다스림.
- **소상공인**(小 작을 소, 商 장사 상, 工 장인 공, 人 사람 인) 작은 규모의 상업과 공업에 종사하는 사람.
- **제한적**(制 억제할 제, 限 한계 한, 的 과녁 적) 일정한 한도를 정하거나 그 한도를 넘지 못하게 막는 것.
- **유출**(流 흐를 유, 出 날 출) 밖으로 흘러 나가거나 흘려 내보냄.
- **공유물**(共 함께 공, 有 있을 유, 物 만물 물) 여럿이 함께 소유하는 물건.

지문 독해

핵심어

1 이 글에서 가장 중심이 되는 말을 찾아 네 글자로 쓰세요.

( )

내용 이해

2 이 글의 내용과 일치하는 것은 무엇인가요? ( )

① 지역 화폐는 중앙은행에서 발행한다.
② 지역 화폐는 주로 대형 마트에서 사용한다.
③ 지역 화폐는 갖고 있는 동안 이자가 붙는다.
④ 지역 화폐는 다른 나라에서도 사용할 수 있다.
⑤ 지역 화폐는 특정 지역 밖으로 유출되지 않는다.

추론하기

3 이 글을 통해 답을 알 수 있는 질문이 아닌 것은 무엇인가요? ( )

① 지역 화폐를 도입한 이유는 무엇인가요?
② 지역 화폐의 사용 범위가 제한적인 이유는 무엇인가요?
③ 사람들이 지역 화폐 사용을 꺼리는 이유는 무엇인가요?
④ 지역 화폐가 법정 화폐보다 미래 가치가 낮은 이유는 무엇인가요?
⑤ 지역 화폐를 법정 화폐보다 먼저 사용하려 하는 이유는 무엇인가요?

적용하기

4 이 글을 읽고 보기 의 ㉮에 대해 알맞게 이야기한 친구는 누구인가요? ( )

보기

최근 A 지역에서는 기존에 발행하던 ㉮고향사랑상품권을 판매하기 위해 적극적인 홍보에 나서기로 했다. 정부도 A 지역의 경제 활성화를 돕기 위해 지역 내에서 사용하는 상품권 발행에 대한 지원을 약속했다.

① 예은: ㉮의 발행량을 점차적으로 줄이는 것이 좋겠어.
② 준현: ㉮를 많이 사서 모아 두면 점점 가치가 높아질 수 있어.
③ 희진: ㉮는 A 지역 안에 있는 전통 시장에서 사용할 수 있겠어.
④ 찬서: ㉮는 A 지역의 경제적 어려움을 극복하는 데 도움이 되지 않아.
⑤ 가연: ㉮를 A 지역이 아닌 다른 지역에서도 사용할 수 있도록 해야 해.

지문 분석

정답과 해설 22쪽

1 문단 요약

다음 빈칸을 채워 각 문단의 중심 내용을 정리해 보세요.

1 문단	지역 (　　　)의 의미와 목적
2 문단	지역 화폐의 (　　　) 주체
3 문단	지역 화폐의 사용 (　　　)
4 문단	지역 화폐의 (　　　) 가치
5 문단	지역 화폐의 의의

2 글의 구조

다음 빈칸을 채워 지역 화폐와 법정 화폐의 다른 점을 정리해 보세요.

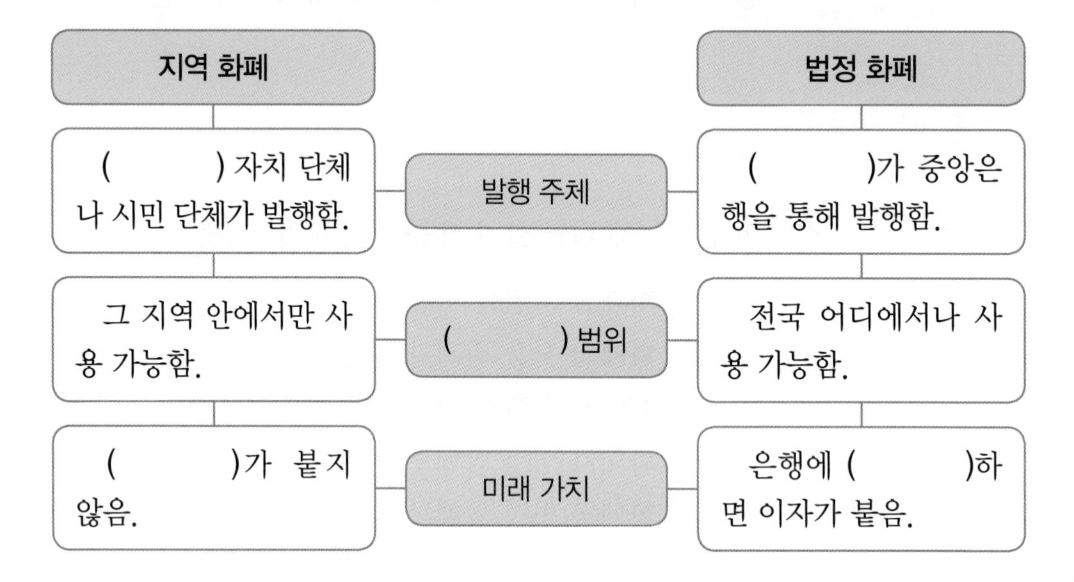

배경지식

지역 화폐의 종류

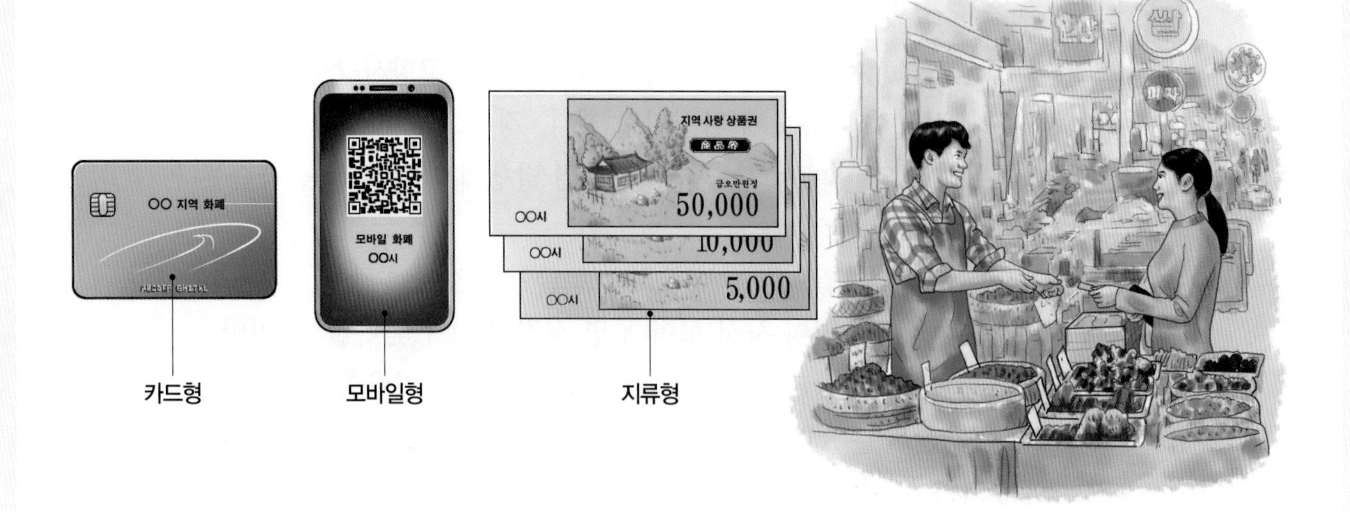

오늘의 어휘

정답과 해설 22쪽

다음 낱말의 알맞은 뜻을 찾아 선으로 이으세요.

도입 •	• 자기 일을 스스로 다스림.
발행 •	• 여럿이 함께 소유하는 물건.
자치 •	• 기술, 방법, 물건, 재료 등을 끌어 들임.
소상공인 •	• 작은 규모의 상업과 공업에 종사하는 사람.
공유물 •	• 화폐 등을 만들어 세상에 내놓아 널리 쓰도록 함.

1 다음 문장의 빈칸에 들어갈 알맞은 말을 오늘의 어휘에서 찾아 쓰세요.

- 정부가 [   ]에 대한 지원을 확대했다.
- 2009년에 오만 원권 지폐가 [   ]되었다.
- 이 그림은 개인이 가져서는 안 되는 [   ]이다.
- 새로운 기술의 [   ]으로 기업이 발전할 수 있다.
- 주민 [   ]는 주민 스스로의 책임으로 일을 처리하는 것을 말한다.

2 다음 글에서 밑줄 친 말과 뜻이 반대되는 말을 찾아 두 글자로 쓰세요.

기업은 많은 돈을 들여 수준 높은 기술을 도입하고, 이를 바탕으로 수많은 노력 끝에 새로운 기술을 만들어 낸다. 이런 노력이 헛되지 않으려면 새로운 기술에 대한 중요한 내용이 외부로 유출되지 않도록 해야 한다.

(   )

KEY WORD

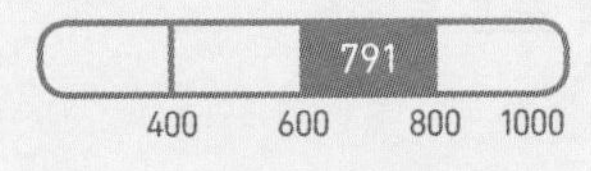

글자 수

791

400 600 800 1000

㉠ 폭발 실험

1 화산이란 지하 깊은 곳에서 생겨난 마그마가 벌어진 **지각**의 틈을 통하여 **지표** 밖으로 나오면서 용암이나 크고 작은 바위 **파편**들의 **분출**로 만들어진 산이다. 화산 활동을 직접 눈으로 보기는 어렵지만 간단한 준비물만 있다면 실험을 통해 ㉡화산 폭발의 **원리**를 이해할 수 있다.

2 가장 중요한 준비물은 탄산수소 나트륨과 **산성** 물질이다. 탄산수소 나트륨으로는 과자와 빵을 만들 때 주로 사용하는 베이킹 소다를 준비한다. 그리고 산성 물질은 세탁 세제로도 많이 쓰이는 구연산이나 식초를 준비한다. 이 두 물질이 서로 만나면 이산화 탄소가 발생한다. 이 외에도 물, 식용유, 비커 2개, **계량**스푼, 스포이트, 시험관대와 시험관, 유리 막대 2개, 빨간 물감도 준비한다.

3 준비물이 모두 갖추어지면 먼저 비커에 베이킹 소다 두 숟가락과 빨간 물감을 물에 넣고 유리 막대로 잘 저어 녹인다. 그다음 또 다른 비커에는 구연산 여섯 숟가락을 물에 넣고 역시 녹을 때까지 유리 막대로 저어 준다. 시험관대에 시험관을 꽂은 후 베이킹 소다를 탄 용액을 넣는다. 그리고 그 위에 식용유를 넣는다. 마지막으로 스포이트를 이용해 구연산을 녹인 용액을 떨어뜨린다.

4 베이킹 소다를 탄 용액에 구연산을 녹인 용액을 떨어뜨리면 이산화 탄소가 발생되어 빨간색 방울이 마그마처럼 부글부글 끓어오르다 다시 내려간다. 방울이 이산화 탄소를 품고 있을 때는 **밀도**가 작아서 식용유 위로 올라갔다가 이산화 탄소가 빠지면 다시 아래로 내려가는 것이다. 화산 폭발도 이와 같은 밀도의 차이 때문에 생긴다. 땅속의 마그마도 주변 물질보다 밀도가 작아서 지표 밖 위로 올라오는 것이다.

- **지각**(地 땅 지, 殼 껍질 각) 지구의 표면을 이루고 있는 단단한 물질.
- **지표**(地 땅 지, 表 겉 표) 지구의 표면. 또는 땅의 겉면.
- **파편**(破 깨뜨릴 파, 片 조각 편) 깨어지거나 부서진 조각.
- **분출**(噴 뿜을 분, 出 날 출) 솟구쳐서 뿜어져 나옴.
- **원리**(原 근원 원, 理 다스릴 리) 기본이 되는 이치나 법칙.
- **산성**(酸 초 산, 性 성품 성) 물질이 가지고 있는 산의 성질. 물에 녹으면 산맛을 냄.
- **계량**(計 꾀할 계, 量 헤아릴 량) 부피, 무게 등을 잼.
- **밀도**(密 빽빽할 밀, 度 법도 도) 일정한 장소나 공간 안에 들어 있는 어떤 사물의 빽빽한 정도.

지문 독해

제목

1 **이 글의 제목으로 어울리도록 ㉠에 들어갈 알맞은 말을 쓰세요.**

( )

내용 이해

2 **이 글을 통해 알 수 있는 내용을 모두 찾아 ○표를 하세요.**

(1) 화산의 의미 ( )
(2) 화산 폭발의 위험성 ( )
(3) 화산 폭발 실험의 방법 ( )
(4) 화산 폭발이 대기에 미치는 영향 ( )

내용 이해

3 **다음 중 화산 폭발 실험에 대한 설명으로 알맞지 않은 것은 무엇인가요? ( )**

① 중요한 준비물은 베이킹 소다와 구연산 또는 식초이다.
② 탄산수소 나트륨과 산성 물질이 만나면 이산화 탄소가 발생한다.
③ 섞은 용액을 부글부글 끓어오르게 해 주는 물질은 빨간 물감이다.
④ 빨간색 방울이 위로 끓어오르는 이유는 이산화 탄소를 품고 있기 때문이다.
⑤ 간단한 준비물만 있다면 실험을 통해 화산 폭발의 원리를 눈으로 확인할 수 있다.

적용하기

4 **이 글을 읽고 ㉡에 대해 가장 알맞게 말한 친구는 누구인가요? ( )**

① 지원: 뜨거워진 마그마가 지각을 벌어지게 해서 지표 밖으로 올라오는 것입니다.
② 아인: 땅속의 마그마가 이산화 탄소가 빠지면서 지표 밖으로 올라오는 것입니다.
③ 은지: 땅속의 마그마가 주변 물질보다 밀도가 커서 지표 밖으로 올라오는 것입니다.
④ 윤선: 땅속의 마그마가 지각의 압력을 견디지 못하고 지표 밖으로 올라오는 것입니다.
⑤ 가은: 땅속의 마그마가 주변 물질보다 밀도가 작아서 지표 밖으로 올라오는 것입니다.

지문 분석

정답과 해설 23쪽

1 문단 요약 다음 질문의 답을 찾을 수 있는 문단을 찾아 선으로 이으세요.

'화산'의 뜻은 무엇인가요?	• •	1 문단
화산 폭발의 원리는 무엇인가요?	• •	2 문단
화산 폭발 실험 방법은 무엇인가요?	• •	3 문단
화산 폭발 실험의 준비물은 무엇인가요?	• •	4 문단

2 글의 구조 다음 빈칸을 채워 화산 폭발 실험 방법을 순서대로 정리해 보세요.

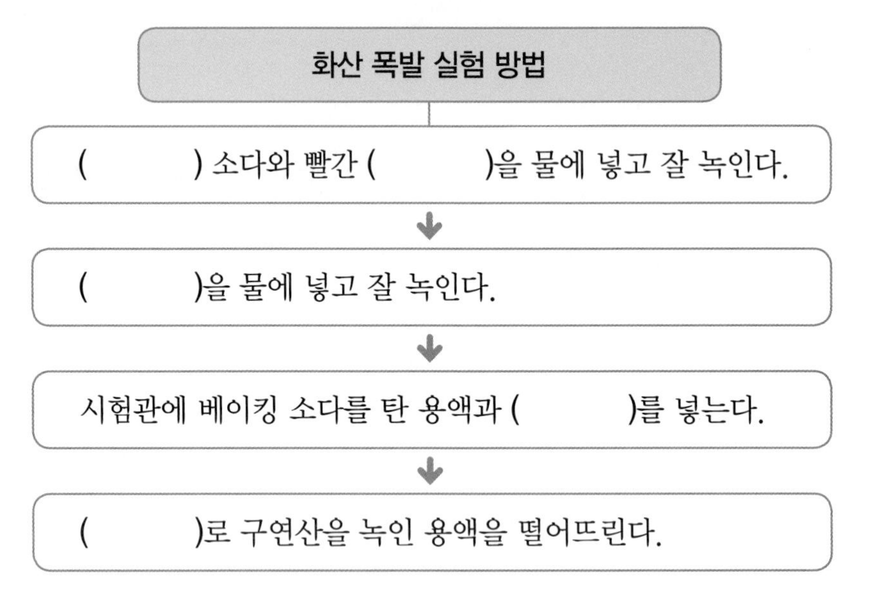

배경지식 화산의 구조

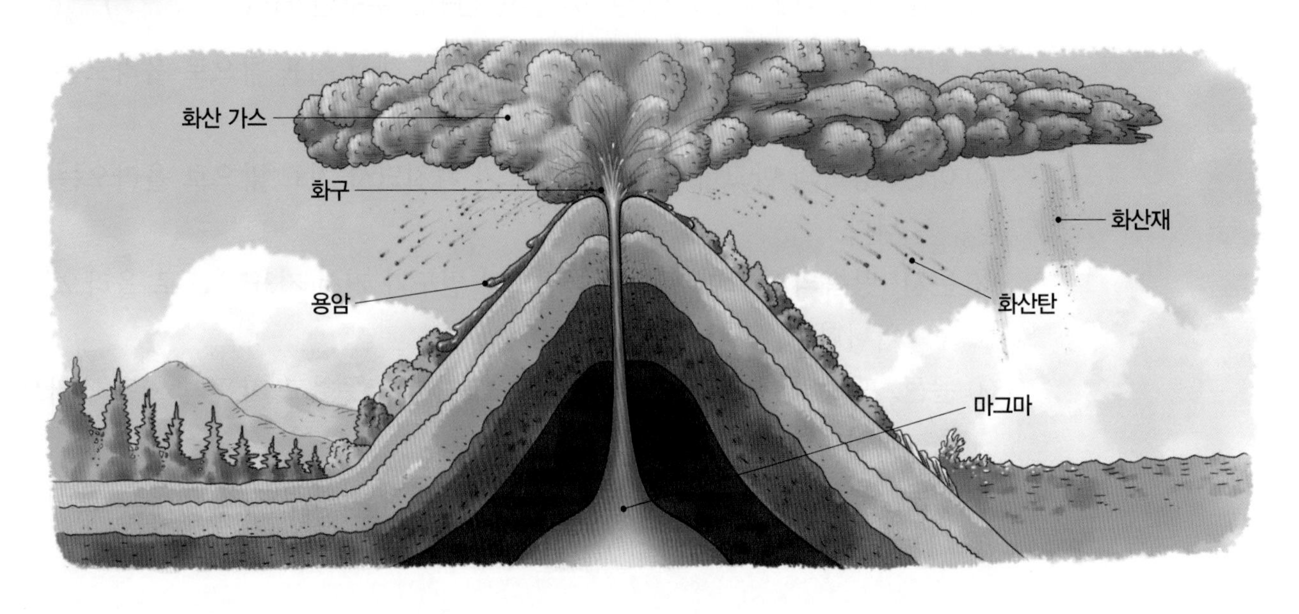

오늘의 어휘

정답과 해설 23쪽

다음 낱말의 알맞은 뜻을 찾아 선으로 이으세요.

지각 •	• 부피, 무게 등을 잼.
파편 •	• 솟구쳐서 뿜어져 나옴.
분출 •	• 깨어지거나 부서진 조각.
계량 •	• 지구의 표면을 이루고 있는 단단한 물질.
밀도 •	• 일정한 장소나 공간 안에 들어 있는 어떤 사물의 빽빽한 정도.

1 다음 문장의 빈칸에 들어갈 알맞은 말을 오늘의 어휘 에서 찾아 쓰세요.

- 농촌의 인구 [ ] 는 도시보다 낮다.
- 백두산에서 화산 가스가 [ ] 되었다.
- 빵을 만들 때는 정확한 [ ] 이 중요하다.
- 유리 [ ] 을 밟지 않도록 조심해서 걸었다.
- [ ] 은 지구의 바깥쪽을 차지하는 부분이다.

2 다음 글에서 밑줄 친 말과 뜻이 비슷한 말을 찾아 두 글자로 쓰세요.

지진이 발생하면 유리 파편이나 가구 등이 떨어지는 것을 피할 수 있는 안전한 곳으로 이동하는 것이 중요하다. 유리창이 깨진 조각이나 높은 선반에 있는 물건이 머리에 떨어지면 다칠 위험이 크기 때문이다.

( )

KEY WORD

나침반

글자 수

745

400 600 800 1000

자석을 이용한 (㉠)의 원리

1 각종 전자 제품, 핸드폰, 자동차, 신용 카드 등은 모두 자석을 이용해서 만들어진 물건이다. 자석이란 철을 끌어당기는 쇳덩이로, 우리 주변의 다양한 곳에 쓰이고 있다. 나침반 역시 이런 자석을 이용한 것이다. 나침반의 **원리**를 이해하려면 우선 ㉡자기력과 지구 자기장에 대해 알아야 한다.

2 모든 자석에는 **금속**을 끌어당기는 힘이 가장 센 두 개의 **극**이 있다. 이를 각각 N극과 S극이라고 하며, 같은 극끼리는 서로 밀어내고 다른 극끼리는 서로 끌어당기는 성질이 있다. 이렇게 자석이 서로 끌어당기거나 밀어내는 힘을 자기력이라고 하며, 자기력이 **미치는** 공간을 자기장이라고 한다. 자기장의 모습을 쉽게 눈으로 확인하려면 하얀색 종이 위에 자석을 놓고 철 가루를 뿌려 보면 된다. 그러면 철 가루가 일정한 모양으로 **배열**되는 것을 알 수 있다.

3 지구도 하나의 거대한 자석이라고 할 수 있다. 지구 내부가 자석의 성질을 띠는 물질로 구성되어 있기 때문이다. 지구의 북극은 S극을, 남극은 N극을 띠는데, 이렇게 지구의 주위에 자기력이 미치는 공간을 지구 자기장이라고 한다. 지구 자기장 때문에 나침반의 빨간색 바늘은 항상 북쪽을 가리킨다. 나침반에는 자석의 성질을 띤 금속 바늘이 있는데 바늘의 빨간색 쪽이 N극, 반대쪽이 S극이다. 따라서 N극인 빨간색 바늘이 지구의 S극인 북극을 가리키게 되는 것이다.

4 지구 자기장과 나침반 덕분에 우리는 산을 오르다 길을 잃었을 때나, 사막이나 바다처럼 방향을 **구별**하기 어려운 곳에서도 원하는 길을 찾을 수 있다.

- **원리**(原 근원 원, 理 다스릴 리) 기본이 되는 이치나 법칙.
- **금속**(金 쇠 금, 屬 무리 속) 쇠, 구리, 금, 은과 같은 쇠붙이.
- **극**(極 지극할 극) 자석에서 자기력이 가장 센 양쪽의 끝.
- **미치는** 영향이나 작용 등이 대상에 가해지는.
- **배열**(配 짝 배, 列 벌일 열) 일정한 차례나 간격에 따라 벌여 놓음.
- **구별**(區 구역 구, 別 다를 별) 성질이나 종류에 따라 차이가 남.

지문 독해

제목

1 이 글의 제목으로 어울리도록 ㉠에 들어갈 알맞은 말은 무엇인가요? (　　　)

① 핸드폰　② 자동차　③ 나침반
④ 전자 제품　⑤ 신용 카드

내용 이해

2 이 글을 통해 알 수 있는 내용을 모두 찾아 ○표를 하세요.

(1) 자석의 종류 (　　　)
(2) 자기장을 눈으로 확인할 수 있는 방법 (　　　)
(3) 나침반의 빨간색 바늘이 가리키는 방향 (　　　)
(4) 지구의 자기장을 발견할 수 있었던 계기 (　　　)

내용 이해

3 ㉡에 대한 설명으로 알맞은 것은 무엇인가요? (　　　)

① 모든 자석에는 자기력이 있다.
② 지구의 북극은 N극, 남극은 S극이다.
③ 자기장이 미치는 공간을 자기력이라고 한다.
④ 나침반의 빨간색 바늘은 항상 지구의 N극을 가리킨다.
⑤ 자석은 같은 극끼리는 끌어당기고 다른 극끼리는 밀어낸다.

추론하기

4 이 글을 읽고 답을 알 수 있는 질문이 아닌 것은 무엇인가요? (　　　)

① 자기력이란 무엇인가요?
② 나침반의 원리는 무엇인가요?
③ 나침반이 필요한 경우는 언제인가요?
④ 지구 자기장은 지구에 어떤 영향을 주나요?
⑤ 지구가 자기력을 지니는 이유는 무엇인가요?

지문 분석

정답과 해설 24쪽

1 문단 요약 다음은 각 문단의 중심 내용을 정리한 것입니다. 문단의 순서대로 기호를 쓰세요.

㉮	나침반의 활용
㉯	자석을 이용한 다양한 물건들
㉰	자기력과 자기장의 뜻과 특징
㉱	지구 자기장의 뜻과 나침반의 원리

(　　　) → (　　　) → (　　　) → (　　　)

2 글의 구조 다음 빈칸을 채워 이 글의 내용을 정리해 보세요.

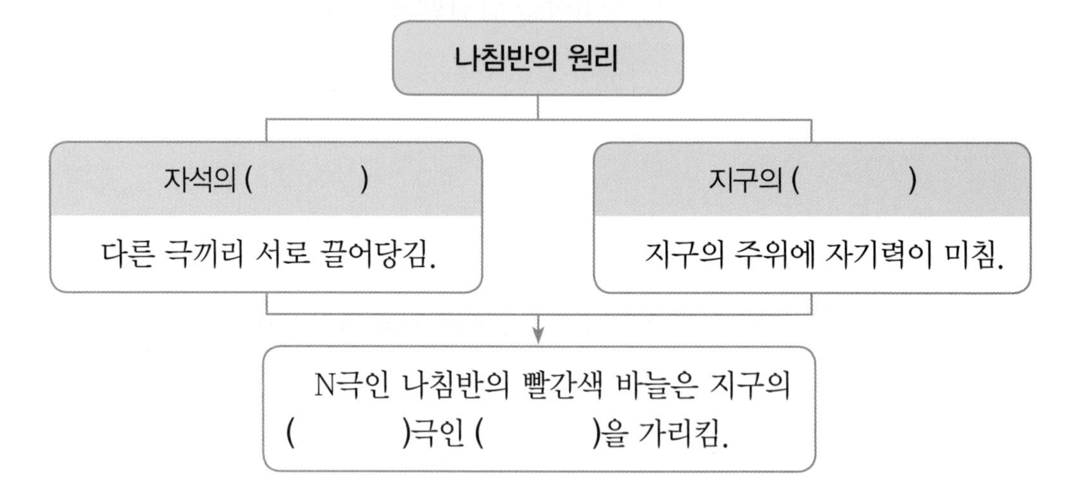

배경지식 자석의 신기한 특징

자석은 반으로 잘라도 새롭게 N극과 S극이 생긴다.	자석에 뜨거운 열을 가하면 자기력이 사라진다.	액체로 된 자석도 있다. 다른 자석을 대면 뾰족하게 변한다.

정답과 해설 24쪽

다음 낱말의 알맞은 뜻을 찾아 선으로 이으세요.

원리 •	• 기본이 되는 이치나 법칙.
금속 •	• 쇠, 구리, 금, 은과 같은 쇠붙이.
극 •	• 성질이나 종류에 따라 차이가 남.
미치는 •	• 영향이나 작용 등이 대상에 가해지는.
구별 •	• 자석에서 자기력이 가장 센 양쪽의 끝.

1 다음 문장의 빈칸에 들어갈 알맞은 말을 오늘의 어휘 에서 찾아 쓰세요.

- 금은 다른 [ ]에 비해 비싸다.
- 이 옷은 남녀 [ ] 없이 입을 수 있다.
- 날씨가 우리 생활에 [ ] 영향을 알아보았다.
- 막대자석에서 빨간색 부분을 N[ ]이라고 한다.
- 에디슨은 전기의 [ ]를 발견하여 여러 발명품을 만들었다.

2 다음 글에서 밑줄 친 말과 뜻이 비슷한 말을 찾아 두 글자로 쓰세요.

옛날 미국에서는 버스 안에서 백인은 앞자리에 앉고 흑인은 뒷자리에 앉아야 하는 법이 있었다. 백인과 흑인이 자리를 구별해서 앉도록 한 것은 곧 흑인에 대한 <u>차별</u>이었다. 이러한 차별을 반대하는 사람들은 적극적인 시민운동을 통해 법을 바꿀 수 있었다.

(   )

KEY WORD

글자 수

727

400 600 800 1000

소리의 발생과 전달 원리

1 옛날 사람들은 전쟁이 일어났을 때 북을 두드려서 큰 소리를 내어 알렸다. 그리고 매년 새해 첫날, 우리는 **보신각** 종소리와 함께 새날을 시작한다. 이러한 소리는 물체의 진동으로 전달되는 파동을 통해 귀에 들리는 것으로, 스스로 움직이거나 전달되지 못한다. 공기나 물, 흙, 실 등과 같이 소리를 전달할 수 있는 물질이 있어야 한다.

2 매질이란 소리를 전달하는 물질이다. 우리가 **일상적**으로 듣는 대부분의 소리들은 공기가 매질이 되어 전해 주는 것이다. 사람의 목소리 역시 **성대**에서 생긴 떨림이 공기를 진동시켜 우리 귀에 전달되는 것이다. 말을 할 때 목에 손을 대 보면 그 떨림을 느낄 수 있다. 이렇게 물체가 떨리는 **현상**을 진동이라고 한다. 진동은 다른 곳으로 퍼져 나가려는 **성질**을 갖고 있으며, 진동이 크면 소리도 커지고 진동이 작으면 소리도 작아진다.

3 발생된 소리가 다른 사람에게 전달될 수 있는 것은 파동 때문이다. 파동이란 물질의 한 부분에서 일어난 진동이 다른 곳으로 퍼져 나가는 현상을 말한다. 사람의 성대가 떨려서 공기를 진동시키고, 이 진동이 주위의 공기까지 진동시키며 퍼져 나가서 다른 사람의 귀에 소리가 전달되는 것이다. 이때 매질인 공기는 파동을 전달하면서 제자리에서 위아래로 **왕복** 운동을 한다.

4 우주에는 진동을 전달해 줄 물질인 공기가 없기 때문에 우주에서는 아무 소리도 나지 않는다. 우주와 달리 지구에는 공기가 있기 때문에 우리가 음악을 들으며 친구와 이야기를 나눌 수 있는 것이다.

- **보신각**(普 널리 보, 信 믿을 신, 閣 문설주 각) 서울 종로에 있는 종각.
- **일상적**(日 날 일, 常 항상 상, 的 과녁 적) 날마다 볼 수 있는 것.
- **성대**(聲 소리 성, 帶 띠 대) 사람과 짐승의 목구멍에 있는 것으로 내쉬는 숨의 힘으로 울려 소리를 내는 기관.
- **현상**(現 나타날 현, 象 형상 상) 인간이 알아서 깨달을 수 있는, 사물의 모양과 상태.
- **성질**(性 성품 성, 質 바탕 질) 사물이나 현상이 가지고 있는 고유의 특성.
- **왕복**(往 갈 왕, 復 돌아올 복) 갔다가 돌아옴.

정답과 해설 25쪽

핵심어

1 이 글에서 가장 중심이 되는 낱말을 찾아 두 글자로 쓰세요.

( )

내용 이해

2 이 글을 통해 알 수 있는 내용을 모두 찾아 ○표를 하세요.

(1) 매질의 뜻과 예 ( )
(2) 소리의 전달 원리 ( )
(3) 진동과 파동의 종류 ( )
(4) 우주에서 소리가 나지 않는 이유 ( )

추론하기

3 이 글을 읽고 짐작한 것으로 적절하지 않은 것은 무엇인가요? ( )

① 옛날 사람들은 북을 울려 중요한 사항을 알렸구나.
② 물속에서는 공기가 없어서 소리가 전달될 수 없겠어.
③ 종소리도 공기를 진동시켜서 사람들의 귀에 전달되겠구나.
④ 북이나 종 소리가 크게 들리는 것은 진동이 크기 때문일 거야.
⑤ 우주에서는 북을 아무리 세게 두드려도 소리를 들을 수 없겠군.

적용하기

4 이 글과 보기 를 읽고 알 수 있는, 소리와 빛의 비슷한 점은 무엇인가요? ( )

보기

빛도 파동의 하나이다. 하지만 빛은 매질 없이도 스스로 나아갈 수 있기 때문에 아주 먼 거리를 지나 지구로 전달될 수 있는 것이다.

① 소리와 빛은 모두 공기를 통해 전달된다.
② 소리와 빛은 모두 파동을 통해 전달된다.
③ 소리와 빛은 모두 매질을 통해 전달된다.
④ 소리와 빛은 모두 스스로 나아갈 수 있다.
⑤ 소리와 빛은 모두 우주에서도 전달될 수 있다.

지문 분석

정답과 해설 25쪽

1 문단 요약 각 문단의 중심 내용을 알맞게 선으로 이으세요.

1문단 •		• 소리의 뜻과 매질의 필요성
2문단 •		• 파동의 뜻과 소리의 전달 원리
3문단 •		• 매질의 뜻과 소리의 발생 원리
4문단 •		• 공기가 있어 소리를 전달할 수 있는 지구

2 글의 구조 다음 빈칸을 채워 이 글의 내용을 정리해 보세요.

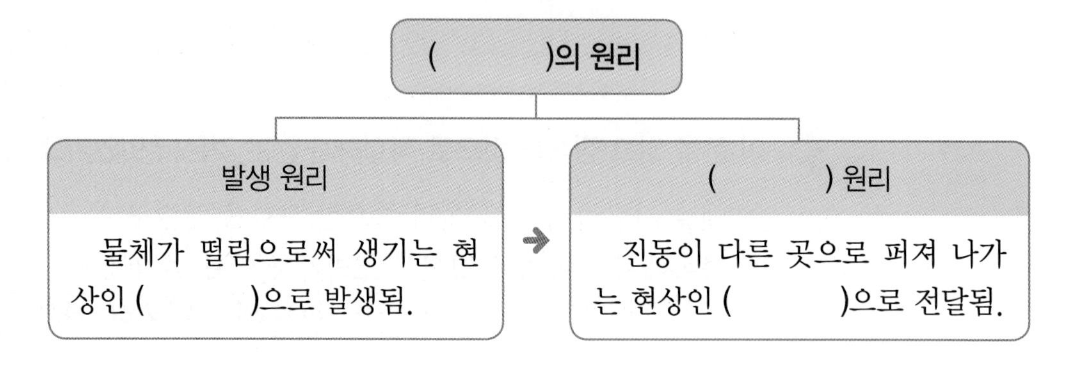

배경지식 낮말은 새가 듣고 밤말은 쥐가 듣는다?

낮에는 땅과 가까운 곳의 온도가 높아서 소리가 땅에서 위로 퍼져 나간다.

밤에는 땅과 가까운 곳의 온도가 낮아서 소리가 위에서 땅 쪽으로 퍼져 나간다.

오늘의 어휘

다음 낱말의 알맞은 뜻을 찾아 선으로 이으세요.

낱말	뜻
일상적 •	• 갔다가 돌아옴.
성대 •	• 날마다 볼 수 있는 것.
현상 •	• 사물이나 현상이 가지고 있는 고유의 특성.
성질 •	• 인간이 알아서 깨달을 수 있는, 사물의 모양과 상태.
왕복 •	• 사람과 짐승의 목구멍에 있는 것으로 내쉬는 숨의 힘으로 울려 소리를 내는 기관.

1 다음 문장의 빈칸에 들어갈 알맞은 말을 오늘의 어휘에서 찾아 쓰세요.

- 사람은 [　　　] 를 울려서 말을 한다.
- 올해 여름은 열대야 [　　　] 이 심하다.
- 이 표현은 [　　　] 으로 많이 사용된다.
- 자석은 쇠를 끌어당기는 [　　　] 을 갖고 있다.
- 서울에서 부산까지 [　　　] 으로 기차표를 예매했다.

2 다음 글에서 밑줄 친 말과 뜻이 반대되는 말을 찾아 두 글자로 쓰세요.

여행을 하기 위해 비행기를 탈 때, 갈 때와 올 때의 요금이 다를 수 있다. 항공사는 편도 항공권 가격을 사람들이 많이 이용하는 시간이나 요일 등을 고려하여 정하기 때문이다. 남들보다 일찍 서둘러서 왕복으로 항공권을 예매한다면 조금 더 싸게 구입할 수 있다.

(　　　　　　)

음식물이 소화되는 과정

KEY WORD

소화 과정

글자 수

745 (400 / 600 / 800 / 1000)

1 우리는 하루 세 번의 식사뿐만 아니라 간식을 포함해서 매우 많은 양의 음식물을 먹고 산다. 이렇게 입으로 들어간 다양한 음식물은 어떤 **소화** 과정을 거치는 것일까?

2 첫 번째 소화 **기관**은 입이다. 입에 들어온 음식물은 단단한 이에 의해 잘게 부서지면서 침과 뒤섞인다. 침 속에는 소화를 돕는 아밀레이스가 들어 있다. 아밀레이스는 탄수화물을 단맛이 나는 작은 알갱이인 **포도당**으로 **분해**하기 때문에 우리가 밥을 오래 씹으면 단맛을 느낄 수 있다.

3 두 번째는 위와 샘창자이다. 부서진 음식물이 식도를 타고 위로 내려오면 음식물을 녹이는 강한 **산성** 물질인 위액이 나온다. 위액은 음식물을 뒤섞고 분해하여 죽과 같은 상태로 만든다. 죽이 된 음식물은 샘창자라는 **통로**를 이용해서 작은창자로 가게 된다. 샘창자에서는 쓸개에서 저장하는 쓸개즙과 이자에서 만들어진 이자액이라는 물질에 의해 지방, 단백질, 탄수화물 등이 우리 몸에 **흡수**되기 좋은 형태로 바뀐다.

4 세 번째는 작은창자와 큰창자이다. 샘창자를 거쳐 작은창자에 음식물이 도착하면 이곳에서 대부분의 영양소가 흡수된다. 작은창자에서 나오는 소화 물질은 장액이다. 장액은 단백질과 탄수화물을 완전히 소화시킨다. 작은창자에서 소화되고 남은 찌꺼기는 큰창자로 보내진다. 큰창자에서는 소화 물질이 나오지 않아서 소화 작용은 일어나지 않으며, 수분이 흡수되고 찌꺼기들은 덩어리로 굳어져 변이 된다.

5 입에서부터 큰창자까지 모든 소화 기관들은 서로 이어져 있다. 하지만 각 기관들이 하는 기능과 역할은 저마다 다르다.

- **소화**(消 꺼질 소, 化 될 화) 먹은 음식물을 분해하여 영양분을 흡수하기 쉬운 형태로 변화시키는 일.
- **기관**(器 그릇 기, 官 벼슬 관) 일정한 모양과 기능을 가지고 있는 생물체의 부분.
- **포도당**(葡 포도 포, 萄 포도 도, 糖 사탕 당) 단맛이 있는 식품에 들어 있는 성분.
- **분해**(分 나눌 분, 解 풀 해) 여러 부분이 결합되어 이루어진 것을 그 낱낱으로 나눔.
- **산성**(酸 초 산, 性 성품 성) 물질이 가지고 있는 산의 성질. 물에 녹으면 신맛을 냄.
- **통로**(通 통할 통, 路 길 로) 통하여 다니는 길.
- **흡수**(吸 숨 들이쉴 흡, 收 거둘 수) 빨아서 거두어들임.

설명 대상

1 **이 글은 무엇에 대해 설명하고 있는지 1 문단에서 찾아 네 글자로 쓰세요.**

( )

내용 이해

2 **이 글의 내용과 일치하지 않는 것은 무엇인가요? ( )**

① 모든 소화 기관들은 서로 이어져 있다.
② 위액은 음식물을 녹이는 강한 산성 물질이다.
③ 식도와 샘창자는 음식물이 이동하는 통로이다.
④ 밥을 오래 씹으면 포도당으로 인해 단맛이 느껴진다.
⑤ 작은창자에서는 소화 물질이 나오지 않고 수분만 흡수된다.

내용 이해

3 **다음 중 소화 물질에 대한 설명으로 알맞은 것에 모두 ○표를 하세요.**

(1) 장액: 큰창자에서 나온다. ( )
(2) 아밀레이스: 입에서 나온다. ( )
(3) 쓸개즙: 쓸개에서 저장한다. ( )
(4) 이자액: 샘창자에서 만들어진다. ( )

적용하기

4 **다음 중 보기 의 정현이의 소화 과정에 대한 설명으로 알맞은 것은 무엇인가요?**

( )

보기

정현이는 지금 쌀국수를 먹고 있다.

① 쌀국수의 수분은 샘창자에서 전부 흡수될 것이다.
② 쌀국수의 영양소는 대부분 큰창자에서 흡수될 것이다.
③ 쌀국수는 위에서 분해되어 죽과 같은 상태가 될 것이다.
④ 쌀국수는 탄수화물이라서 입에서는 분해되지 못할 것이다.
⑤ 쌀국수가 소화되고 남은 찌꺼기는 작은창자로 보내질 것이다.

지문 분석

정답과 해설 26쪽

1 정보 확인 다음 빈칸에 소화 기관을 알맞게 채워, 소화 과정을 순서대로 정리해 보세요.

( ) → 식도 → ( )
↓
( ) ← ( ) ← ( )

2 문단 요약 각 문단의 중심 내용을 알맞게 선으로 이으세요.

1 문단 •	• 소화 기관 중 입의 역할
2 문단 •	• 우리가 섭취하는 다양한 음식물
3 문단 •	• 소화 기관 중 위와 샘창자의 역할
4 문단 •	• 소화 기관들의 서로 다른 기능과 역할
5 문단 •	• 소화 기관 중 작은창자와 큰창자의 역할

배경지식 우리 몸에 꼭 필요한 영양소

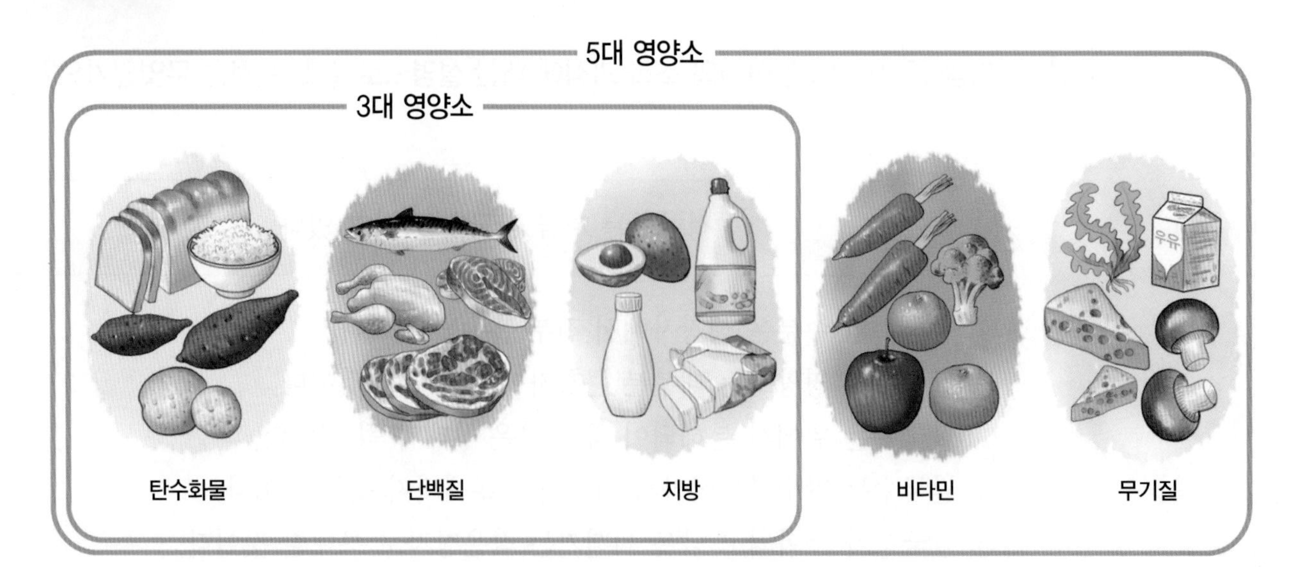

오늘의 어휘

정답과 해설 26쪽

다음 낱말의 알맞은 뜻을 찾아 선으로 이으세요.

소화 •	• 통하여 다니는 길.
분해 •	• 빨아서 거두어들임.
산성 •	• 여러 부분이 결합되어 이루어진 것을 그 낱낱으로 나눔.
통로 •	• 물질이 가지고 있는 산의 성질. 물에 녹으면 신맛을 냄.
흡수 •	• 먹은 음식물을 분해하여 영양분을 흡수하기 쉬운 형태로 변화시키는 일.

1 다음 문장의 빈칸에 들어갈 알맞은 말을 오늘의 어휘 에서 찾아 쓰세요.

- ( )가 좁아서 책상을 옮길 수가 없다.
- 밥을 급하게 먹었더니 ( )가 잘 안 된다.
- 이 가구는 필요에 따라 조립과 ( )가 가능하다.
- 우리 몸이 영양소를 잘 ( )해야 건강을 유지할 수 있다.
- ( ) 용액을 푸른색 리트머스 종이에 떨어뜨리면 붉은색으로 변한다.

2 다음 글에서 밑줄 친 말과 뜻이 반대되는 말을 찾아 두 글자로 쓰세요.

음식물을 먹고 영양소를 흡수하는 것과 찌꺼기를 소변과 대변으로 배출하는 것은 무척 중요하다. 이와 관련된 역할을 맡고 있는 곳이 우리 몸 안의 소화 기관이다. 따라서 질병을 이겨 내고 건강을 유지하기 위해서는 우선적으로 소화 기관이 튼튼해야 한다.

( )

KEY WORD

석빙고

글자 수

710

400 600 800 1000

석빙고에 담긴 과학적 원리

1 석빙고는 우리 조상이 얼음을 **저장**하기 위해 만든 창고이다. 석빙고는 신라 시대부터 만들어졌으나, 지금까지 남아 있는 경주 석빙고와 안동 석빙고 등은 모두 조선 시대에 만들어진 것이다. 어떻게 옛날 사람들은 전기나 냉장고도 없이 얼음을 보관할 수 있었을까?

2 석빙고는 한여름에도 시원한 동굴처럼 얼음을 보관하기 위해 땅을 깊게 판 다음 두꺼운 지붕과 벽을 세웠다. 그리고 바깥의 열을 **차단**하기 위해 겉에 흙을 덮고 잔디나 풀을 심어서 햇빛이 안으로 들어가지 못하게 했다. 그 아래부터 벽면 사이에는 석회와 진흙을 덮어 뜨거운 공기가 들어오는 것을 막고 빗물과 습기가 스며들지 않도록 **방수층**을 만들었다.

3 석빙고의 천장은 **아치** 형태로 돌을 쌓았는데 중간중간에 바람이 통할 수 있도록 구멍을 냈다. 이 구멍으로 안쪽의 더운 공기가 밖으로 빠져나갈 수 있도록 했다. 찬 공기는 무거워서 밑으로 가라앉고 더운 공기는 가벼워서 위로 올라가는 ㉠공기의 **대류** 현상을 이용한 것이다.

4 물과 습기를 막기 위해 석빙고의 바닥은 안으로 들어갈수록 비스듬하게 하여, 얼음이 녹은 물이 석빙고 밖으로 흘러내려 가도록 **배수로**를 만들었다. 그리고 얼음과 벽 사이, 천장의 틈, 얼음과 얼음 사이에는 볏짚이나 갈대를 채워 열기를 차단하고 얼음의 온도를 유지했다.

5 이렇게 석빙고는 공기의 대류 현상과 같은 과학적 원리가 **적용**된 얼음 창고로, 여름의 더위를 이기는 우리 조상의 시혜를 엿볼 수 있는 유적이다.

- **저장(貯 쌓을 저, 藏 감출 장)** 물건을 모아서 보관함.
- **차단(遮 막을 차, 斷 끊을 단)** 막거나 끊어서 통하지 못하게 함.
- **방수층(防 막을 방, 水 물 수, 層 층 층)** 물이 스며드는 것을 막기 위한 층.
- **아치(arch)** 활이나 무지개같이 한가운데는 높고 길게 굽은 모양의 곡선형 구조물.
- **대류(對 대답할 대, 流 흐를 류)** 더운 기체나 액체가 위로 올라가면서 찬 기체나 액체가 아래로 내려오기를 되풀이하는 현상.
- **배수로(排 물리칠 배, 水 물 수, 路 길 로)** 물이 빠져나갈 수 있도록 만든 길.
- **적용(適 갈 적, 用 쓸 용)** 알맞게 이용하거나 맞추어 씀.

정답과 해설 27쪽

핵심어

1 **이 글에서 가장 중심이 되는 낱말을 찾아 쓰세요.**

( )

내용 이해

2 **이 글의 내용과 일치하는 것은 무엇인가요? ( )**

① 석빙고에는 겨울의 추위를 이기는 조상의 지혜가 담겨 있다.
② 지금 남아 있는 석빙고는 모두 삼국 시대에 만들어진 것이다.
③ 옛날 사람들은 전기나 냉장고 없이도 여름에 얼음을 만들었다.
④ 석빙고는 얼음을 보관하기 위해 동굴처럼 땅을 깊게 파서 만들었다.
⑤ 석빙고는 바깥과 공기가 통하지 않도록 하여 낮은 온도를 유지할 수 있었다.

내용 이해

3 **다음 중 석빙고의 구조에 대한 설명으로 알맞지 않은 것은 무엇인가요? ( )**

① 석빙고의 천장은 아치 형태이다.
② 얼음과 벽 사이는 볏짚으로 채워 열기를 차단했다.
③ 천장에는 더운 공기가 밖으로 나갈 수 있는 구멍이 있다.
④ 얼음이 녹은 물은 배수로를 통해 흘러내려 갈 수 있도록 했다.
⑤ 석빙고의 바닥은 평평하게 만들어 얼음이 미끄러지지 않도록 했다.

적용하기

4 **㉠을 실생활에 가장 잘 적용한 친구는 누구인가요? ( )**

① 찬물에 발을 담그고 시원한 아이스크림을 먹는 현주
② 거실 창문에 식물을 많이 두어 집 안의 온도를 낮춘 지영
③ 시원하게 잠들기 위해 대나무 돗자리 위에서 잠을 자는 은재
④ 더운 방 안의 열기를 내보내기 위해 위쪽 창문을 열어 놓은 현서
⑤ 선풍기 두 대를 서로 다른 방향으로 틀어 놓아 열기를 식힌 정훈

지문 분석

정답과 해설 27쪽

1 문단 요약 각 문단의 중심 내용을 알맞게 선으로 이으세요.

1문단 •	• 석빙고의 천장
2문단 •	• 석빙고의 바닥
3문단 •	• 석빙고의 역할
4문단 •	• 석빙고의 지붕과 벽
5문단 •	• 석빙고의 역사적 의의

2 중심 내용 다음 빈칸을 채워 이 글의 중심 내용을 완성하세요.

석빙고는 우리 조상이 (   )을 저장하기 위해 만든 (   )로, 공기의 (   ) 현상과 같은 과학적 원리가 적용되었다. 석빙고에는 여름의 더위를 이기는 우리 조상의 (   )가 담겨 있다.

배경지식 석빙고의 구조

정답과 해설 27쪽

다음 낱말의 알맞은 뜻을 찾아 선으로 이으세요.

차단 •	• 알맞게 이용하거나 맞추어 씀.
방수층 •	• 막거나 끊어서 통하지 못하게 함.
대류 •	• 물이 빠져나갈 수 있도록 만든 길.
배수로 •	• 물이 스며드는 것을 막기 위한 층.
적용 •	• 더운 기체나 액체가 위로 올라가면서 찬 기체나 액체가 아래로 내려오기를 되풀이하는 현상.

1 다음 문장의 빈칸에 들어갈 알맞은 말을 오늘의 어휘 에서 찾아 쓰세요.

- 어제 배운 내용을 이 문제에 [   ]해 보았다.
- 소음을 [   ]하기 위해 문과 창문을 꽉 닫았다.
- 지하에 물이 찬 이유는 [   ]가 막혔기 때문이다.
- 물을 가열하면 [   ] 현상에 의해 물이 끓어오른다.
- 집을 지을 때 [   ] 공사를 잘해야 비가 새지 않는다.

2 다음 글에서 밑줄 친 말과 뜻이 비슷한 말을 찾아 두 글자로 쓰세요.

흥선 대원군은 다른 나라와 관계를 맺지 않고 나라의 문을 폐쇄하여 서양의 문화가 들어오는 것을 차단하는 정책을 폈다. 그러나 이러한 정책은 외국의 선진 과학 기술을 받아들여 근대화에 대처해야 했던 시대적인 흐름을 읽지 못한 것으로 평가할 수 있다.

(   )

KEY WORD

자전거

글자 수

843

400 600 800 1000

자전거의 과학적 원리

1 자전거는 **남녀노소** 누구나 쉽게 배워서 탈 수 있다. 그리고 자동차와는 달리 환경과 건강 모두를 지킬 수 있는 교통수단이다. 자전거는 어떻게 두 개의 바퀴로 쓰러지지 않고 탈 수 있는 것일까?

2 자전거에 적용된 과학적 원리 중 가장 대표적인 것은 ㉠관성의 법칙이다. 관성의 법칙이란 어떤 물체에 다른 힘이 **작용**하지 않으면 계속 멈춰 있으려 하거나 계속 움직이려 한다는 것이다. 자전거의 바퀴도 페달을 밟아 회전을 시작하면 이 관성의 도움 때문에 계속 **일정한** 방향으로 회전하게 된다. 그래서 어느 정도 바퀴가 회전한 이후부터는 자전거가 쉽게 넘어지지 않게 된다. 이런 관성의 힘은 자전거의 바퀴가 클수록, 속도가 빠를수록 크다.

3 다음은 ㉡원심력이다. 원심력이란 원 모양의 회전 운동을 하는 물체가 원의 바깥으로 나아가려 하는 힘이다. 좌회전이나 우회전을 하는 차 안에서 우리 몸이 회전의 바깥 방향으로 쏠리는 것도 원심력 때문이다. 자전거도 넘어지려고 할 때 오히려 핸들을 넘어지려는 쪽으로 돌리면 자전거가 그 방향으로 회전하게 되고, 따라서 기울어지는 반대 방향으로 원심력을 받기 때문에 자전거가 쓰러지지 않을 수 있는 것이다.

4 자전거의 **브레이크**에는 지렛대의 원리가 적용된다. 지렛대는 시소처럼 막대의 한 점을 받친 상태에서 한쪽에 무거운 물체를 올려놓고 다른 한쪽에 힘을 가해서 작은 힘으로도 더 무거운 물체를 들어 올릴 수 있는 도구이다. 브레이크도 잡아당기는 **손아귀**의 힘은 작지만 지렛대의 원리를 이용해서 바퀴를 멈추는 강한 힘이 만들어진다.

5 자전거는 자동차가 없던 시대뿐 아니라 여러 교통수단이 발달한 현대에도 널리 이용되고 있다. 친환경적이라는 장점을 지닌 자전거는 미래 이동 수단의 **대안**이 될 수 있을 것이다.

- **남녀노소**(男 사내 남, 女 계집 녀, 老 늙을 노, 少 적을 소) 남자와 여자, 늙은이와 젊은이란 뜻으로, 모든 사람을 이르는 말.
- **작용**(作 지을 작, 用 쓸 용) 어떠한 현상을 일으키거나 영향을 미침.
- **일정**(一 하나 일, 定 정할 정)**한** 달라지지 않고 한결같은.
- **브레이크**(brake) 차나 자전거 등의 바퀴의 움직임을 멈추거나 늦추게 하기 위한 장치.
- **손아귀** 엄지손가락과 다른 네 손가락과의 사이.
- **대안**(對 대답할 대, 案 책상 안) 어떤 일에 알맞은 조치를 취할 방안.

지문 독해

핵심어

1 이 글에서 가장 중심이 되는 낱말을 찾아 쓰세요.

( )

내용 이해

2 이 글의 내용과 일치하는 것을 모두 찾아 ○표를 하세요.

(1) 관성의 힘은 자전거의 바퀴가 작을수록 크다. ( )
(2) 자전거는 요즘에도 널리 이용되는 교통수단이다. ( )
(3) 자전거가 넘어지지 않고 달릴 수 있는 이유는 지렛대의 원리 때문이다. ( )
(4) 원 모양으로 회전 운동을 하는 물체는 원 밖으로 나아가려 하는 힘을 받는다. ( )

적용하기

3 ㉠과 ㉡에 해당하지 않는 것은 무엇인가요? ( )

① ㉠: 달려가면서 공을 떨어뜨리면 공이 앞쪽에 떨어지는 현상
② ㉠: 버스가 갑자기 앞으로 출발할 때 몸이 뒤로 넘어가는 현상
③ ㉠: 자동차가 달리다가 브레이크를 밟으면 몸이 앞으로 쏠리는 현상
④ ㉡: 빨리 달리다가 결승선을 지나도 몸이 바로 멈춰지지 않는 현상
⑤ ㉡: 세탁기 안에 있는 젖은 빨래가 빨리 돌아가면서 물이 빠지는 현상

적용하기

4 이 글을 읽고 동생에게 자전거를 타는 방법을 가르쳐 주려고 합니다. 자전거의 원리를 가장 잘 이해한 친구는 누구인가요? ( )

① 도우: 넘어질 것 같으면 무조건 내려. 그래야 안전해.
② 지유: 자전거가 기울어지면 브레이크를 세게 당겨서 멈춰야 해.
③ 수연: 넘어지려고 할 때 넘어지려는 쪽으로 핸들을 돌리고 균형을 잡아 봐.
④ 찬서: 자전거는 관성의 법칙 때문에 네가 어떤 속도로 페달을 밟아도 쓰러지지 않아.
⑤ 준하: 몸이 한쪽으로 쏠리면 원심력을 이용해서 몸이 쏠리는 반대 방향으로 핸들을 돌리면 돼.

지문 분석

정답과 해설 28쪽

1 문단 요약

각 문단의 중심 내용으로 알맞은 것에 ○표, 틀린 것에 ×표를 하세요.

1 문단	자전거를 타는 방법을 배우기는 쉽지 않다.	( )
2 문단	자전거에는 관성의 법칙이 적용된다.	( )
3 문단	자전거에는 원심력이 작용한다.	( )
4 문단	자전거에는 지렛대의 원리가 적용된다.	( )
5 문단	자전거는 과거에 중요한 교통수단이었다.	( )

2 글의 구조

다음 빈칸을 채워 이 글의 내용을 정리해 보세요.

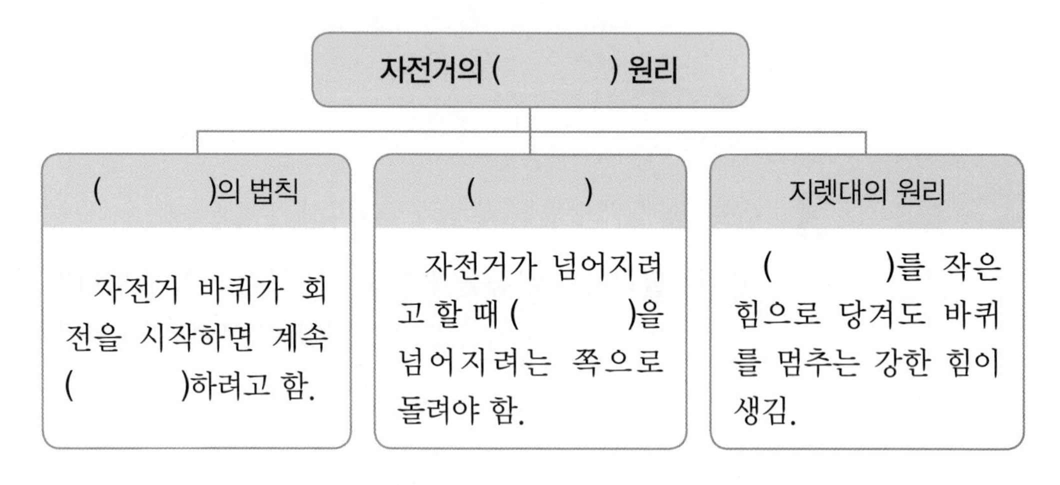

배경지식 자전거의 구조와 보호 장비

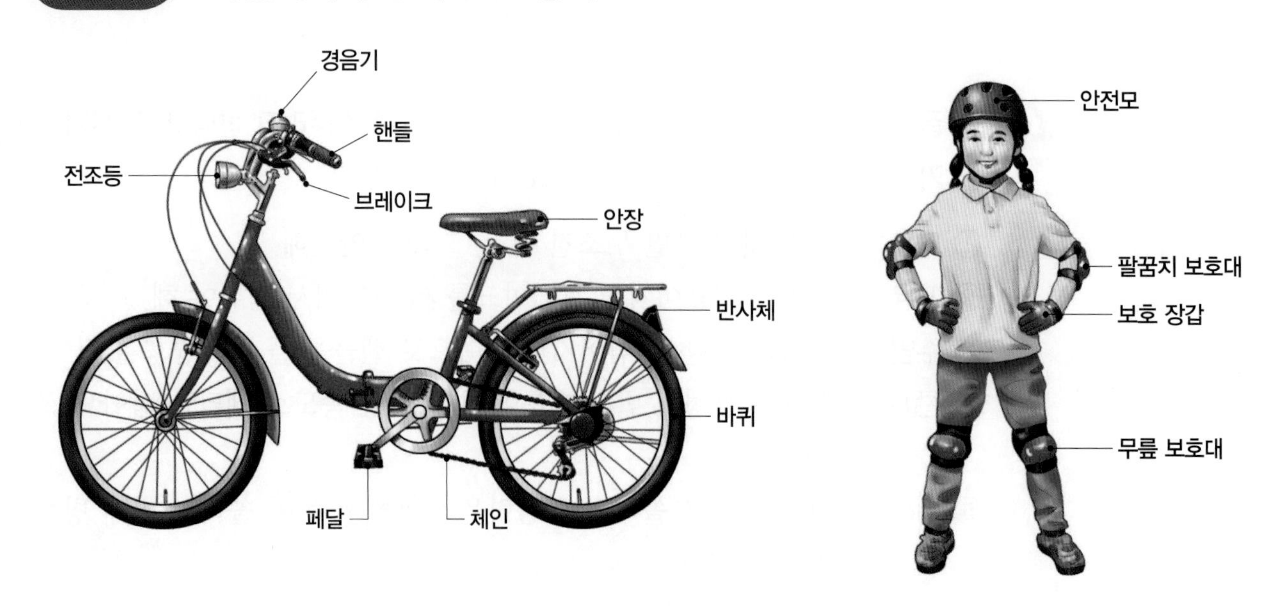

다음 낱말의 알맞은 뜻을 찾아 선으로 이으세요.

남녀노소 •	• 달라지지 않고 한결같은.
작용 •	• 어떤 일에 알맞은 조치를 취할 방안.
일정한 •	• 어떠한 현상을 일으키거나 영향을 미침.
손아귀 •	• 엄지손가락과 다른 네 손가락과의 사이.
대안 •	• 남자와 여자, 늙은이와 젊은이란 뜻으로, 모든 사람을 이르는 말.

1 다음 문장의 빈칸에 들어갈 알맞은 말을 오늘의 어휘 에서 찾아 쓰세요.

- 집 안의 온도가 [　　　　] 것이 좋다.
- 나보다 [　　　　] 힘이 센 사람은 없다.
- 그 가수는 [　　　　] 모두에게 사랑받는다.
- 이 문제를 해결할 [　　　　]이 잘 떠오르지 않는다.
- 회전하는 물체에 힘이 [　　　　]하면 속도에 변화가 생긴다.

2 다음 글에서 밑줄 친 말과 뜻이 비슷한 말을 찾아 네 글자로 쓰세요.

국수는 특유의 모양과 부드러운 식감 때문에 <u>만인</u>에게 사랑받는 음식 중 하나이다. 예로부터 국수는 음식 중에서 길이가 가장 긴 까닭에 '장수'의 의미를 지니게 되었고, 좋은 날을 기념할 때에 만들어 먹고는 하였다. 오늘날에도 남녀노소 할 것 없이 국수 요리를 즐겨 먹는다.

(　　　　　　　　)

예술

인물

환경

KEY WORD

애니메이션

글자 수

769

400 600 800 1000

(㉠)의 종류

1 애니메이션은 움직이지 않는 물체를 움직이는 것처럼 보이게 만드는 **기법**을 말하거나 그런 기법으로 만든 영화를 말한다. 애니메이션은 물체가 조금씩 변화가 있도록 각각 그려서 책장을 넘기듯 빠른 속도로 넘기면 마치 물체가 움직이는 것처럼 보이는 원리를 이용한다. 이런 기본 원리에 다양한 기술이 더해진 점토 애니메이션, 실사 애니메이션, 3D 애니메이션 등이 **주목**받고 있다.

2 ㉡점토 애니메이션은 뼈대에 점토를 붙여서 인형을 만들고, 미리 제작된 배경이나 세트에서 인형의 움직임을 장면별로 촬영해서 제작하는 방식이다. 점토라는 재료는 이전까지 애니메이션이 담지 못했던 **입체감**을 표현할 수 있게 해 주었다. 애니메이션에 이용되는 점토는 일반 점토와 달리 끈끈한 성질이 강하고 색깔의 **혼합**이 쉬우며 잘 마르지 않아서 여러 자세의 움직임을 만들기에 좋다.

3 실사 애니메이션은 실제 사람이 나오는 영화와 애니메이션을 결합한 방식이다. 즉 실제 배우가 연기한 화면에 만화 캐릭터를 그린 투명판을 **투영**시키는 방식으로, 요즘에는 컴퓨터를 이용해서 **합성**하는 방법을 주로 쓴다.

4 3D 애니메이션은 컴퓨터의 계산으로 움직이는 것을 녹화하여 편집하는 방식이다. 똑같은 배경이나 물체를 장면마다 새로 그려야 하는 일반적인 애니메이션과는 달리, 3D 애니메이션은 컴퓨터를 이용해서 **삼차원**으로 작업하기 때문에 같은 요소를 여러 번 복사해서 사용할 수 있다는 장점이 있다.

5 과학 기술이 발달함에 따라 애니메이션에도 새로운 제작 방법이 많이 도입되고 있으며, 실제 영화와 비슷한 수준의 입체 애니메이션도 제작되고 있다.

- **기법**(技 재주 기, 法 법도 법) 기술이나 솜씨를 나타내는 방법.
- **주목**(注 물댈 주, 目 눈 목) 관심을 가지고 주의 깊게 살핌.
- **입체감**(立 설 입, 體 몸 체, 感 느낄 감) 삼차원의 공간적 부피를 가진 물체를 보는 것과 같은 느낌.
- **혼합**(混 섞을 혼, 合 합할 합) 뒤섞어서 한데 합함.
- **투영**(投 던질 투, 映 비출 영) 상이 비치게 슬라이드 등에 빛을 비춤.
- **합성**(合 합할 합, 成 이룰 성) 둘 이상의 것을 합쳐서 하나를 이룸.
- **삼차원**(三 석 삼, 次 버금 차, 元 으뜸 원) 가로, 세로, 높이의 세 차원.

지문 독해

제목

1 이 글의 제목으로 어울리도록 ㉠에 들어갈 알맞은 낱말을 쓰세요.

( )

내용 이해

2 애니메이션의 종류와 그 설명을 알맞게 선으로 이으세요.

(1) 점토 애니메이션 •		• ㉮ 컴퓨터를 이용해서 삼차원으로 작업하는 방식
(2) 실사 애니메이션 •		• ㉯ 실제 사람이 나오는 영화와 애니메이션을 결합한 방식
(3) 3D 애니메이션 •		• ㉰ 점토로 만든 인형의 움직임을 장면별로 촬영해서 제작하는 방식

추론하기

3 ㉡의 한계에 대해 짐작한 것으로 알맞은 것은 무엇인가요? ( )

① 점토가 잘 말라서 인형이 쉽게 굳는다.
② 인형의 모습을 입체감 있게 표현하기 어렵다.
③ 배경과 인형의 모습을 동시에 촬영할 수 없다.
④ 인형을 한번 사용하면 다른 움직임은 표현할 수 없다.
⑤ 인형의 움직임을 바꿔 가면서 장면별로 찍으니 시간이 오래 걸린다.

적용하기

4 이 글을 읽고 보기 의 영화에 대해 가장 알맞게 말한 친구는 누구인가요? ( )

> **보기**
> 최근에 영화 『톰과 제리』가 인기를 끌었다. 이 영화는 실제 배우들이 연기를 하는 화면에 '톰'과 '제리'라는 만화 캐릭터가 합성되어 있었다.

① 서진: 실제 배우들이 직접 연기를 하니까 애니메이션은 아니네.
② 주영: 입체감이 잘 표현되었으니 점토 애니메이션이라고 할 수 있어.
③ 태훈: 미리 찍은 배경 사진에 만화 캐릭터만 투영한 점토 애니메이션이야.
④ 재인: 실제 배우와 만화 캐릭터를 한 화면에 합성시킨 실사 애니메이션이군.
⑤ 준호: 컴퓨터를 이용해서 삼차원으로 캐릭터를 그렸으니 3D 애니메이션이야.

지문 분석

정답과 해설 29쪽

1 문단 요약 다음은 각 문단의 중심 내용을 정리한 것입니다. 문단의 순서대로 기호를 쓰세요.

㉮	애니메이션의 뜻과 원리
㉯	3D 애니메이션의 제작 방식
㉰	최근 애니메이션의 제작 수준
㉱	실사 애니메이션의 제작 방식
㉲	점토 애니메이션의 제작 방식

(　　　) → (　　　) → (　　　) → (　　　) → (　　　)

2 글의 구조 다음 빈칸을 채워 이 글의 내용을 정리해 보세요.

애니메이션의 종류

(　　　) 애니메이션	(　　　) 애니메이션	3D 애니메이션
점토로 (　　　)을 만들어 움직임을 장면별로 촬영하는 방식	실제 사람이 나오는 영화와 애니메이션을 결합한 방식	(　　　)를 이용해서 삼차원으로 작업하는 방식

배경지식 애니메이션을 만드는 애니메이터가 되는 방법

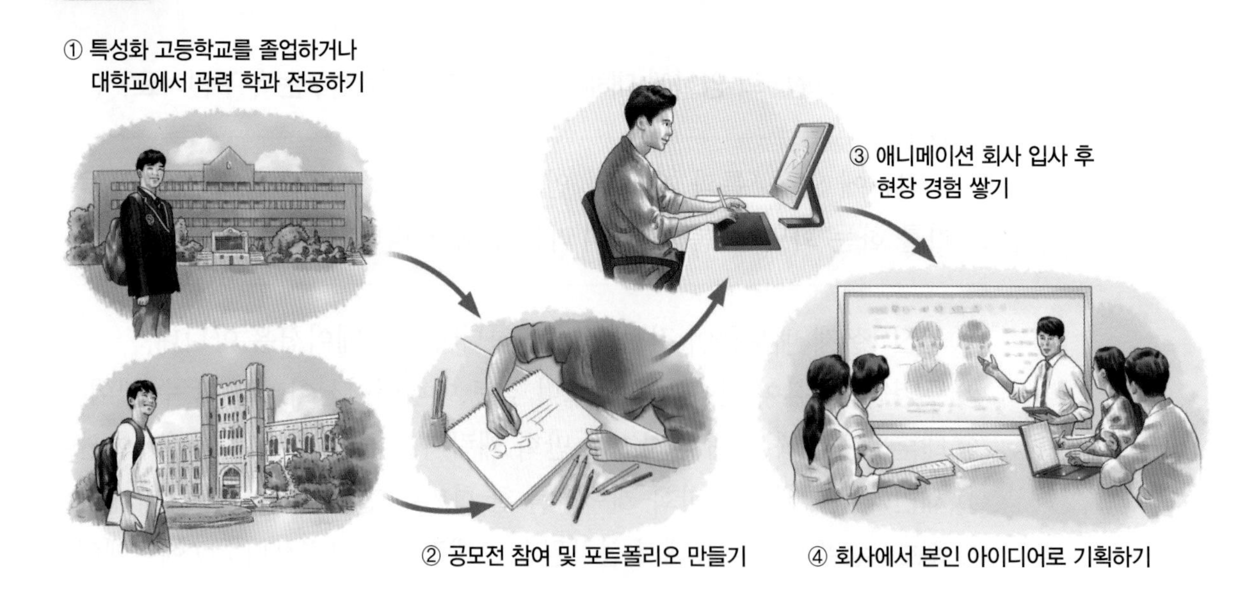

오늘의 어휘

다음 낱말의 알맞은 뜻을 찾아 선으로 이으세요.

주목 •	• 뒤섞어서 한데 합함.
입체감 •	• 가로, 세로, 높이의 세 차원.
혼합 •	• 관심을 가지고 주의 깊게 살핌.
합성 •	• 둘 이상의 것을 합쳐서 하나를 이룸.
삼차원 •	• 삼차원의 공간적 부피를 가진 물체를 보는 것과 같은 느낌.

1 다음 문장의 빈칸에 들어갈 알맞은 말을 오늘의 어휘 에서 찾아 쓰세요.

- 많은 사람의 [   ]을 받으니 떨린다.
- 컴퓨터로 [   ] 영상을 제작할 수 있다.
- 그 사진은 두 장의 사진을 [   ]한 것이다.
- 색칠 놀이를 통해 색의 [   ]을 배울 수 있다.
- 종이 인형보다는 점토 인형이 [   ]이 더 느껴진다.

2 다음 글에서 밑줄 친 말과 뜻이 비슷한 말을 찾아 두 글자로 쓰세요.

사람들의 주목을 끌기 위해 온라인이나 누리 소통망에서 무리한 행동을 하는 사람들이 있다. 이렇게 남의 관심을 끌기 위한 행동을 하는 사람들은 평소 인간 관계가 원만하지 못한 사람일 가능성이 크다고 한다. 현실에서와 달리 인터넷상에서는 자신의 행동에 대한 반응이 즉각적으로 오기 때문에 지나친 행동을 한다는 것이다.

(   )

KEY WORD

경복궁

글자 수

744

400 600 800 1000

경복궁의 주요 건물들

1 경복궁은 조선 시대를 대표하는 궁궐이다. 경복궁이라는 이름은 조선 건국의 **일등 공신**인 정도전이 지은 것으로, 자손 대대로 큰 복을 누리길 바라는 소망이 담겨 있다. 경복궁 안에 있는 주요 건물들의 이름도 각각의 쓰임새를 고려해서 지어졌다.

2 근정전은 '정치를 부지런히 하다.'라는 뜻의 이름이다. 왕이 **공식적**으로 신하들을 만나거나 국가의 중요한 행사를 치르는 곳이다. 외국에서 온 **사신**을 공식적으로 맞이하는 것도 이곳에서 했다.

3 강녕전과 교태전은 각각 왕과 왕비가 잠을 자는 공간이다. 강녕전은 '편안하고 건강하다.'라는 뜻으로, 왕의 건강과 안녕을 바라는 의미이다. 교태전은 세종 대왕이 지은 이름으로 '하늘과 땅이 **조화**를 이루어 **태평**하다.'라는 뜻이다. 교태전은 경복궁의 가장 깊숙한 곳에 있으며, 뒤뜰에는 아미산이라는 화려하고 아름다운 정원이 있다.

4 경회루는 '왕과 신하가 덕으로 만난 경사스러운 잔치'라는 뜻의 이름이다. 외국 사신이 왔을 때 큰 잔치를 열었던 곳으로, 임금의 허락 없이는 들어갈 수 없었다. 경복궁에서 가장 아름다운 곳인 경회루는 넓은 연못 가운데에 사방을 볼 수 있도록 높게 지어져서 경복궁의 모습을 한눈에 내려다볼 수 있다.

5 경복궁은 조선 왕실의 공식적인 궁궐의 모습을 확인할 수 있는 중요한 유적이다. 안타깝게도 임진왜란과 일제 강점기를 거치며 대부분의 건물들이 심하게 **훼손**되어 지금은 예전의 온전한 모습을 볼 수 없다. 하지만 국가에서 **복원** 작업을 계속 진행하고 있어서 점차 경복궁의 참모습을 되찾고 있다.

- **일등 공신**(一 하나 일, 等 같을 등, 功 공 공, 臣 신하 신) 나라를 위하여 으뜸가는 공을 세운 신하.
- **공식적**(公 공평할 공, 式 법 식, 的 과녁 적) 국가적으로 규정되었거나 사회적으로 인정된 것.
- **사신**(使 부릴 사, 臣 신하 신) 임금이나 나라의 명령을 받고 다른 나라에 보내어지는 신하.
- **조화**(調 고를 조, 和 화목할 화) 서로 잘 어울림.
- **태평**(太 클 태, 平 평평할 평) 나라가 안정되어 아무 걱정 없고 평안함.
- **훼손**(毁 헐 훼, 損 덜 손) 헐거나 깨뜨려 못 쓰게 만듦.
- **복원**(復 돌아올 복, 元 으뜸 원) 원래대로 회복함.

지문 독해

핵심어

1 **이 글에서 가장 중심이 되는 낱말을 찾아 세 글자로 쓰세요.**

( )

내용 이해

2 **이 글의 내용과 일치하는 것을 모두 찾아 ○표를 하세요.**

(1) 경복궁은 '편안하고 건강하다.'라는 뜻이다. ( )
(2) 근정전은 '정치를 부지런히 하다.'라는 뜻이다. ( )
(3) 강녕전은 '하늘과 땅이 조화를 이루어 태평하다.'라는 뜻이다. ( )
(4) 경회루는 '왕과 신하가 덕으로 만난 경사스러운 잔치'라는 뜻이다. ( )

추론하기

3 **이 글을 통해 답을 알 수 있는 질문이 아닌 것은 무엇인가요? ( )**

① 교태전은 누구를 위한 공간인가요?
② 경복궁의 역사적 가치는 무엇인가요?
③ 경복궁이라는 이름은 누가 지었나요?
④ 경복궁에서 새로 복원된 건물은 무엇인가요?
⑤ 경복궁에서 외국 사신을 맞이하던 곳은 어디인가요?

적용하기

4 **다음 중 경복궁 안에 있는 주요 건물들의 이름을 짓는 방식과 가장 유사한 방식으로 이름을 지은 친구는 누구인가요? ( )**

① 준수: 우리 집 강아지는 너무 작아서 이름이 '쪼꼬미'야.
② 세영: 따릉따릉 소리가 나는 자전거니까 '따릉이'라고 부를래.
③ 가은: 이 고양이는 털이 까만색이니까 '까망'이라고 불러야겠어.
④ 선호: 이 방은 내가 공부를 하는 방이어서 '열공방'으로 이름 붙였어.
⑤ 지나: 우리 팀 친구들이 전부 안경을 썼으니 팀 이름을 '안경팀'이라고 짓자.

지문 분석

정답과 해설 30쪽

1 정보 확인 다음 경복궁의 주요 건물들의 쓰임새를 알맞게 선으로 이으세요.

근정전 •	• 큰 잔치를 여는 곳
강녕전 •	• 왕이 잠을 자는 곳
교태전 •	• 왕비가 잠을 자는 곳
경회루 •	• 국가의 중요한 행사를 치르는 곳

2 문단 요약 다음 빈칸을 채워 각 문단의 중심 내용을 정리해 보세요.

1문단	경복궁의 ( )이 지닌 의미
2문단	( )의 의미와 쓰임새
3문단	( )과 교태전의 의미와 쓰임새
4문단	( )의 의미와 쓰임새
5문단	경복궁의 역사적 가치와 ( ) 작업

배경지식 한옥의 구조

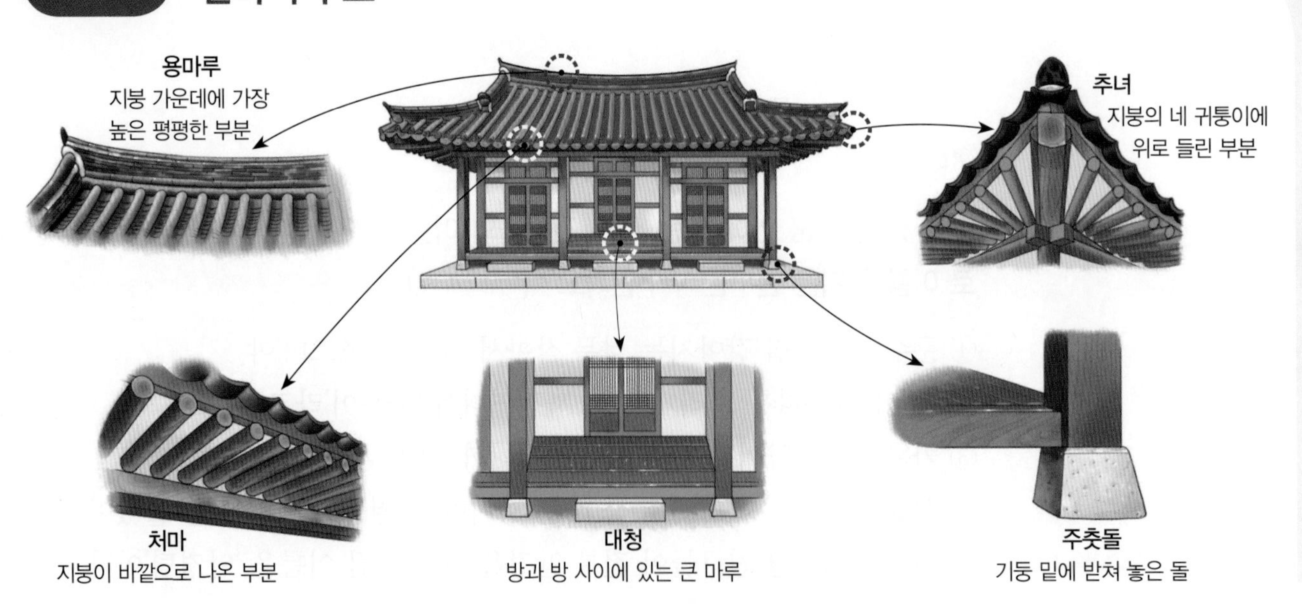

다음 낱말의 알맞은 뜻을 찾아 선으로 이으세요.

사신 •	• 서로 잘 어울림.
조화 •	• 원래대로 회복함.
태평 •	• 헐거나 깨뜨려 못 쓰게 만듦.
훼손 •	• 나라가 안정되어 아무 걱정 없고 평안함.
복원 •	• 임금이나 나라의 명령을 받고 다른 나라에 보내어지는 신하.

1 다음 문장의 빈칸에 들어갈 알맞은 말을 오늘의 어휘 에서 찾아 쓰세요.

- 근정전에서는 외국에서 온 (　　　　　)을 맞이했다.
- 우리 문화유산이 (　　　　　)되지 않도록 보호해야 한다.
- 어진 임금이 다스리면 (　　　　　)한 시대가 되기 마련이다.
- 숭례문은 (　　　　　) 작업을 통해 옛 모습을 거의 되찾았다.
- 이 그림은 서로 다른 색상이 어우러져 (　　　　　)를 이루었다.

2 다음 글에서 밑줄 친 말과 뜻이 비슷한 말을 찾아 두 글자로 쓰세요.

지진으로 인해 건물들이 무너지고 많은 사람들이 다쳤다. 이런 절망적인 상황 속에서도 여기저기에서 도움의 손길이 이어졌다. 다친 사람들을 치료해 주는 의료진들, 무너진 도로를 <u>복구</u>하는 군인들, 물과 먹을 것을 기부하는 다른 지역 주민들까지 모두 한 마음으로 재난 지역을 복원하기 위해 노력했다.

(　　　　　　　　)

㉠ 의 도시 파리

KEY WORD

파리

글자 수

810

400 600 800 1000

1 레오나르도 다빈치, 피카소, 세잔, 로댕의 공통점은 무엇일까? 바로 그들이 남긴 유명한 예술 작품들이 프랑스의 **수도** 파리에 있다는 것이다. 파리는 회화, 조각, 건축 등 다양한 분야를 아우르는 세계적인 예술의 중심지이다.

2 사람들이 '파리' 하면 떠올리는 가장 대표적인 것은 에펠탑일 것이다. 에펠탑은 프랑스 **혁명** 100주년을 기념하여 열린 만국 박람회를 위해 세운 철탑이다. 지어질 당시에는 세계에서 가장 높은 높이를 자랑했던 에펠탑은 한때 파리와 어울리지 않는다는 이유로 **철거** 요구를 받기도 했다. 하지만 지금은 수많은 관광객이 몰려드는 프랑스의 **명소**가 되었다.

3 레오나르도 다빈치의 『모나리자』를 볼 수 있는 ㉡루브르 박물관은 세계적으로 큰 규모의 박물관이다. 이곳은 원래 프랑스 황제들이 살던 궁전이었지만, 지금은 박물관으로 바뀌어 모든 사람들이 이용할 수 있게 되었다. 루브르 박물관에 전시된 수많은 **유물**과 예술품 중에서는 나폴레옹이 다른 나라에서 빼앗아 온 것도 많다.

4 노트르담 대성당 역시 파리의 대표적인 건축물로, 국가의 중요한 행사가 수없이 열린 곳이다. 높게 쌓아 올린 종탑, 정교하고 섬세한 조각, 화려한 색유리그림 등 **고딕 양식**을 대표하는 건축물로 손꼽힌다. 노트르담 대성당은 시간이 흐르면서 일부 파괴되기도 하고 사람들의 관심 밖으로 밀려나기도 했었지만, 『노트르담의 꼽추』라는 소설이 사람들에게 인기를 얻으면서 다시 사랑받게 되었다.

5 이 외에도 나폴레옹의 전쟁 승리를 축하하기 위하여 만든 개선문과 피카소, 로댕, 모네의 이름을 딴 미술관 등을 품고 있는 파리는 '예술의 도시'라는 별명답게 세계에서 가장 예술적인 도시로 평가받는다.

- **수도**(首 머리 수, 都 도읍 도) 한 나라의 중앙 정부가 있는 도시.
- **혁명**(革 가죽 혁, 命 목숨 명) 한 국가나 사회의 낡은 제도와 권력 조직을 힘으로 뒤엎고 새로운 제도와 권력 조직을 세우는 일.
- **철거**(撤 거둘 철, 去 갈 거) 건물, 시설 등을 허물어서 치움.
- **명소**(名 이름 명, 所 바 소) 아름다운 경치나 유적 등으로 널리 알려진 곳.
- **유물**(遺 남길 유, 物 만물 물) 과거의 사람들이 다음 세대에 남긴 물건.
- **고딕 양식** 중세에 유럽에서 생긴 건축 양식. 뾰족한 탑과 같은 수직 효과를 강조한 것이 특징임.

정답과 해설 31쪽

제목

1 이 글의 제목으로 어울리도록 ㉠에 들어갈 알맞은 낱말은 무엇인가요? (　　　)

① 예술　② 회화　③ 조각
④ 건축　⑤ 관광

내용 이해

2 이 글을 통해 알 수 있는 내용을 모두 찾아 ○표를 하세요.

(1) 에펠탑을 세운 목적 (　　　)
(2) 개선문을 세운 목적 (　　　)
(3) 루브르 박물관의 건축 양식 (　　　)
(4) 노트르담 대성당의 건축 양식 (　　　)

내용 이해

3 이 글에서 파리에 대해 설명한 내용으로 알맞은 것은 무엇인가요? (　　　)

① 레오나르도 다빈치, 피카소가 태어난 곳이다.
② 회화, 조각, 건축 등 세계적인 예술의 중심지이다.
③ 파리의 에펠탑은 오늘날 세계에서 가장 높은 탑이다.
④ 파리에 있는 모든 건축물이 고딕 양식으로 지어졌다.
⑤ 대표적인 건축물들이 훼손되지 않은 채 그대로 유지되어 있다.

적용하기

4 이 글을 읽고 친구들이 ㉡에 대해 대화를 나눈 내용 중 적절하지 않은 것은 무엇인가요? (　　　)

① 아영: 실제 『모나리자』 작품이 루브르 박물관에 있다니 꼭 가 보고 싶어.
② 혜정: 세계에서 손꼽히는 박물관이니 해외 관광객들도 많이 찾아갈 것 같아.
③ 우원: 맞아. 세계 각국의 귀한 유물과 예술품을 한곳에서 감상할 수 있으니 참 좋은 것 같아.
④ 세진: 그렇지만 힘이 세다고 약한 나라의 예술품을 빼앗아 버젓이 전시하는 모습은 바람직하지 않다고 생각해.
⑤ 지현: 그래도 국가의 중요한 행사가 열렸던 성당을 모든 사람들이 이용할 수 있게 박물관으로 바꾼 것은 잘한 일이야.

지문 분석

정답과 해설 31쪽

1 정보 확인 보기 에서 이 글의 핵심어를 찾아 ○표를 하세요.

보기

피카소 　 로댕 　 프랑스 　 파리 　 에펠탑 　 모나리자

2 글의 구조 다음 빈칸을 채워 이 글의 내용을 정리해 보세요.

예술의 도시 (　　　　)의 명소

(　　　　)	(　　　　) 박물관	노트르담 대성당
프랑스 혁명 100주년을 기념하여 열린 만국 박람회를 위해 세운 철탑	• 세계적으로 큰 규모의 박물관 • 원래는 프랑스 황제들이 살던 (　　　　)	• 국가의 중요한 행사가 수없이 열린 곳 • (　　　　) 양식을 대표하는 건축물

배경지식 각 나라를 대표하는 랜드마크

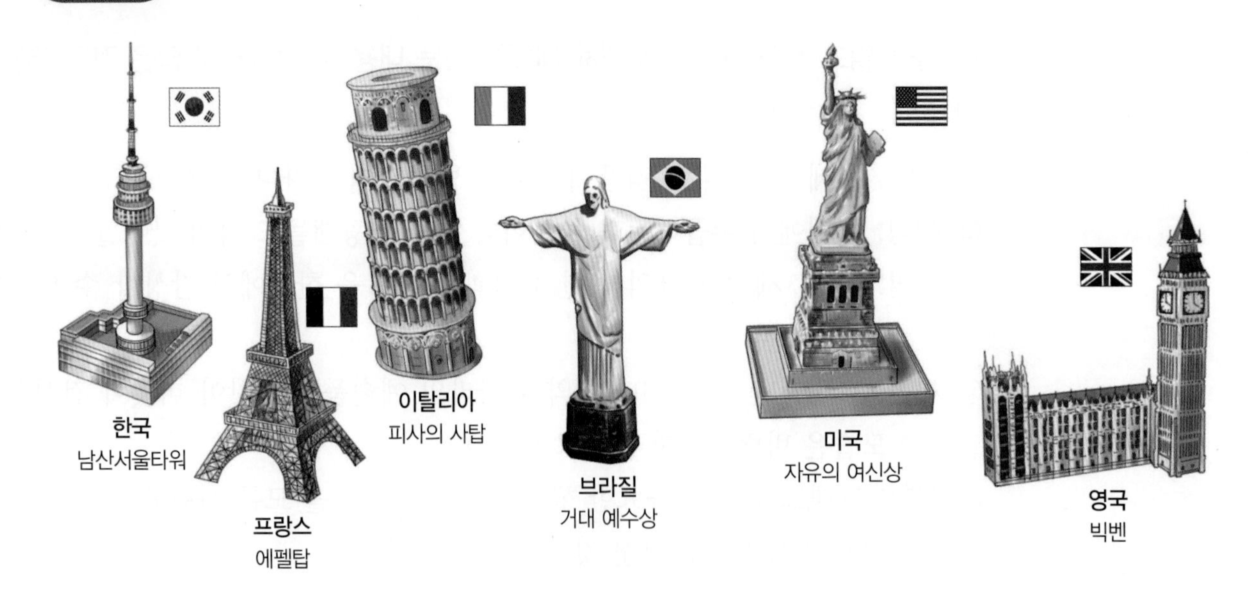

다음 낱말의 알맞은 뜻을 찾아 선으로 이으세요.

수도 •	• 건물, 시설 등을 허물어서 치움.
혁명 •	• 한 나라의 중앙 정부가 있는 도시.
철거 •	• 과거의 사람들이 다음 세대에 남긴 물건.
명소 •	• 아름다운 경치나 유적 등으로 널리 알려진 곳.
유물 •	• 한 국가나 사회의 낡은 제도와 권력 조직을 힘으로 뒤엎고 새로운 제도와 권력 조직을 세우는 일.

1 다음 문장의 빈칸에 들어갈 알맞은 말을 오늘의 어휘 에서 찾아 쓰세요.

- 우리나라의 [　　　　] 는 서울이다.
- 경복궁을 복원하는 과정에서 많은 [　　　　] 이 나왔다.
- 낡은 다리를 [　　　　] 하고 튼튼한 다리를 새로 지었다.
- 남산은 해외 관광객들에게 꼭 들러야 하는 [　　　　] 로 자리잡았다.
- 프랑스 [　　　　] 은 자유와 평등 사상을 널리 퍼뜨리는 계기가 되었다.

2 다음 글에서 밑줄 친 말과 뜻이 비슷한 말을 찾아 두 글자로 쓰세요.

금강산은 예로부터 우리나라의 명승지로 손꼽혔다. 하지만 지금은 남과 북이 나뉘어 우리는 금강산을 쉽게 찾아갈 수 없다. 통일이 되어 남북을 자유롭게 오갈 수 있게 된다면, 금강산은 우리나라 사람들뿐 아니라 외국인들에게도 한국 여행에서 꼭 들러야 하는 명소로 자리잡을 것이다.

(　　　　　　　　)

농구의 경기 방법

1 농구는 축구, 야구와 함께 사람들에게 인기가 많은 운동 **종목**이다. 농구 경기를 더욱 재미있게 즐기려면 경기 방법을 정확하게 이해하는 것이 필요하다.

2 농구는 5명의 선수가 한 팀으로 구성되고 7명의 **교체** 선수를 둘 수 있기 때문에 전체 팀의 구성 인원은 모두 12명이다. 선수 교체는 경기를 잠시 멈춘 상태라면 아무 때나 할 수 있다. **코트** 위의 심판은 주심과 부심 각 1명씩이며, 시간을 재고 기록하는 기록원이 있어서 심판을 돕는다.

3 농구의 경기 시간은 1**쿼터** 당 10분씩 총 4쿼터로 진행되며, 한 쿼터가 끝날 때마다 2분간 쉬는 시간을 준다. 그리고 1, 2쿼터와 3, 4쿼터를 각각 전반전과 후반전이라 하고, 그 사이에는 15분을 쉰다. 양 팀은 후반전부터는 서로 코트를 바꿔 경기를 진행한다. 또한 매 쿼터마다 각 팀은 한 차례씩 심판에게 작전 시간을 1분간 요구할 수 있고, 마지막 4쿼터에서는 두 번을 요구할 수 있다. 작전 시간은 공격권을 가진 팀의 감독 또는 코치가 요구할 수 있다.

4 농구 경기의 **득점**은 **자유투**는 1점, 3점 라인 밖에서의 골은 3점, 그 외의 골은 2점으로 한다. 그리고 **부당한** 신체 접촉으로 상대 팀 선수의 공격을 방해하는 경우 반칙이며, 반칙을 5번 한 선수는 **퇴장**을 당한다. 매 쿼터마다 팀 전체의 반칙이 4개를 넘게 되면 이는 '팀 반칙'으로, 5번째 반칙부터는 상대편에게 2개의 자유투가 주어진다.

5 농구는 여러 사람이 어울려 하는 단체 운동이다. 따라서 각 선수마다 맡은 역할이 있고, 자기가 맡은 역할을 책임감 있게 해내야 팀을 승리로 이끌 수 있다.

KEY WORD

농구

글자 수

777

400 600 800 1000

- **종목**(種 씨 종, 目 눈 목) 여러 가지 종류에 따라 나눈 항목.
- **교체**(交 사귈 교, 替 바꿀 체) 사람이나 사물을 다른 사람이나 사물로 대신함.
- **코트**(court) 테니스, 농구, 배구 등의 경기를 하는 곳.
- **쿼터**(quarter) 농구 등의 운동 경기에서, 한 경기의 시간을 넷으로 나누었을 때 그 한 부분을 세는 단위.
- **득점**(得 얻을 득, 點 점찍을 점) 시험이나 경기 등에서 점수를 얻음. 또는 그 점수.
- **자유투**(自 스스로 자, 由 말미암을 유, 投 던질 투) 상대편이 반칙을 하였을 때 일정한 지점에서 아무런 방해 없이 공을 던지는 일.
- **부당**(不 아닐 부, 當 마땅할 당)**한** 도리에 어긋나서 옳지 않은.
- **퇴장**(退 물러날 퇴, 場 마당 장) 경기 중에 선수가 반칙이나 부상 등으로 물러남.

지문 독해

핵심어

1 이 글에서 가장 중심이 되는 낱말을 찾아 쓰세요.

( )

내용 이해

2 이 글을 통해 알 수 있는 내용을 모두 찾아 ○표를 하세요.

(1) 농구 경기의 구성 인원 ( )
(2) 농구 경기의 쉬는 시간 ( )
(3) 농구 경기의 득점 종류 ( )
(4) 농구 경기의 개인 반칙의 종류 ( )

추론하기

3 ④문단에 대해 설명한 내용으로 알맞은 것은 무엇인가요? ( )

① 상대편 선수의 공격을 방해하려고 손목을 치는 것을 팀 반칙이라고 한다.
② 3점 라인 밖에서 던진 슛이 득점에 실패하면 상대 팀에게 자유투가 주어진다.
③ 매 쿼터마다 팀의 총 반칙이 5개를 넘으면 그 팀의 선수 한 명을 퇴장시켜야 한다.
④ 한 선수의 반칙이 5개를 넘으면 6번째 반칙부터는 상대 팀에게 자유투가 2개 주어진다.
⑤ 상대편의 팀 반칙으로 자유투 2개를 얻게 된 팀이 슛을 모두 성공시킨다면 2점을 얻을 수 있다.

적용하기

4 이 글을 읽고 친구들과 농구 경기를 해 보려고 합니다. 경기 방법을 잘 이해한 친구는 누구인가요? ( )

① 태영: 한 쿼터당 15분씩 경기를 진행하면 돼.
② 한세: 쿼터 중간에도 쉬는 시간을 가질 수 있어.
③ 지원: 작전 시간은 매 쿼터마다 요구할 수 있어.
④ 수연: 쉬는 시간은 공격권을 가진 감독이 요구할 수 있어.
⑤ 정훈: 쿼터가 끝날 때마다 양 팀은 코트를 서로 바꿔야 해.

지문 분석

정답과 해설 32쪽

1 문단 요약

각 문단의 중심 내용을 알맞게 선으로 이으세요.

1 문단 •		• 농구의 경기 시간
2 문단 •		• 농구 경기의 구성 인원
3 문단 •		• 단체 운동으로서의 농구
4 문단 •		• 농구 경기의 득점과 반칙
5 문단 •		• 농구 경기 방법을 이해할 필요성

2 글의 구조

다음 빈칸을 채워 이 글의 내용을 정리해 보세요.

농구의 경기 방법

구성 ( )	경기 ( )	( )과 반칙
• ( )명의 선수 • ( )명의 교체 선수 • 주심, 부심, 기록원	• 1쿼터 당 ( ) 분씩 총 4쿼터 • 쿼터 사이 2분, 전후반 사이 15분 휴식	• 자유투 1점, 3점 라인 밖 3점, 그 외 2점 • 신체 ( )으로 공격 방해 시 반칙

배경지식 농구의 반칙 종류

정답과 해설 32쪽

오늘의 어휘

다음 낱말의 알맞은 뜻을 찾아 선으로 이으세요.

종목 •	• 도리에 어긋나서 옳지 않은.
교체 •	• 여러 가지 종류에 따라 나눈 항목.
득점 •	• 사람이나 사물을 다른 사람이나 사물로 대신함.
부당한 •	• 경기 중에 선수가 반칙이나 부상 등으로 물러남.
퇴장 •	• 시험이나 경기 등에서 점수를 얻음. 또는 그 점수.

1 다음 문장의 빈칸에 들어갈 알맞은 말을 오늘의 어휘 에서 찾아 쓰세요.

- 고의적인 반칙을 한 선수가 [ ]을 당했다.
- 외국인 노동자를 차별하는 것은 [ ] 일이다.
- 한 번만 더 [ ]하면 우리 팀이 이길 수 있다.
- 다친 선수를 대신하여 뛸 수 있는 [ ] 선수가 필요하다.
- 공을 사용하는 운동 경기의 [ ]에는 농구, 배구, 야구 등이 있다.

2 다음 글에서 밑줄 친 말과 뜻이 반대되는 말을 찾아 세 글자로 쓰세요.

외국인 노동자 중 절반 이상이 우리나라에서 일을 하며 차별을 경험했다고 한다. 외국인 노동자들은 언어 소통의 어려움보다도 부당한 대우와 차별로 인해 더 힘들다고 한다. 외국인 노동자가 정당한 권리를 보장받기 위해서는 내국인을 대상으로 적절한 교육을 실시해야 한다.

(   )

KEY WORD

정선

글자 수

828

400 600 800 1000

정선의 진경산수화

1 진경산수화란 우리나라의 실제 **경치**를 보고 그린 그림으로, 조선 후기의 대표적인 **회화**이다. 겸재 정선은 빼어난 솜씨로 진경산수화를 그려서 세상에 이름을 알린 인물이다.

2 정선은 어릴 적부터 자신이 나고 자란 한양의 아름다운 경치를 보며 그림 그리기를 좋아했다. 그림을 그리다 버린 붓을 모으면 무덤을 이룰 것이라는 말이 전해질 정도로 정선은 그림 그리는 연습을 많이 했다. 당시 조선의 화가들은 중국의 자연 경치를 상상해서 중국식으로 그림을 그렸다. 하지만 정선은 우리의 경치를 생생하게 담아내고자 실제로 찾아다니며 보고 그림을 그렸다. 또한 중국식이 아닌 자신만의 독특한 **화풍**으로 아름다운 자연의 모습을 표현했다.

3 정선은 평생의 친구인 이병연과 **교류**하며 그에게 많은 영향을 받았다. 금강산 근처로 **부임**한 이병연은 정선을 그곳에 초대해 그림을 그리게 했다. 정선은 평생 뛰어난 경치를 볼 수 있다면 아무리 험한 곳도 마다하지 않고 찾아다녔는데, 그 가운데 가장 자주 찾아가고, 가장 많이 그린 곳이 바로 금강산이었다.

4 정선의 그림 중 가장 유명한 그림은 76세에 그린 「인왕제색도」이다. 친구인 이병연이 숨을 거두기 사흘 전에 완성했다는 「인왕제색도」는 두 사람의 추억의 장소인 인왕산의 풍경을 그린 진경산수화이다. 안개가 걷히기 전의 웅장한 인왕산의 모습을 **대담**하고 강렬한 흑백의 **대비**로 표현하여 실제 눈앞에서 보는 듯한 느낌을 준다.

5 정선의 뛰어난 표현력은 기록화에서도 잘 나타난다. 기록화는 역사적 사건이나 인물의 모습을 자세하게 그린 그림을 말한다. 정선이 **세밀한** 붓끝으로 조선 후기 선비들의 문화를 생생하게 기록한 그림들은 오늘날 과거를 들여다볼 수 있는 소중한 자료가 되고 있다.

- **경치**(景 경치 경, 致 이를 치) 산이나 들, 강, 바다 등의 자연이나 지역의 모습.
- **회화**(繪 그림 회, 畫 그림 화) 여러 가지 선이나 색으로 평면 위에 대상의 모습을 그려 내는 미술의 한 분야.
- **화풍**(畫 그림 화, 風 바람 풍) 그림을 그리는 방식이나 양식.
- **교류**(交 사귈 교, 流 흐를 류) 문화나 생각 등이 서로 통함.
- **부임**(赴 나아갈 부, 任 맡길 임) 직책을 맡아서 일할 곳에 감.
- **대담**(大 큰 대, 膽 쓸개 담) 매우 용감하고 겁이 없음.
- **대비**(對 대답할 대, 比 견줄 비) 두 가지의 차이를 밝히기 위하여 서로 맞대어 비교함.
- **세밀(細 가늘 세, 密 빽빽할 밀)한** 자세하고 꼼꼼한.

지문 독해

설명 대상

1 이 글에서 설명하고 있는 인물을 찾아 쓰세요.

( )

내용 이해

2 이 글을 통해 알 수 있는 내용을 모두 찾아 ○표를 하세요.

(1) 금강산을 그린 정선의 작품 이름들 ( )
(2) 당시 조선의 화가들과 정선의 다른 점 ( )
(3) 정선 외에 진경산수화를 그린 다른 화가들 ( )
(4) 우리의 경치를 그려 내는 것에 대한 정선의 열정 ( )

내용 이해

3 이 글에 나타난 정선의 「인왕제색도」에 대한 설명으로 알맞지 않은 것은 무엇인가요? ( )

① 대표적인 진경산수화 중 하나이다.
② 친구와의 추억의 장소를 그린 그림이다.
③ 조선 최고의 경치인 금강산을 보고 그린 그림이다.
④ 대담하고 강렬한 흑백의 대비가 돋보이는 그림이다.
⑤ 실제 눈앞에서 보는 듯한 생생한 느낌을 주는 그림이다.

어휘·어법

4 이 글에 나타난 정선과 이병연의 관계에 가장 어울리는 한자 성어는 무엇인가요?

( )

① 부즉불리: 멀지도 가깝지도 않은 사이.
② 금란지교: 친구 사이의 매우 두터운 정을 이르는 말.
③ 견원지간: 사이가 매우 나쁜 두 관계를 비유적으로 이르는 말.
④ 생면부지: 서로 한 번도 만난 적이 없어서 전혀 알지 못하는 사람.
⑤ 상명하복: 위에서 명령하면 아래에서는 복종한다는 뜻으로, 상하 관계가 분명함을 이르는 말.

지문 분석

정답과 해설 33쪽

1 문단 요약 다음 빈칸을 채워 각 문단의 중심 내용을 정리해 보세요.

문단	내용
1 문단	진경산수화의 대표 화가인 ( )
2 문단	정선의 그림에 대한 열정과 독특한 ( )
3 문단	정선의 친구 ( )의 영향과 금강산에 대한 정선의 관심
4 문단	정선의 대표작인 ( )
5 문단	정선이 그린 ( )의 의의

2 글의 구조 다음 빈칸을 채워 이 글의 내용을 정리해 보세요.

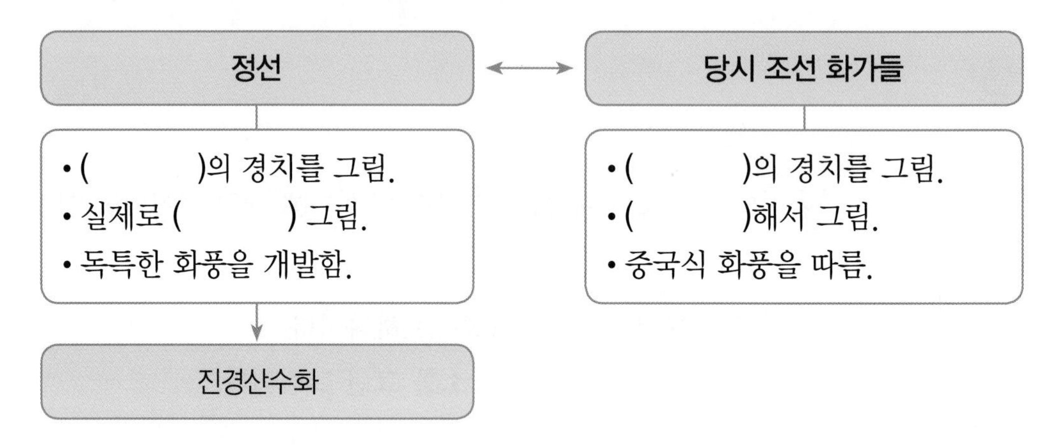

배경지식 **동양화의 원근법인 삼원법**

심원법 위에서 내려다보듯이 그림.

평원법 정면에서 바라보듯이 그림.

고원법 아래에서 올려다보듯이 그림.

정답과 해설 33쪽

다음 낱말의 알맞은 뜻을 찾아 선으로 이으세요.

회화 •	• 자세하고 꼼꼼한.
화풍 •	• 매우 용감하고 겁이 없음.
부임 •	• 직책을 맡아서 일할 곳에 감.
대담 •	• 그림을 그리는 방식이나 양식.
세밀한 •	• 여러 가지 선이나 색으로 평면 위에 대상의 모습을 그려 내는 미술의 한 분야.

1 다음 문장의 빈칸에 들어갈 알맞은 말을 오늘의 어휘에서 찾아 쓰세요.

- 그 학교에 새로 [　　　　]한 교사는 5명이다.
- 이 작품은 배경의 [　　　　] 묘사가 돋보인다.
- 위험을 무릅쓰고 [　　　　]하게 그 일을 해냈다.
- 겸재 정선은 자기만의 독특한 [　　　　]을 지녔다.
- 이 미술관에는 유명 작가의 [　　　　] 작품이 전시되어 있다.

2 다음 글에서 밑줄 친 말과 뜻이 비슷한 말을 찾아 세 글자로 쓰세요.

몸이 아플 때는 약국에 가서 아무 약이나 사 먹지 말고, 되도록 의사에게 진료를 받고 약을 처방받는 것이 좋다. 병원에 가서 의사에게 자신의 증상에 대해 세밀한 설명을 하면, 그에 알맞은 치료와 처방전을 받을 수 있다. 처방전을 들고 약국에 가면 약사에게 내가 먹을 약에 대한 <u>상세한</u> 설명도 들을 수 있다.

(　　　　　　　　)

KEY WORD

김정호

글자 수

815

400 600 800 1000

㉠ 를 만든 김정호

1 조선 후기에 **지리학**을 연구했던 김정호는 외적으로부터 나라를 지킬 때뿐만 아니라 백성의 삶을 다스리는 정치에도 지도가 꼭 필요하다고 생각했다. 그러나 지도를 만드는 일에는 많은 자료와 돈이 필요했다.

2 그때 김정호를 도와준 대표적인 사람이 최한기이다. 최한기는 백성의 실제 생활에 관심을 갖는 학문인 실학을 연구하던 사람이다. 김정호는 최한기의 도움을 받아 옛 자료들을 찾아보고, 잘못된 부분이 확인되면 직접 그곳을 돌아다니며 수십 년간 지도를 그렸다. 이렇게 완성한 지도가 「청구도」와 「동여도」이다.

3 「청구도」와 「동여도」를 만든 경험은 좀 더 완벽한 지도를 제작하는 데 좋은 **기반**이 되었다. 계속해서 김정호는 각 고을의 역사와 땅의 모양, **인구** 등을 모아서 기록한 책인 지리지를 만들면서 자료를 모았다. 이후 완성된 것이 ㉡「대동여지도」이다. 이 지도는 산맥, 강과 바다 등과 같은 자연 지형뿐만 아니라 방향과 거리, 인구, 군사, 도로 등에 관한 정보도 담고 있다. 도로는 10리마다 눈금으로 표시했고, 기호를 이용해서 간단하고 보기 쉽게 만들었다.

4 김정호에 관해 잘못 알려진 이야기 중 하나는 김정호가 나라의 **기밀**을 다른 나라에 넘기려 했다는 이유로 흥선 대원군이 김정호를 옥에 가두고 모든 지도와 자료들을 없앴다는 것이다. 그러나 이는 사실이 아니라 **왜곡**된 것으로 보아야 한다는 것이 대부분의 역사학자들의 생각이다.

5 「대동여지도」는 실제 한반도의 모습과 거의 **일치**할 정도로 정확한 지도이다. 김정호는 남들이 알아주지 않았지만 당시 조선의 지리적 모습뿐만 아니라 군사적으로도 중요한 내용을 기록한 지도를 남겨 우리나라 지리학의 발전에 많은 **기여**를 한 인물이다.

- **지리학**(地 땅 지, 理 다스릴 리, 學 배울 학) 지구의 표면에서 일어나는 자연과 인문 현상을 지역적 관점에서 연구하는 학문.
- **기반**(基 터 기, 盤 소반 반) 기초가 되는 바탕. 또는 사물의 토대.
- **인구**(人 사람 인, 口 입 구) 일정한 지역에 사는 사람의 수.
- **기밀**(機 틀 기, 密 빽빽할 밀) 외부에 드러내서는 안 될 중요한 비밀.
- **왜곡**(歪 비뚤 왜, 曲 굽을 곡) 사실과 다르게 해석하거나 그릇되게 함.
- **일치**(一 하나 일, 致 이를 치) 비교되는 대상들이 서로 어긋나지 않고 같거나 들어맞음.
- **기여**(寄 부칠 기, 與 더불 여) 도움이 되도록 이바지함.

제목

1 **이 글의 제목으로 어울리도록 ㉠에 들어갈 알맞은 말을 다섯 글자로 쓰세요.**

( )

내용 이해

2 **이 글을 통해 알 수 있는 내용을 모두 찾아 ○표를 하세요.**

(1) 「대동여지도」의 특징 ( )
(2) 김정호가 지도를 만든 이유 ( )
(3) 「청구도」와 「동여도」의 특징 ( )
(4) 김정호에 관해 잘못 알려진 이야기 ( )

내용 이해

3 **㉡에 대한 설명으로 알맞지 않은 것은 무엇인가요? ( )**

① 실제 한반도의 모습과 거의 일치한다.
② 김정호가 첫 번째로 완성한 지도이다.
③ 군사적으로도 중요한 내용을 담고 있다.
④ 다양한 정보를 기호를 이용해서 표시했다.
⑤ 「청구도」와 「동여도」보다 더 자세하고 완성도가 높다.

추론하기

4 **4문단을 읽고 이와 관련하여 역사학자의 역할을 짐작한 것으로 가장 알맞은 것은 무엇인가요? ( )**

① 역사학자는 전해지는 기록들을 그대로 전달한다.
② 역사학자는 중요한 역사와 중요하지 않은 역사를 구분한다.
③ 역사학자는 다양한 기록들을 살펴서 역사적 진실을 찾는다.
④ 역사학자는 기록들을 쉽게 이해할 수 있게 풀어서 설명한다.
⑤ 역사학자는 사실을 재미있게 전달하기 위해 상상력을 발휘한다.

지문 분석

정답과 해설 34쪽

1 정보 확인 다음 빈칸에 알맞은 말을 이 글에서 찾아 쓰세요.

(　　　　　)의 특징	• 자연 지형뿐만 아니라 방향과 거리, (　　　　　), 군사, 도로 등에 관한 정보도 담고 있음. • 도로는 10리마다 (　　　　　)으로 표시함. • (　　　　　)를 이용해서 간단하고 보기 쉽게 만듦. • 실제 (　　　　　)의 모습과 거의 일치할 정도로 정확함.

2 문단 요약 다음은 각 문단의 중심 내용을 정리한 것입니다. 문단의 순서대로 기호를 쓰세요.

㉮	김정호가 지도를 만든 이유
㉯	「대동여지도」를 완성한 김정호
㉰	김정호에 관해 잘못 알려진 이야기
㉱	「청구도」와 「동여도」를 완성한 김정호
㉲	「대동여지도」의 의의와 김정호의 업적

(　　　　) → (　　　　) → (　　　　) → (　　　　) → (　　　　)

배경지식 「대동여지도」 속 이곳은 어디일까?

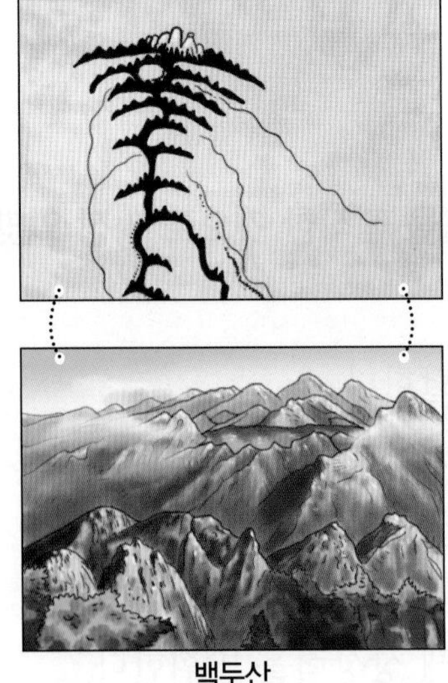

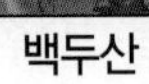

백두산

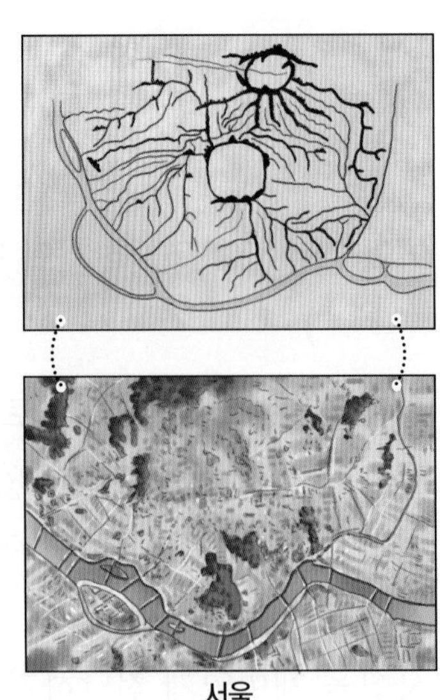

서울

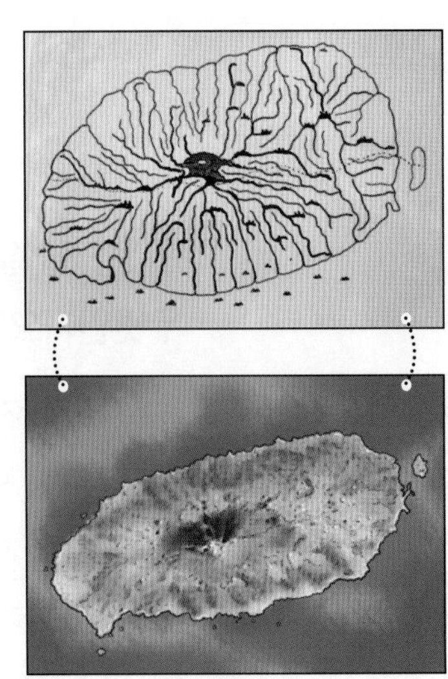

제주도

오늘의 어휘

다음 낱말의 알맞은 뜻을 찾아 선으로 이으세요.

기반 •	• 도움이 되도록 이바지함.
기밀 •	• 기초가 되는 바탕. 또는 사물의 토대.
왜곡 •	• 외부에 드러내서는 안 될 중요한 비밀.
일치 •	• 사실과 다르게 해석하거나 그릇되게 함.
기여 •	• 비교되는 대상들이 서로 어긋나지 않고 같거나 들어맞음.

1 다음 문장의 빈칸에 들어갈 알맞은 말을 오늘의 어휘에서 찾아 쓰세요.

- 일본은 역사 [   ]을 멈추어야 한다.
- 국가의 [   ]을 지키기 위해 그는 입을 다물었다.
- 그것은 내가 알고 있던 사실과 [   ]하지 않는다.
- 현대 사회의 발전에 과학자들이 큰 [   ]를 했다.
- 국민의 행복한 삶을 위해 사회의 [   ] 시설이 마련되어야 한다.

2 다음 글에서 밑줄 친 말과 뜻이 비슷한 말을 찾아 두 글자로 쓰세요.

> 일본은 우리나라의 주권을 빼앗고 우리 민족에게 고통을 주었던 과거의 잘못을 반성하기는커녕 역사를 왜곡하는 교과서까지 만들고 있다. '침략'하였던 사실을 감추기 위해 '진출'하였다는 말로 바꾸고, 더 나아가 침략의 목적이 우리나라를 해방하기 위해서였다고 조작하며 자신들이 저지른 수많은 잘못을 감추고 있다.

(   )

KEY WORD

쇼팽

글자 수

757

400 600 800 1000

피아노의 시인 쇼팽

1 1810년 폴란드에서 태어난 쇼팽은 피아노가 가진 울림과 소리의 **특색**을 가장 잘 살린 음악가로 평가받는다. 특히 쇼팽의 **독창적**이고 신선한 연주법은 마치 이야기를 듣는 것처럼 표현하는 느낌을 주었기 때문에 사람들은 그를 피아노의 시인이라고 불렀다.

2 오스트리아 빈에서 음악 공부를 하던 청년 쇼팽은 다른 나라의 지배를 받고 있던 폴란드에서 독립 **혁명**이 일어났다는 소식을 들었다. 폴란드로 돌아갈 수 없는 상황이었던 쇼팽은 **조국**과 가족에 대한 그리운 마음을 폴란드 민속 춤곡을 이용해 피아노곡으로 만들며 마음을 달랬다.

3 쇼팽은 빈에서 프랑스 파리로 떠났다. 프랑스 사람들은 쇼팽의 독창적이고 **대담**한 음악에 빠져들었다. 그리고 이곳에서 쇼팽은 평생의 음악 친구 리스트와 사랑하는 여인 조르주 상드를 만나 짧지만 행복한 나날을 보내게 된다. 그러나 쇼팽은 오래전부터 앓던 결핵이 점차 심해졌고, 고향과 가족에 대한 그리움도 나날이 커져 갔다. 조르주 상드와의 이별 후 외로움 속에서 음악 활동을 하던 쇼팽은 결국 조국으로 돌아가지 못한 채 병을 이기지 못하고 39세의 나이에 숨을 거두었다.

4 파리에 있는 쇼팽의 무덤에는 그가 평생 간직해 온 폴란드의 흙이 뿌려져 있다고 한다. 그리고 쇼팽이 죽기 전에 남긴 '나의 심장만은 폴란드로 보내 주시오.'라는 **유언**대로 그의 심장은 폴란드의 한 성당에 **안치**되어 있다. 쇼팽은 세상에 없지만 쇼팽의 곡과 연주법은 오늘날 피아노를 배우는 학생들의 교과서 역할을 하고 있으며, 그의 음악은 많은 사람들에게 감동과 위로를 주고 있다.

- **특색**(特 특별할 특, 色 빛 색) 보통의 것과 다른 점.
- **독창적**(獨 홀로 독, 創 비롯할 창, 的 과녁 적) 다른 것을 흉내 내거나 따르지 않고 새로운 것을 처음으로 만들어 내거나 생각해 내는 것.
- **혁명**(革 가죽 혁, 命 목숨 명) 한 국가나 사회의 낡은 제도와 권력 조직을 힘으로 뒤엎고 새로운 제도와 권력 조직을 세우는 일.
- **조국**(祖 할아비 조, 國 나라 국) 조상 때부터 대대로 살던 나라. 또는 자기의 국적이 속하여 있는 나라.
- **대담**(大 큰 대, 膽 쓸개 담) 매우 용감하고 겁이 없음.
- **유언**(遺 남길 유, 言 말씀 언) 죽음에 이르러 말을 남김. 또는 그 말.
- **안치**(安 편안할 안, 置 둘 치) 죽은 사람의 몸이나 이름을 적은 나무패 등을 잘 모셔 둠.

설명 대상

1 이 글에서 설명하고 있는 인물을 찾아 쓰세요.

( )

내용 이해

2 이 글의 내용과 일치하지 않는 것은 무엇인가요? ( )

① 쇼팽은 조국 폴란드를 떠나 오스트리아와 프랑스에서 생활했다.
② 쇼팽의 유언대로 쇼팽의 시신은 폴란드로 옮겨져 묻힐 수 있었다.
③ 쇼팽이 살았던 당시에 폴란드는 다른 나라의 지배를 받고 있었다.
④ 쇼팽은 폴란드의 민속 춤곡을 이용해서 피아노곡을 작곡하기도 했다.
⑤ 쇼팽의 곡과 연주법은 오늘날 피아노를 배우는 학생들의 교과서와 같은 역할을 하고 있다.

추론하기

3 이 글을 통해 답을 알 수 있는 질문이 아닌 것은 무엇인가요? ( )

① 쇼팽이 태어난 나라는 어디인가요?
② 쇼팽에게 리스트는 어떤 존재였나요?
③ 쇼팽이 조르주 상드와 이별한 이유는 무엇인가요?
④ 쇼팽을 피아노의 시인이라 부르는 이유는 무엇인가요?
⑤ 쇼팽의 심장이 폴란드의 성당에 안치된 이유는 무엇인가요?

어휘·어법

4 이 글이 어떤 글인지 보기 의 한자 성어의 뜻과 관련하여 가장 알맞게 말한 친구는 누구인가요? ( )

> **보기**
> 수구초심(首丘初心): 여우가 죽을 때 자기가 살던 쪽으로 머리를 두고 죽는다는 뜻으로, 죽어서라도 고향에 가고 싶어하는 마음을 나타낸다.

① 태훈: 쇼팽의 음악적 업적을 구체적으로 설명하는 글이야.
② 승원: 쇼팽이 작곡한 수많은 피아노곡을 소개하는 글이야.
③ 주영: 쇼팽이 가깝게 지냈던 주변 사람들에 대해 쓴 글이야.
④ 준우: 조국과 가족에 대한 쇼팽의 그리움이 느껴지는 글이야.
⑤ 호준: 쇼팽의 독창적인 피아노 연주법에 대해 평가하는 글이야.

지문 분석

정답과 해설 35쪽

1 문단 요약 각 문단의 중심 내용을 알맞게 선으로 이으세요.

1문단 •		• 피아노의 시인으로 불리는 쇼팽
2문단 •		• 프랑스에서의 쇼팽의 삶과 죽음
3문단 •		• 조국에 대한 그리움을 작곡으로 달랜 쇼팽
4문단 •		• 조국에 대한 쇼팽의 진심과 쇼팽의 음악이 갖는 의의

2 중심 내용 다음 빈칸을 채워 이 글의 중심 내용을 완성하세요.

쇼팽은 독창적이고 신선한 연주법으로 피아노의 (　　　)이라고 불리는 음악가이다. 쇼팽은 오스트리아와 프랑스에서 생활하면서 조국인 (　　　)를 늘 그리워했으며, 쇼팽의 유언대로 그의 (　　　)은 폴란드의 한 성당에 안치되어 있다.

배경지식 쇼팽이 잠들어 있는 곳

쇼팽(1810~1849)

프랑스 파리
페르 라셰즈 묘지의 쇼팽의 무덤

폴란드 바르샤바
성 십자가 성당에 안치된 쇼팽의 심장

다음 낱말의 알맞은 뜻을 찾아 선으로 이으세요.

특색 •	• 보통의 것과 다른 점.
독창적 •	• 죽음에 이르러 말을 남김. 또는 그 말.
조국 •	• 죽은 사람의 몸이나 이름을 적은 나무패 등을 잘 모셔 둠.
유언 •	• 조상 때부터 대대로 살던 나라. 또는 자기의 국적이 속하여 있는 나라.
안치 •	• 다른 것을 흉내 내거나 따르지 않고 새로운 것을 처음으로 만들어 내거나 생각해 내는 것.

1 다음 문장의 빈칸에 들어갈 알맞은 말을 오늘의 어휘 에서 찾아 쓰세요.

- 이 메뉴는 이 가게만의 [ ]을 담고 있다.
- 군인들은 목숨을 걸고 [ ]을 위해 싸웠다.
- 이것은 우리의 [ ]인 기술로 만든 제품이다.
- 경기도 여주에는 세종 대왕이 [ ]된 영릉이 있다.
- 그의 [ ]에 따라 가족들은 그를 고향 땅에 묻었다.

2 다음 글에서 밑줄 친 말과 뜻이 비슷한 말을 찾아 세 글자로 쓰세요.

사람들은 새로운 것을 만들어 내기 위해 많은 노력을 한다. 그러나 새로운 것이 꼭 이전에는 전혀 없었던 독창적인 것만을 의미하는 것은 아니다. 이미 있는 것을 모방하여 창조적으로 발전시켜 변화를 주는 것도 새로운 것을 만드는 것이라 할 수 있다. 즉 모방은 창조의 어머니이다.

(　　　　　　　　)

KEY WORD

허난설헌

글자 수

792

400 600 800 1000

천재 시인 허난설헌

1 조선 시대에는 남성과 달리 여성에게 사회적 **제약**이 많았다. 그러나 허난설헌의 아버지 허엽은 어릴 적부터 **영특한** 딸에게도 아들들과 똑같은 배움의 기회를 주었다. 또한 허난설헌의 두 오빠와 남동생인 허균 역시 누이의 문학적 재능을 무척 아꼈기에 허난설헌은 자유롭게 원하는 공부를 하며 자랄 수 있었다.

2 그러나 허난설헌이 15살에 결혼을 하면서 불행이 시작되었다. 자신보다 똑똑한 아내에게 **열등감**을 느꼈던 남편 김성립의 무관심과, 며느리의 재능을 인정하지 않았던 시어머니의 고된 시집살이를 견뎌야 했다. 게다가 어린 딸과 아들까지 잃었고, **유산**의 아픔까지 겪었다. 이때 자식을 잃은 허난설헌의 깊은 슬픔은 「곡자」라는 시에 고스란히 남겨져 있다. 아버지의 죽음 이후 친정 집안까지 **몰락**하자 허난설헌은 깊은 슬픔에 빠졌다.

3 27살 꽃다운 나이에 세상을 떠난 허난설헌은 불행한 삶 속에서도 많은 시를 썼다. 허난설헌은 죽기 전에 "여자로 태어난 것, 조선에서 태어난 것, 김성립의 아내가 된 것이 나의 세 가지 **한**이다. 다시는 이 땅에서 여자로 태어나지 않겠다. 그리고 내가 쓴 시를 모두 태워 달라."라는 유언을 남겼다. 이 유언으로 인해 허난설헌의 많은 작품들이 사라졌지만, 누이의 재능을 아깝게 여긴 남동생 허균이 허난설헌이 지었던 시들을 모아 『난설헌집』이라는 시집을 엮었다.

4 스스로 '난설헌'이라는 호를 지었던 허난설헌은 시대를 잘못 만나 재주를 마음껏 펼치지 못한 **비운**의 천재 시인이었다. 조선 시대에 여성이 자기 이름으로 시를 쓰고 이것이 세상에 알려진다는 것은 매우 드문 일이었기에 허난설헌은 매우 특별한 **위인**이다.

- **제약**(制 억제할 제, 約 맺을 약) 조건을 붙여 내용을 제한함.
- **영특**(英 꽃부리 영, 特 특별할 특)**한** 남달리 뛰어나고 훌륭한.
- **열등감**(劣 못할 열, 等 같을 등, 感 느낄 감) 자기를 남보다 못하거나 가치 없는 인간으로 낮추어 평가하는 감정.
- **유산**(流 흐를 유, 産 낳을 산) 임신 중에 아기가 목숨을 잃음.
- **몰락**(沒 잠길 몰, 落 떨어질 락) 재물이나 세력이 점점 줄어서 약해져 보잘것없이 됨.
- **한**(恨 한할 한) 오랫동안 없어지지 않는 억울하고 안타까운 감정.
- **비운**(悲 슬플 비, 運 운전할 운) 순조롭지 못하거나 슬픈 운수나 운명.
- **위인**(偉 훌륭할 위, 人 사람 인) 뛰어나고 훌륭한 사람.

지문 독해

설명 대상

1 **이 글에서 설명하고 있는 인물을 찾아 쓰세요.**

( )

내용 이해

2 **이 글을 통해 알 수 있는 내용을 모두 찾아 ○표를 하세요.**

(1) 허난설헌의 유언 ( )
(2) 허난실헌의 작품 세계 ( )
(3) 허난설헌의 성장 배경 ( )
(4) 허난설헌의 평생 친구 ( )

적용하기

3 **이 글을 읽고 허난설헌에 대해 이야기를 나누었습니다. 잘못 이해한 친구는 누구인가요? ( )**

① 혜영: 허난설헌의 아버지와 형제들은 그녀의 문학적 재능을 무척 아꼈구나.
② 영신: 허난설헌의 유언대로 죽고 나서야 허난설헌의 시집이 나온 것은 그나마 다행인 것 같아.
③ 진형: 결혼을 한 이후 허난설헌의 새로운 가족들은 허난설헌이 시를 짓는 것을 못마땅해 했을 거야.
④ 용진: 자식을 둘이나 잃고 배 속의 아이마저 잃었던 허난설헌은 살려는 의지가 생기지 않았을 것 같아.
⑤ 명우: 당시 남자 양반들이 짓던 호를 스스로 지었던 것으로 보아, 허난설헌은 남다른 위인이었던 것 같아.

어휘·어법

4 **2문단에 나타난 허난설헌의 처지에 가장 어울리는 속담은 무엇인가요? ( )**

① 갈수록 태산
② 무소식이 희소식
③ 병 주고 약 준다
④ 등잔 밑이 어둡다
⑤ 바늘 도둑이 소도둑 된다

지문 분석

정답과 해설 36쪽

1 문단 요약 각 문단의 중심 내용으로 알맞은 것에 ○표, 틀린 것에 ×표를 하세요.

1문단	허난설헌은 비교적 개방적인 집안에서 자랐다.	(　　　)
2문단	허난설헌의 결혼 생활은 불행의 연속이었다.	(　　　)
3문단	허난설헌은 『난설헌집』이라는 시집을 엮었다.	(　　　)
4문단	허난설헌은 시대에 적응하지 못한 인물이다.	(　　　)

2 글의 구조 다음 빈칸을 채워 이 글의 내용을 정리해 보세요.

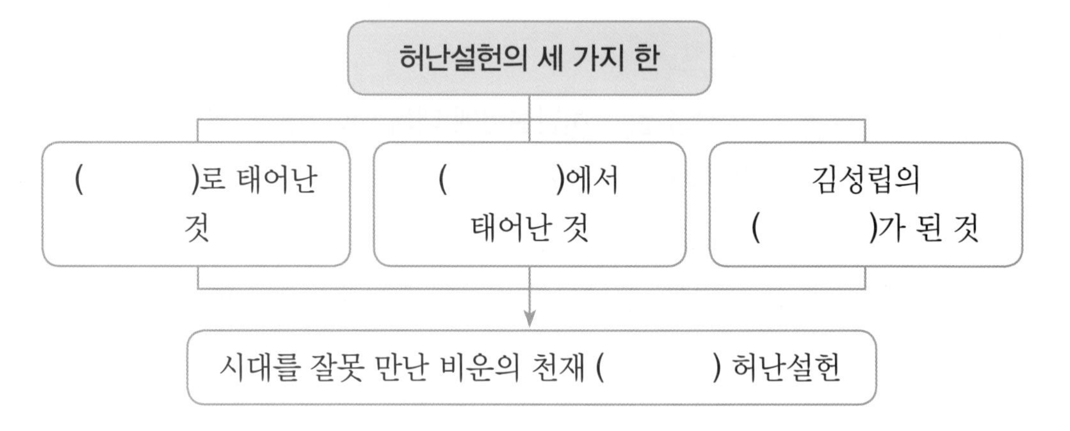

배경지식 우리나라의 여성 위인들

우리 민족 최초의 여왕으로, 삼국통일의 기초를 닦음.

남성 중심 사회에서 뛰어난 예술적 재능을 발휘함.

시를 짓는 것에 천재적인 재능을 보임.

일제 강점기의 독립운동가로, 3·1 운동에서 활약함.

오늘의 어휘

다음 낱말의 알맞은 뜻을 찾아 선으로 이으세요.

영특한 •	• 뛰어나고 훌륭한 사람.
열등감 •	• 남달리 뛰어나고 훌륭한.
몰락 •	• 오랫동안 없어지지 않는 억울하고 안타까운 감정.
한 •	• 재물이나 세력이 점점 줄어서 약해져 보잘것없이 됨.
위인 •	• 자기를 남보다 못하거나 가치 없는 인간으로 낮추어 평가하는 감정.

1 다음 문장의 빈칸에 들어갈 알맞은 말을 오늘의 어휘 에서 찾아 쓰세요.

- 그에게는 귀엽고 [   ] 딸이 하나 있다.
- 거듭되는 사업의 실패로 집안이 [   ]했다.
- 외모에 대한 [   ]은 성격에도 영향을 미친다.
- 여자가 [   ]을 품으면 오뉴월에도 서리가 내린다.
- 이순신 장군은 위기에 빠진 나라를 구한 [   ]이다.

2 다음 글에서 밑줄 친 말과 뜻이 반대되는 말을 찾아 두 글자로 쓰세요.

> 삼국 통일 후 평화롭게 번영하던 신라가 결국 몰락하게 된 것은 왕족들이 백성의 어려움에는 관심을 두지 않고 왕위를 차지하기 위해 다투었기 때문이다. 그리고 귀족들은 자신들의 재산을 늘리려는 욕심만 채우기에 바빴다.

(   )

빙하가 녹는 원인, ㉠

KEY WORD
빙하

글자 수
749
400 600 800 1000

1 빙하는 아주 오랜 기간 동안 쌓인 눈이 얼음덩어리로 변한 것을 말한다. 남극과 북극의 빙하가 녹으면서 지구의 **평균 해수면**이 1901년보다 약 20cm **상승**했다. 이런 속도라면 2100년까지 약 28~101cm 정도 더 상승하게 될 것이라고 한다.

2 빙하가 녹는 주된 원인은 지구 온난화 현상 때문이다. 지구 온난화 현상이란 석탄이나 석유를 태울 때 나오는 엄청난 양의 이산화 탄소가 하늘을 덮어, 지구를 거대한 **온실**로 만들어 점점 더워지게 하는 것이다. 특히 지구에서 온도가 가장 많이 올라가는 곳은 북극과 남극 지방이다. 남극의 평균 기온은 지난 50년 동안 약 3℃ 정도 상승하였고, 북극도 빙하의 두께가 훨씬 얇아졌다고 한다.

3 지구 온난화가 계속되면 이처럼 빙하가 녹아내리게 되고, 이는 해수면을 상승시키는 요인이 된다. 과학자들은 극지방의 빙하가 모두 녹으면 전 세계의 해수면이 무려 70m나 높아질 것으로 **분석**하고 있다. 서울의 평균 높이가 50m이므로 빙하가 모두 녹는다면 서울은 바다가 된다. 이와 같이 해수면 상승은 국토의 평균 높이가 낮은 나라에게는 나라의 **운명**이 걸린 심각한 문제이다. 작은 섬나라인 남태평양의 투발루는 이미 몇몇 섬이 바닷속으로 사라졌고, 주민들은 바닷물을 피해 뉴질랜드로 이주하고 있다.

4 빙하를 녹게 하는 지구 온난화의 주된 원인은 우리가 **배출**한 이산화 탄소이다. 따라서 지구의 위기를 극복하기 위해서는 ㉡<u>이산화 탄소 배출을 줄이는 일에 개인적·국가적·세계적으로 적극적인 노력을 기울이는 것이 필요하다.</u>

- **평균**(平 평평할 평, 均 고를 균) 여러 개의 수치의 합을 그 여럿으로 나눈 결과.
- **해수면**(海 바다 해, 水 물 수, 面 표면 면) 바닷물의 가장 윗부분.
- **상승**(上 위 상, 昇 오를 승) 낮은 데서 위로 올라감.
- **온실**(溫 따뜻할 온, 室 집 실) 빛, 온도, 습도 등을 조절하여 각종 식물을 심어 가꾸는 것을 자유롭게 하는 구조물.
- **분석**(分 나눌 분, 析 가를 석) 얽혀 있거나 복잡한 것을 풀어서 하나씩 따로 나눔.
- **운명**(運 옮길 운, 命 목숨 명) 앞으로의 삶과 죽음 또는 계속됨과 없어짐에 관한 처지.
- **배출**(排 밀칠 배, 出 날 출) 안에서 밖으로 밀어 내보냄.

제목

1 **이 글의 제목으로 어울리도록 ㉠에 들어갈 알맞은 말을 다섯 글자로 쓰세요.**

(　　　　　　　　)

내용 이해

2 **다음 ㉮~㉱를 원인과 결과의 순서에 맞게 기호를 쓰세요.**

㉮ 지구 온난화	㉯ 해수면 상승
㉰ 녹아내리는 빙하	㉱ 이산화 탄소 배출

(　　　) → (　　　) → (　　　) → (　　　)

추론하기

3 **이 글을 통해 답을 알 수 있는 질문이 아닌 것은 무엇인가요? (　　　)**

① 지구 온난화란 무엇인가요?
② 빙하가 녹았다가 다시 얼었던 경우가 있었나요?
③ 극지방의 빙하가 모두 녹게 되면 어떻게 되나요?
④ 지구에서 온도가 가장 많이 올라가는 곳은 어디인가요?
⑤ 남극의 평균 기온은 지난 50년 동안 몇 도 정도 올라갔나요?

적용하기

4 **다음은 ㉡을 이해한 친구들의 대화입니다. 알맞게 말한 친구는 누구인가요?**

(　　　)

① 준희: 국가적으로 해결할 일이니까 우린 나서지 않아도 돼.
② 힘찬: 산업을 발전시키기 위해서 이산화 탄소 배출은 어쩔 수 없어.
③ 소원: 우리나라는 해수면이 상승해도 일부만 잠길 테니 정말 다행이야.
④ 하윤: 빙하가 녹는 확실한 이유가 나올 때까지 별로 걱정할 필요는 없어.
⑤ 도영: 모두에게 닥칠 위기니까 나부터 일상생활에서 이산화 탄소 배출을 줄여야 해.

지문 분석

정답과 해설 37쪽

1 정보 확인 **다음 빈칸을 채워 이 글의 내용을 정리해 보세요.**

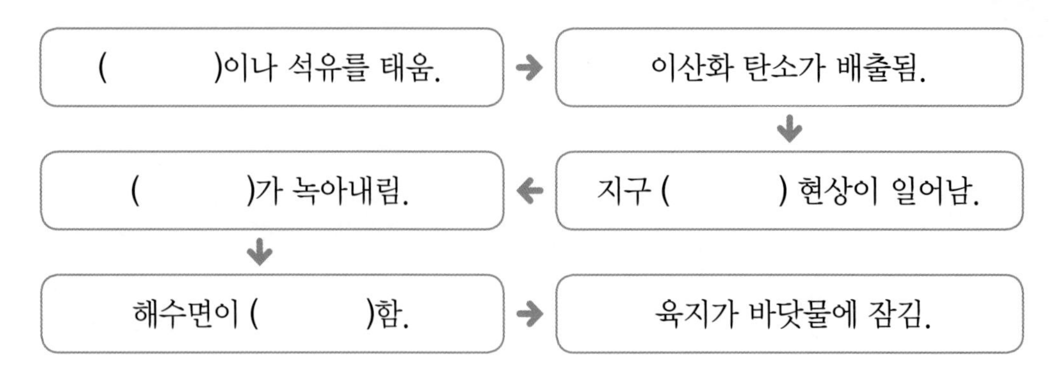

2 문단 요약 **각 문단의 중심 내용을 알맞게 선으로 이으세요.**

1문단 •	• 빙하의 뜻과 해수면 상승
2문단 •	• 빙하가 녹으면 발생하는 문제점
3문단 •	• 빙하가 녹는 원인인 지구 온난화
4문단 •	• 지구 온난화를 막기 위한 노력의 필요성

배경지식 빙하의 종류

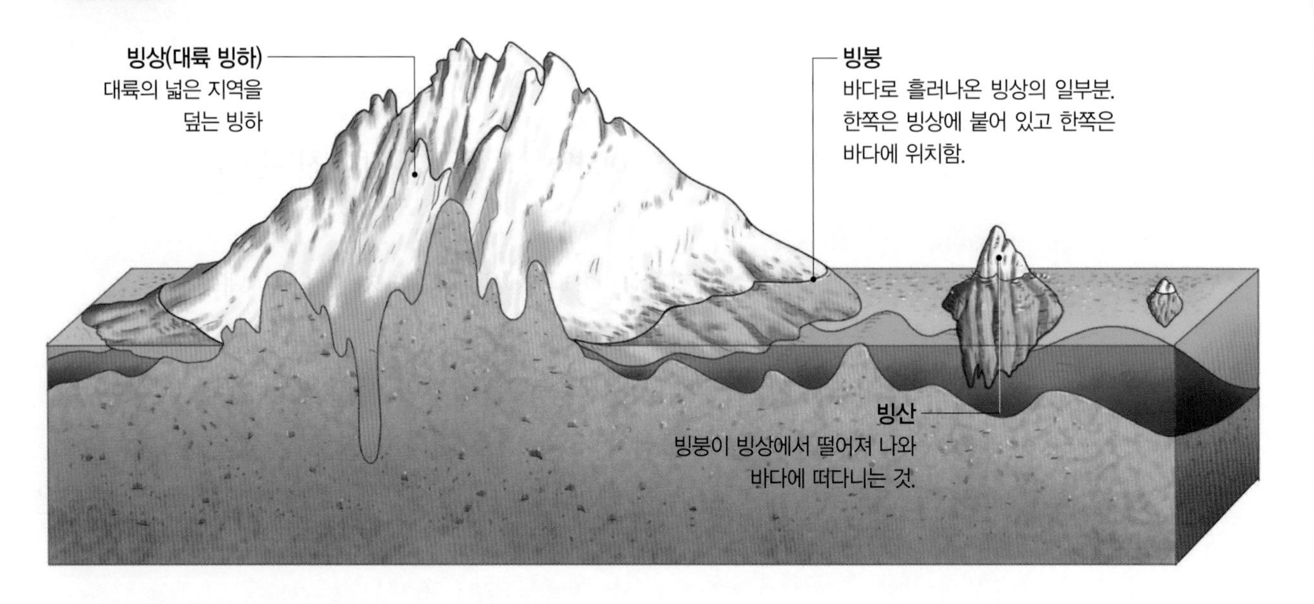

오늘의 어휘

다음 낱말의 알맞은 뜻을 찾아 선으로 이으세요.

평균 •	• 바닷물의 가장 윗부분.
해수면 •	• 안에서 밖으로 밀어 내보냄.
분석 •	• 여러 개의 수치의 합을 그 여럿으로 나눈 결과.
운명 •	• 얽혀 있거나 복잡한 것을 풀어서 하나씩 따로 나눔.
배출 •	• 앞으로의 삶과 죽음 또는 계속됨과 없어짐에 관한 처지.

1 다음 문장의 빈칸에 들어갈 알맞은 말을 오늘의 어휘 에서 찾아 쓰세요.

- 이 일에 국가의 [ ]이 걸려 있다.
- [ ]이 상승하여 해안 지역이 물에 잠겼다.
- 문제를 해결하기 위해 그 원인부터 [ ]하였다.
- 내 키는 초등학교 3학년 여자아이의 [ ] 키보다 크다.
- 쓰레기는 정해진 요일과 [ ] 장소에 맞게 내놓아야 한다.

2 다음 글에서 밑줄 친 말과 뜻이 반대되는 말을 찾아 두 글자로 쓰세요.

사람도 일정한 간격으로 건강 검진을 받듯이 자동차도 일정한 시기마다 점검을 받아야 한다. 고장난 곳은 없는지, 오염 가스를 너무 많이 배출하지는 않는지 엔진과 부속품 등을 꼼꼼하게 분석하여 검사한다. 검사 결과를 종합적으로 살펴보았을 때 일정한 기준을 통과한 자동차는 안전하게 타고 다닐 수 있다.

( )

KEY WORD

태양열 에너지

글자 수

태양열 에너지의 특징과 전망

1 요즘은 지붕 위에 커다란 **집열판**을 달고 태양열을 에너지로 이용하는 주택들을 쉽게 볼 수 있다. 태양열 에너지란 태양으로부터 지구에 오는 열을 이용하는 에너지를 말한다.

2 태양열 에너지가 주로 이용되는 곳은 난방과 온수이다. 태양열을 한곳에 모아서 얻은 뜨거운 열로 물을 끓여서 난방 및 **급탕** 시스템으로 활용할 수 있다. 또한 태양열로 물을 끓일 때 발생하는 높은 **압력**의 수증기를 이용하여 전기를 생산하기도 한다. 가정에서는 태양열 에너지를 주로 난방과 온수에 활용하고, 산업 현장에서는 공장이나 발전소를 움직이는 데 필요한 전기 에너지로 활용한다.

3 ㉠태양열 에너지의 장점은 첫째, 태양이 지구에 열을 보내 주는 한 무한히 사용할 수 있는 **에너지원**이라는 점이다. 둘째, 태양열 에너지는 기존의 **화석 연료**와 달리 이산화 탄소의 배출이 없어서 대기 오염을 일으키지 않는다. 특히 산업 **폐기물**이 발생하지 않기 때문에 친환경 에너지 자원에 속한다. 셋째, 태양열 에너지를 얻을 수 있는 지역의 **제한**이 적고, 다양한 활용이 가능하다.

4 이러한 장점에도 불구하고 태양열 에너지 기술은 아직 극복해야 할 과제가 많이 남아 있다. 첫째, 초기에 시설을 설치하는 데 비용이 많이 드는 것에 비해 에너지 효율이 떨어진다. 둘째, 흐린 날이나 밤에는 태양열이 생산되지 않는다. 그럼에도 친환경적인 태양열 에너지에 대한 연구와 기술 개발은 계속되고 있다. 따라서 머지않아 태양열 에너지는 우리에게 가장 중요한 자원 중 하나가 될 가능성이 높다.

- **집열판**(集 모을 집, 熱 더울 열, 板 널빤지 판) 태양열을 흡수하여 에너지로 전환하는 판.
- **급탕**(給 줄 급, 湯 끓일 탕) 뜨거운 물을 공급함.
- **압력**(壓 누를 압, 力 힘 력) 누르는 힘.
- **에너지원** 에너지의 근원.
- **화석 연료**(化 될 화, 石 돌 석, 燃 탈 연, 料 헤아릴 료) 과거에 생물이 땅속에 묻혀 화석같이 굳어져 오늘날 연료로 이용하는 물질.
- **폐기물**(廢 버릴 폐, 棄 버릴 기, 物 만물 물) 못 쓰게 되어 버리는 물건.
- **제한**(制 억제할 제, 限 한계 한) 일정한 한도를 정하거나 그 한도를 넘지 못하게 막음. 또는 그렇게 정한 한계.

지문 독해

설명 대상

1 이 글은 무엇에 대해 쓴 글인지 찾아 여섯 글자로 쓰세요.

( )

내용 이해

2 이 글을 통해 알 수 있는 내용을 모두 찾아 ○표를 하세요.

(1) 화석 연료의 활용 사례 ( )

(2) 태양열 에너지에 대한 전망 ( )

(3) 태양열 에너지의 기술적 과제 ( )

(4) 태양열 에너지와 태양광 에너지의 비교 ( )

내용 이해

3 ㉠에 대한 설명으로 알맞은 것은 무엇인가요? ( )

① 에너지 효율이 높다.

② 초기 설치 비용이 적게 든다.

③ 무한히 사용할 수 있는 에너지원이다.

④ 1년 365일 내내 전기를 생산할 수 있다.

⑤ 화석 연료와 마찬가지로 친환경 에너지 자원에 속한다.

추론하기

4 이 글을 읽고 나서 할 수 있는 질문으로 알맞은 것은 무엇인가요? ( )

① 태양열 에너지란 무엇을 의미하나요?

② 태양열 에너지가 주로 이용되는 곳은 어디인가요?

③ 태양열 에너지는 산업용으로도 이용이 가능한가요?

④ 태양열 에너지는 언제부터 사람들에게 주목받기 시작했나요?

⑤ 태양열 에너지 기술이 앞으로 극복해야 할 것은 무엇인가요?

지문 분석

정답과 해설 38쪽

1 문단 요약 다음 질문의 답을 찾을 수 있는 문단을 찾아 선으로 이으세요.

태양열 에너지의 뜻은 무엇인가요? •	• 1 문단
태양열 에너지의 전망은 어떠한가요? •	• 2 문단
태양열 에너지는 어떻게 활용되나요? •	• 3 문단
태양열 에너지가 화석 연료에 비해 좋은 점은 무엇인가요? •	• 4 문단

2 글의 구조 다음 빈칸을 채워 이 글의 내용을 정리해 보세요.

태양열 에너지

장점	극복해야 할 과제
• ( )히 사용할 수 있음. • 이산화 탄소의 배출이 없어서 대기 오염을 일으키지 않음. • 얻을 수 있는 지역의 제한이 적고, 다양한 ( )이 가능함.	• 초기 설치 ( )이 많이 드는 것에 비해 에너지 ( )이 떨어짐. • 흐린 날이나 ( )에는 생산되지 않음.

배경지식 태양열 에너지의 원리

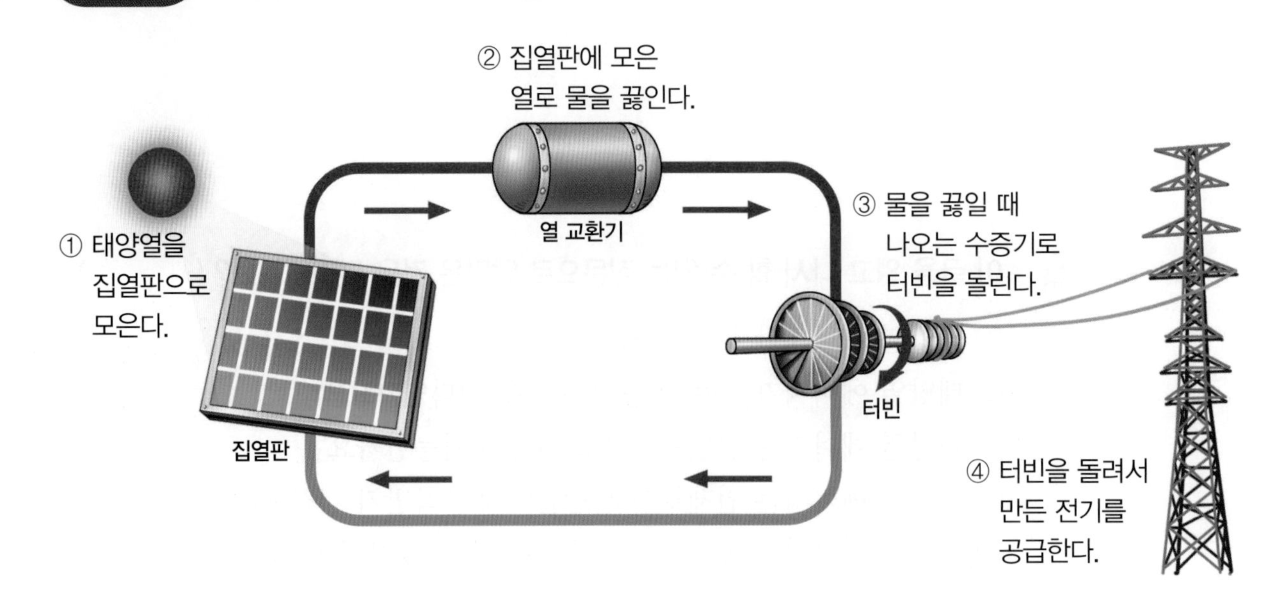

오늘의 어휘

다음 낱말의 알맞은 뜻을 찾아 선으로 이으세요.

급탕 •	• 누르는 힘.
압력 •	• 에너지의 근원.
에너지원 •	• 뜨거운 물을 공급함.
폐기물 •	• 못 쓰게 되어 버리는 물건.
제한 •	• 일정한 한도를 정하거나 그 한도를 넘지 못하게 막음. 또는 그렇게 정한 한계.

1 다음 문장의 빈칸에 들어갈 알맞은 말을 오늘의 어휘 에서 찾아 쓰세요.

- 이 영화는 관람 나이에 [　　　　] 을 두었다.
- 화석 연료를 대체할 [　　　　] 을 개발해야 한다.
- 밥솥은 크게 [　　　　] 밥솥과 보온 밥솥으로 분류된다.
- 이 집은 [　　　　] 시설이 좋아서 따뜻한 물이 잘 나온다.
- 큰 가구를 버릴 때는 대형 [　　　　] 스티커를 붙여야 한다.

2 다음 글에서 밑줄 친 말과 뜻이 비슷한 말을 찾아 세 글자로 쓰세요.

외식을 하는 대신 집에서 음식을 배달해서 먹는 사람들이 많아졌다. 그러다 보니 각종 포장재, 일회용 용기와 같은 폐기물의 양이 이전보다 급격하게 늘어났다. 넘쳐 나는 <u>쓰레기</u> 때문에 지구가 몸살을 앓고 있는 상황인 만큼, 일회용품 사용을 줄이고 좀 더 환경을 생각하는 소비를 추구해야 한다.

(　　　　　　　　)

KEY WORD

해양 오염

글자 수

708

400 600 800 1000

해양 오염의 원인과 심각성

1 바다는 인간에게 아주 중요한 의미를 지닌다. 이렇게 소중한 우리의 바다가 현재 심각하게 **오염**이 되고 있다. ㉠**해양** 오염의 원인과 심각성에 대해 알아보자.

2 바다가 오염되는 것은 육지에서 사람들이 사용한 더러운 물이 바다로 흘러 들어가기 때문이다. 생활 **오수**와 공장 **폐수**도 결국에는 바다에 버려지고, 농촌에서 사용하는 농약이나 비료도 물에 섞여 바다로 흘러가서 바다를 오염시킨다.

3 해양 쓰레기도 해양 오염의 원인이다. 플라스틱, 금속, 목재, 비닐 등 바다로 유입된 각종 쓰레기들은 잘 썩지 않기 때문에 바다 생태계에 큰 위협이 되고 있다. 바다거북이 투명한 비닐 봉지를 먹이인 해파리로 착각해서 삼켰다가 죽기도 한다. 특히 인공적으로 작게 만든 **미세** 플라스틱은 바다 생물이 흡수한 다음 다시 인간에게 돌아올 수 있다는 점에서 우리에게도 큰 위협이 된다.

4 기름 **유출** 역시 바다를 심각하게 오염시키는 원인이다. 우리나라도 2007년 태안 앞바다에서 **유조선**이 해양 크레인과 부딪히며 기름이 유출된 사고가 발생하기도 했다. 바다에 기름이 유출되면 다시 원래의 바다로 돌아오기까지 100년 이상의 시간이 걸린다고 한다.

5 해양 오염은 바다 생태계는 물론 우리에게도 매우 심각한 문제이다. 그러므로 ㉡더 이상 바다가 오염되지 않도록 **예방**하는 일에 나부터 참여하는 것이 중요하다. 일회용품 사용을 줄이고, 쓰레기를 함부로 버리지 않는 것만으로도 해양 오염을 막는 데 큰 도움이 될 수 있다.

- **오염**(汚 더러울 오, 染 물들일 염) 물, 공기, 흙 등이 더러워짐.
- **해양**(海 바다 해, 洋 큰 바다 양) 넓고 큰 바다.
- **오수**(汚 더러울 오, 水 물 수) 무엇을 씻거나 빨아서 더러워진 물.
- **폐수**(廢 버릴 폐, 水 물 수) 공장이나 광산 등지에서 쓰고 난 뒤에 버리는 물.
- **미세**(微 작을 미, 細 가늘 세) 알아보기 어려울 정도로 매우 가늘고 작음.
- **유출**(流 흐를 유, 出 날 출) 밖으로 흘러 나가거나 흘려 내보냄.
- **유조선**(油 기름 유, 槽 구유 조, 船 배 선) 석유를 담아 나르는 시설을 갖춘 큰 배.
- **예방**(豫 미리 예, 防 막을 방) 병이나 사고 같은 것이 생기지 않도록 미리 막는 일.

정답과 해설 39쪽

핵심어

1 이 글에서 가장 중심이 되는 말을 찾아 네 글자로 쓰세요.

( )

내용 이해

2 이 글을 통해 알 수 있는 내용을 모두 찾아 ○표를 하세요.

(1) 해양 쓰레기의 처리 방법 ( )
(2) 해양 오염이 인간에게 미치는 영향 ( )
(3) 해양 오염이 바다 생태계에 미치는 영향 ( )
(4) 오염된 바다를 다시 깨끗하게 만드는 데 드는 비용 ( )

추론하기

3 이 글의 내용으로 보아, ㉠의 예로 알맞지 않은 것은 무엇인가요? ( )

① 바다에 유출된 기름
② 수명이 다하여 죽은 바다 생물
③ 페트병이나 비닐봉지와 같은 일회용품
④ 공장에서 기름때를 세척하고 난 뒤 버려지는 물
⑤ 가정에서 빨래나 목욕을 하고 난 뒤 버려지는 물

적용하기

4 ㉡을 잘 실천하고 있지 못한 친구는 누구인가요? ( )

① 준: 되도록 플라스틱 용기는 사용하지 말아야겠어.
② 서현: 일회용 도시락은 꼭 집에 갖고 와서 버려야지.
③ 온우: 비싸도 농약을 사용하지 않고 키운 채소를 사 먹을래.
④ 윤산: 엄마께서 장 보러 가실 때 장바구니를 꼭 챙겨 드려야지.
⑤ 서인: 바닷가에 놀러 가서 함부로 쓰레기를 버리지 말아야겠어.

지문 분석

정답과 해설 39쪽

1 문단 요약 다음은 각 문단의 중심 내용을 정리한 것입니다. 문단의 순서대로 기호를 쓰세요.

㉮	기름 유출로 인한 해양 오염
㉯	해양 쓰레기로 인한 해양 오염
㉰	바다의 중요성과 해양 오염의 실태
㉱	해양 오염의 심각성과 예방의 중요성
㉲	사람들이 사용한 오염된 물로 인한 해양 오염

(　　　)→(　　　)→(　　　)→(　　　)→(　　　)

2 글의 구조 다음 빈칸을 채워 이 글의 내용을 정리해 보세요.

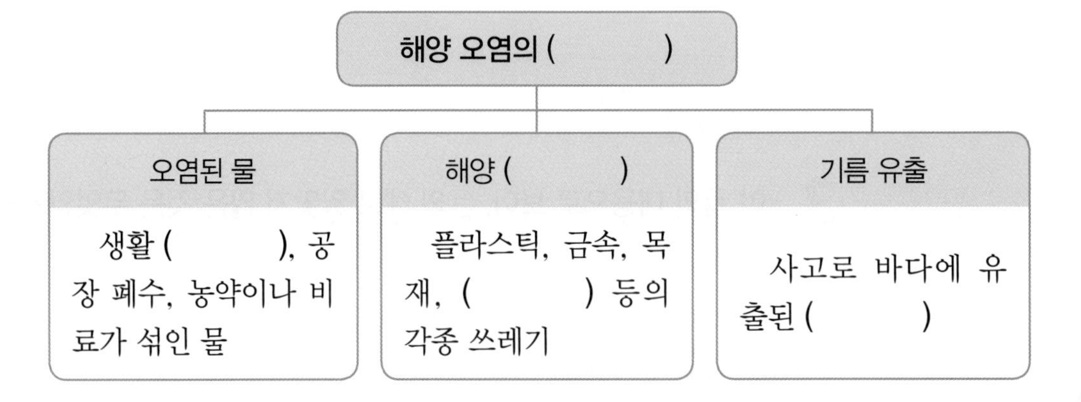

배경지식 미세 플라스틱이 우리 몸에 들어오기까지의 과정

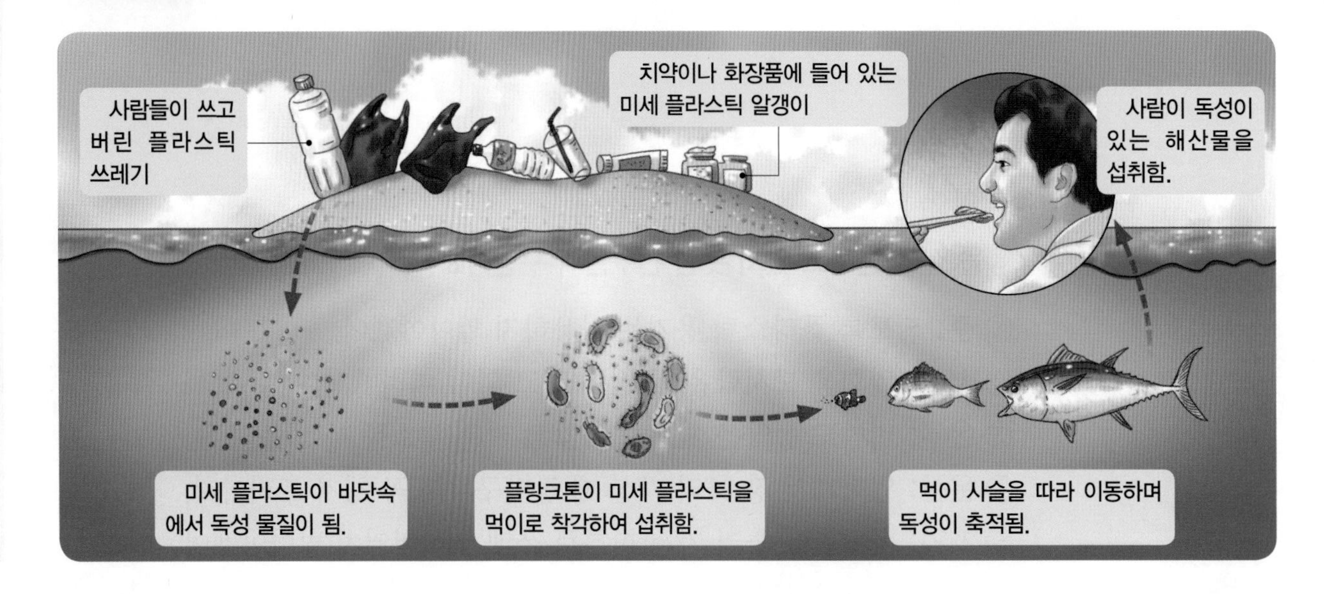

오늘의 어휘

다음 낱말의 알맞은 뜻을 찾아 선으로 이으세요.

오염 •	• 물, 공기, 흙 등이 더러워짐.
폐수 •	• 밖으로 흘러 나가거나 흘려 내보냄.
미세 •	• 알아보기 어려울 정도로 매우 가늘고 작음.
유출 •	• 공장이나 광산 등지에서 쓰고 난 뒤에 버리는 물.
예방 •	• 병이나 사고 같은 것이 생기지 않도록 미리 막는 일.

1 다음 문장의 빈칸에 들어갈 알맞은 말을 오늘의 어휘 에서 찾아 쓰세요.

- 이 강은 수질 [　　　　]이 심각한 상태이다.
- 산업 [　　　　]를 강에 몰래 버리면 벌금을 내야 한다.
- 공기 중의 [　　　　] 먼지 때문에 호흡기 질환이 생겼다.
- 기름 [　　　　] 사고로 엉망이 된 바다를 복구하고 있다.
- 감염병에 걸리지 않으려면 미리 [　　　　] 접종을 해야 한다.

2 다음 글에서 밑줄 친 말과 뜻이 반대되는 말을 찾아 두 글자로 쓰세요.

공장에서는 산업 폐수를 정화하는 시설을 반드시 갖추어야 한다. 만약 정화 시설을 제대로 갖추지 않고 폐수를 그대로 강으로 유출한다면 심각한 수질 오염을 일으키게 된다. 그렇게 오염된 강물이 바다에 유입될 경우 바다 생태계뿐 아니라 인간에게도 큰 위험이 될 수 있다.

(　　　　　　　　)

KEY WORD

업사이클

글자 수

831

400 600 800 1000

업사이클의 활용 분야와 의의

1 지구의 환경을 보호하기 위한 소비와 **친환경** 제품에 대한 관심이 높아지면서 업사이클이 큰 **호응**을 받고 있다. 업사이클(upcycle)이란 '**개선**하다'라는 뜻의 업그레이드(upgrade)와 '다시 사용하다'라는 뜻의 리사이클(recycle)이 합쳐진 말이다. 즉 버려진 물건을 그대로 다시 사용하는 리사이클이 '재활용'의 개념이라면, 버려진 물건에 디자인이나 기술을 더해 새로운 물건으로 만들어 사용하는 업사이클은 '새활용'의 개념이라고 할 수 있다.

2 조금 불편하더라도 ㉠'착한 소비'를 **지향**하는 사람들이 많아지자 이런 소비자들을 대상으로 제품을 만들어 판매하는 업사이클 기업이 생겨났다. 스위스의 한 기업은 **방수성**이 좋은 버려진 트럭 덮개를 이용해 비에 젖지 않는 다양한 스타일의 가방을 만들어 판매하고 있다. 또한 미국의 한 기업이 사탕 포장지, 캔 뚜껑, 식품 **포장재** 등을 새롭게 활용하여 만든 핸드백도 인기가 좋다. 업사이클 기업들이 아니었다면 모두 쓰레기가 되어 버릴 물건들이 멋진 제품으로 다시 탄생한 것이다.

3 버려진 물건을 창의력과 상상력을 발휘하여 새로운 예술 작품으로 재탄생시키는 업사이클 예술도 있다. 미국의 사진작가 크리스 조던은 페트병과 음료수 캔을 모아 멋지게 **조합**해서 예술 작품을 탄생시켰다. 업사이클은 물건에 새로운 가치를 더한다는 점에서 예술이나 **창작**의 영역에서도 인간의 다양한 능력을 발휘할 수 있게 한다.

4 업사이클은 자원을 아끼고 환경을 보호하는 역할뿐 아니라, 창의력을 길러 주는 교육적인 역할도 한다. 특히 물건의 쓰임에 대해 살피고 고민하는 과정에서 주의력과 문제 해결력도 함께 길러 준다는 점에서 업사이클은 학생들에게 좋은 교육 활동이라고 할 수 있다.

- **친환경**(親 친할 친, 環 고리 환, 境 지경 경) 자연환경을 오염하지 않고 자연 그대로의 환경과 잘 어울리는 일.
- **호응**(呼 부를 호, 應 응할 응) 어떤 일에 긍정적으로 반응함.
- **개선**(改 고칠 개, 善 착할 선) 잘못된 것이나 부족한 것, 나쁜 것 등을 고쳐 더 좋게 만듦.
- **지향**(志 뜻 지, 向 향할 향) 어떤 목표로 뜻이 쏠리어 향함.
- **방수성**(防 막을 방, 水 물 수, 性 성질 성) 물이 스며들거나 새는 것을 막는 성질.
- **포장재**(包 쌀 포, 裝 꾸밀 장, 材 재목 재) 물건을 포장하는 데 쓰는 재료.
- **조합**(組 짤 조, 合 합할 합) 여럿을 한데 모아 한 덩어리로 짬.
- **창작**(創 처음 창, 作 지을 작) 처음으로 만들어 냄. 또는 그렇게 만들어 낸 물건.

핵심어

1 이 글에서 가장 중심이 되는 낱말은 무엇인가요? (　　　　)

① 소비　　② 재활용　　③ 업사이클
④ 리사이클　　⑤ 업그레이드

내용 이해

2 이 글을 통해 알 수 있는 내용을 모두 찾아 ○표를 하세요.

(1) 업사이클의 한계 (　　　)
(2) 업사이클의 교육적 의의 (　　　)
(3) 우리나라의 업사이클 기업 (　　　)
(4) 업사이클이 활용되는 분야 (　　　)

추론하기

3 ㉠의 예로 알맞지 않은 사람은 누구인가요? (　　　　)

① 물건을 살 때 재생 소재로 만든 제품을 사는 사람
② 비싸더라도 환경 보호에 앞장서는 기업의 제품을 사는 사람
③ 제품 포장이 불필요하게 많이 된 것은 아닌지 살펴보는 사람
④ 비닐봉지 대신 사용할 예쁜 장바구니를 여러 개 구입하는 사람
⑤ 제품을 생산하는 과정에서 환경을 오염시키지 않았는지 확인하는 사람

적용하기

4 다음 중 업사이클의 예로 볼 수 있는 것은 무엇인가요? (　　　　)

① 컴퓨터를 중고 거래를 통해 구입한 하영
② 낡은 청바지로 앞치마를 만들어 입은 정훈
③ 선풍기 대신에 부채를 만들어 사용하는 현서
④ 종이 상자나 폐지를 모아서 고물상에 파는 유정
⑤ 버려진 페트병을 주워 와서 쌀을 담아 보관하는 도윤

지문 분석

정답과 해설 40쪽

1 문단 요약 **각 문단의 중심 내용으로 알맞은 것에 ○표, 틀린 것에 ×표를 하세요.**

1문단	업사이클은 버려진 물건을 재활용하는 것이다.	( )
2문단	업사이클 제품을 만들어 판매하는 기업이 있다.	( )
3문단	업사이클이 예술 분야에 활용되기도 한다.	( )
4문단	학생들도 자원을 아끼고 보호해야 한다.	( )

2 글의 구조 **다음 빈칸을 채워 이 글의 내용을 정리해 보세요.**

업사이클

활용 분야	의의
• 업사이클 ( ): 업사이클 제품을 만들어 판매함. • 업사이클 ( ): 버려진 물건을 예술 작품으로 만듦.	• 자원을 아끼고 ( )을 보호함. • ( ), 주의력, 문제 해결력을 길러 줌.

배경지식 **환경을 생각하는 친환경 포장재의 종류**

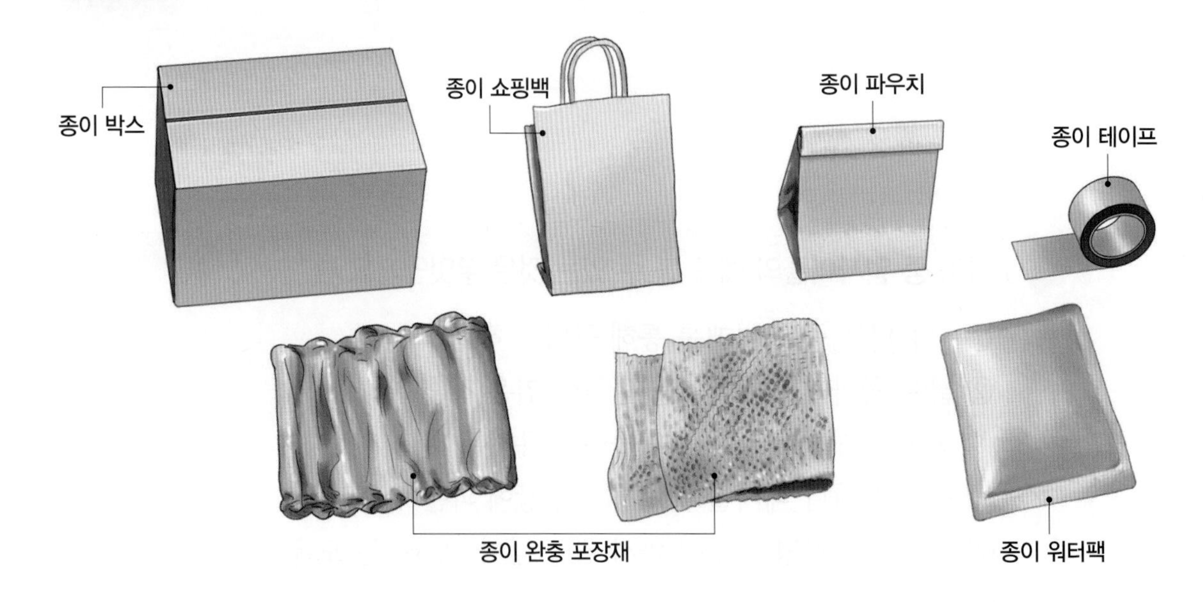

오늘의 어휘

다음 낱말의 알맞은 뜻을 찾아 선으로 이으세요.

친환경 •	• 어떤 일에 긍정적으로 반응함.
호응 •	• 물건을 포장하는 데 쓰는 재료.
방수성 •	• 물이 스며들거나 새는 것을 막는 성질.
포장재 •	• 처음으로 만들어 냄. 또는 그렇게 만들어 낸 물건.
창작 •	• 자연환경을 오염하지 않고 자연 그대로의 환경과 잘 어울리는 일.

1 다음 문장의 빈칸에 들어갈 알맞은 말을 오늘의 어휘 에서 찾아 쓰세요.

- 태양열 에너지는 [　　　　]적인 자원이다.
- 우비나 우산을 만드는 재료는 [　　　　]이 좋아야 한다.
- 환경 보호를 위해 불필요한 [　　　　]를 줄일 필요가 있다.
- 가격이 싸고 품질이 좋은 제품은 소비자의 [　　　　]이 높다.
- 이 작품은 다른 작품을 모방한 것이 아니라 [　　　　]한 것이다.

2 다음 글에서 밑줄 친 말들을 모두 포함하는 말을 찾아 세 글자로 쓰세요.

포장재는 제품이나 물건을 쉽게 옮기거나 보호하려는 목적으로 사용된다. 처음 물건을 포장한 것을 1차 포장이라 하면, 1차 포장된 물건 여러 개를 묶어 한 번 더 포장한 것을 2차 포장이라 한다. 2차 포장재로 사용된 비닐, 상자, 포장지 등은 포장을 벗기자마자 쓰레기가 된다는 점에서 꼭 필요한 것인지 고민이 필요하다.

(　　　　　　　　)

오늘의 어휘 찾아보기

바른 독해의 **빠**른시**작**

정답과 해설

초등 국어

비문학 독해 3단계

3·4학년

동아출판

- **글의 종류** 설명하는 글
- **글의 특징** 잘못된 높임 표현을 구체적인 예를 들어 설명하는 글입니다.
- **글의 주제** 잘못된 높임 표현의 사례와 올바른 높임 표현의 중요성

013쪽 지문 독해

1 높임 표현 **2** (1) ○ (2) ○ **3** ② **4** ①

1 이 글은 잘못된 높임 표현의 사례를 들어 올바른 높임 표현을 설명하는 글이므로 중심이 되는 말은 '높임 표현'입니다.

2 (1) 학급 회의와 같이 듣는 사람이 여럿인 공적 말하기 상황에서는 높임말을 사용해야 합니다.
(2) 높여야 할 '할머니'를 높이지 않아서 말하는 사람이 버릇없다는 느낌을 줄 수 있습니다.

오답 풀이

(3) '이 옷은 2만원이세요.'는 '옷'이라는 물건을 높인 잘못된 높임 표현입니다. 물건을 높인다고 말을 듣는 상대가 높아지는 것은 아닙니다.
(4) '현정아, 선생님이 오시래.'는 '현정아, 선생님께서 오라셔(오라고 하셔).'로 고쳐야 적절합니다.

3 보기 의 문장은 높이지 않아도 되는 물건인 '가방'을 높이고 있기 때문에 잘못된 높임 표현입니다. '이 가방은 할인이 안 되는 제품입니다.'로 바꿔 말해야 합니다.

4 ①'어머니께서 뭐라셔?'에서 '뭐라셔'는 '뭐라고 하셔'의 줄임말입니다. 따라서 '어머니'를 높이는 알맞은 표현입니다.

오답 풀이

② '할아버지'를 높인 알맞은 표현은 '할아버지께서'입니다.
③ '상품'과 같은 물건을 높이면 안 됩니다.(→ 그 상품은 품절입니다.)
④ '할머니'를 높이지 않았습니다.(→ 저도 할머니께 선물을 드릴 거예요.)
⑤ 듣는 사람이 여럿인 공적 말하기 상황에서는 높임말을 사용해야 합니다.(→ 저는 책 읽기를 좋아합니다.)

유형 분석/적용하기

이 글에 제시된 잘못된 높임 표현의 사례를 이와 유사한 다른 사례에 적용해 보는 문제입니다. 글에서 설명한 내용을 파악하면서 알맞은 높임 표현을 생각해 봅니다.

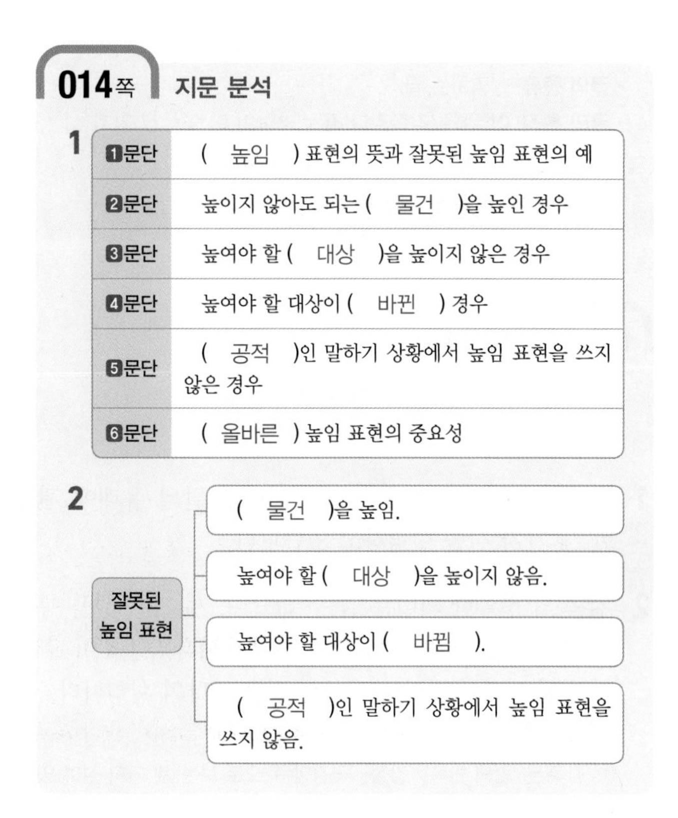

014쪽 지문 분석

1

문단	내용
1문단	(높임) 표현의 뜻과 잘못된 높임 표현의 예
2문단	높이지 않아도 되는 (물건)을 높인 경우
3문단	높여야 할 (대상)을 높이지 않은 경우
4문단	높여야 할 대상이 (바뀐) 경우
5문단	(공적)인 말하기 상황에서 높임 표현을 쓰지 않은 경우
6문단	(올바른) 높임 표현의 중요성

2

잘못된 높임 표현
- (물건)을 높임.
- 높여야 할 (대상)을 높이지 않음.
- 높여야 할 대상이 (바뀜).
- (공적)인 말하기 상황에서 높임 표현을 쓰지 않음.

1 1문단에서는 높임 표현의 뜻과 잘못된 높임 표현의 예를 네 가지 제시하였고, 2~5문단에서는 각 예의 높임 표현이 잘못된 이유를 설명하였습니다. 6문단에서는 올바른 높임 표현을 사용해야 하는 이유를 강조하였습니다.

2 이 글에서는 잘못된 높임 표현에 대해 네 종류의 예를 들어 설명하고 있습니다.

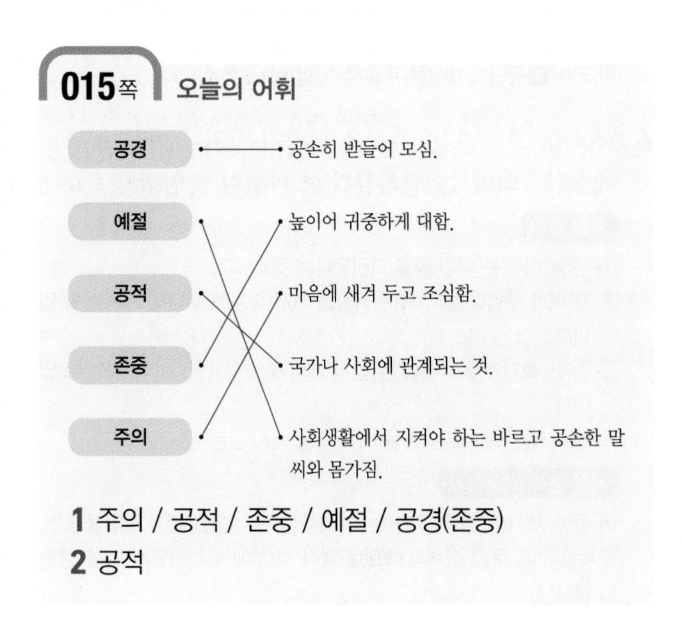

015쪽 오늘의 어휘

1 주의 / 공적 / 존중 / 예절 / 공경(존중)
2 공적

- **글의 종류** 설명하는 글
- **글의 특징** 이 글은 '감쪽같다'라는 낱말의 어원을 세 가지 설을 통해 설명하는 글입니다.
- **글의 주제** '감쪽같다'의 유래

017쪽 지문 독해

1 감쪽같다 **2** ② **3** ④ **4** ④

1 이 글은 '감쪽같다'에서 '감쪽'이라는 말의 유래에 관한 세 가지 설을 설명하고 있습니다.

2 '감쪽'의 정확한 의미는 알 수 없으며, 세 가지 설을 통해 그 유래를 짐작해 볼 수 있을 뿐입니다. '감쪽'이 '감의 반쪽'에서 생겨났다고 보는 것은 하나의 설입니다.

오답 풀이

① '감쪽'은 '감의 반쪽', '감접', '곶감의 쪽'으로 보는 세 가지 설이 있습니다.

③, ⑤ '감쪽'에 대한 세 가지 설의 공통점이 감과 관련된 것이라는 점에서 우리 조상이 감을 가까이 두고 즐겨 먹었다는 것을 알 수 있습니다.

④ ❶문단에서 '감쪽같다'는 '감쪽'과 '같다'가 합쳐진 낱말이라고 설명했습니다.

3 '감쪽같다'라는 말은 '일을 꾸미거나 물건을 고친 것을 전혀 알아챌 수 없다.'라는 뜻이므로, ④에서 예서는 '감쪽같다'를 바르게 사용하였습니다.

유형 분석/어휘·어법

제시된 글의 내용을 통해 '감쪽같다'라는 말의 의미를 파악한 후, 이를 알맞게 사용한 문장을 찾는 문제입니다. '감쪽같다'의 의미가 설명되어 있는 ❶문단의 내용을 주의 깊게 살펴보도록 합니다.

4 '귀신도 모르게'는 '흔적을 남기지 않거나 아무도 모르게.'라는 의미로, '감쪽같다'와 비슷한 뜻입니다.

오답 풀이

① '손을 떼다'는 하던 일을 그만둔다는 뜻입니다.

② '어깨가 무겁다'는 무거운 책임을 져서 마음에 부담이 크다는 뜻입니다.

③ '눈이 빠지게 기다리다'는 몹시 애타게 오랫동안 기다린다는 뜻입니다.

⑤ '발소리를 죽이다'는 걸을 때 소리를 내지 않는다는 뜻입니다.

유형 분석/적용하기

이 글에 제시된 '감쪽같다'라는 말의 의미와 비슷한 관용 표현을 찾는 문제입니다. 문장 전체의 의미(문맥적 의미)에 유의하면서 답을 생각해 봅니다.

018쪽 지문 분석

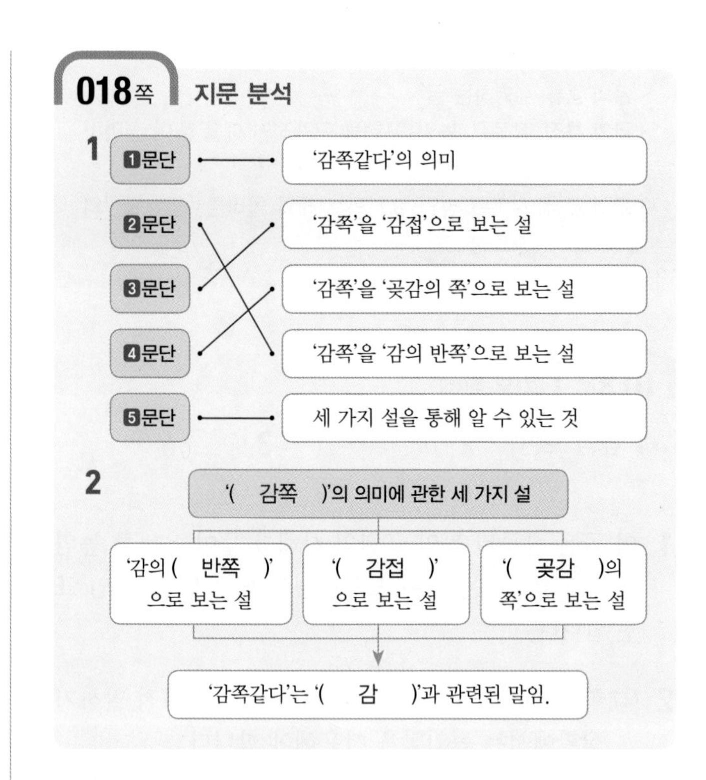

1 이 글은 ❶문단에서 '감쪽같다'의 의미를 설명하고, ❷~❹문단에서 '감쪽'의 유래에 관한 세 가지 설을 각각 설명하고 있습니다. 마지막으로 ❺문단에서 세 가지 설을 통해 알 수 있는 것을 정리하고 있습니다.

2 이 글은 '감쪽'이라는 말의 유래에 관한 세 가지 설을 설명하고 있습니다. 또한 세 가지 설을 바탕으로 '감쪽같다'가 '감'과 관련된 말임을 밝히고 있습니다.

019쪽 오늘의 어휘

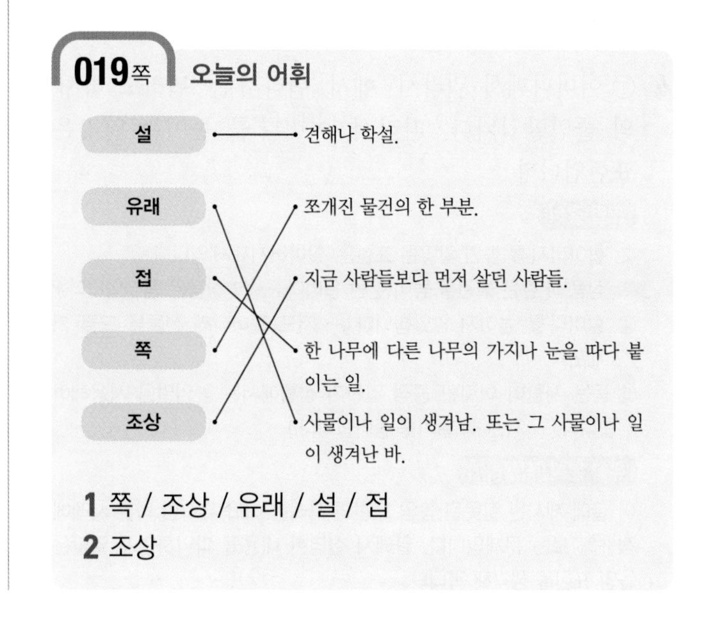

1 쪽 / 조상 / 유래 / 설 / 접

2 조상

- **글의 종류** 설명하는 글
- **글의 특징** 이 글은 훈민정음의 두 가지 의미와 네 가지 창제 정신을 설명하는 글입니다.
- **글의 주제** 훈민정음의 의미와 창제 정신

021쪽 지문 독해

1 ⑤ **2** (3) ○ (4) ○ **3** ③ **4** ②

1 이 글은 훈민정음의 의미와 창제 정신을 설명하는 글입니다.

2 (3) 한글의 창제일은 1443년 12월 30일입니다.(❶문단)

(4) 훈민정음은 '백성을 가르치는 바른 소리'라는 뜻의 우리 글자와, 『훈민정음해례본』이라는 책 이름을 의미합니다.(❷문단)

오답 풀이

(1) 훈민정음은 한자와는 전혀 다른 새로운 문자입니다.(❹문단)

(2) 한글의 원래 이름이 '훈민정음'입니다.(❶문단)

3 한자는 배우기가 어려워 당시에는 글을 모르는 백성이 많았습니다. 그로 인해 하고 싶은 말이 있어도 제대로 표현할 수 없었던 것입니다.

오답 풀이

① 세종 대왕이 백성이 한자를 몰라서 어려움을 겪는 것을 불쌍히 여겼다는 것에서 백성을 사랑하는 왕이었음을 알 수 있습니다.

② 우리나라의 말이 중국과 달라 한자와는 서로 통하지 않는다는 것에서 한자로 우리말을 제대로 표현하기에 부족했음을 알 수 있습니다.

④ 글을 모르면 억울한 일을 당할 수 있습니다.

⑤ 훈민정음이 창제되기 전에는 한자를 빌려 썼습니다.

유형 분석 / 추론하기

이 문제는 글의 내용을 통해 짐작할 수 있는 당시의 사회적 모습을 추론하는 문제입니다. 글의 내용이 근거가 되어야 하기 때문에 세부 내용을 잘 파악해야 합니다.

4 ㉡의 '자주'는 자기의 일을 스스로 결정하고 처리하는 것을 의미하는데, ㉣의 '자주'는 짧은 시기를 두고 되풀이한다는 의미입니다.

오답 풀이

① '창제'는 전에 없던 것을 처음으로 만든다는 뜻입니다.

③ '애민'은 백성을 사랑한다는 뜻입니다.

④ '창조'는 전에 없던 것을 처음으로 만든다는 뜻으로, '창제'와 그 의미가 비슷합니다.

⑤ '실용'은 실제로 쓰거나 쓸모가 있다는 뜻입니다.

022쪽 지문 분석

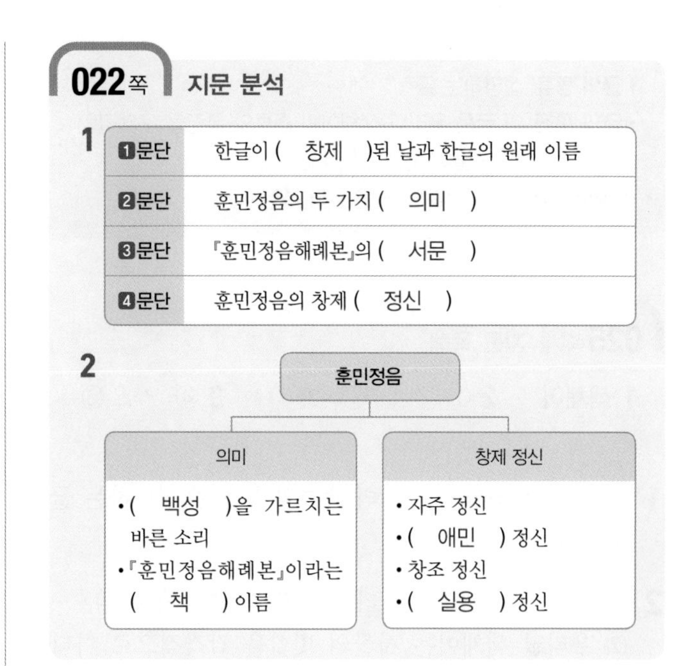

1

문단	내용
❶문단	한글이 (창제)된 날과 한글의 원래 이름
❷문단	훈민정음의 두 가지 (의미)
❸문단	『훈민정음해례본』의 (서문)
❹문단	훈민정음의 창제 (정신)

2

1 이 글의 ❶문단에서는 한글이 창제된 날과 창제 당시의 이름이 '훈민정음'임을 제시하고, ❷문단에서는 훈민정음의 두 가지 의미를 밝히고 있습니다. ❸문단에서는 『훈민정음해례본』의 서문을 소개하고, ❹문단에서는 이 서문에 담긴 네 가지의 창제 정신을 설명하고 있습니다.

2 이 글에서는 훈민정음의 의미 두 가지와 창제 정신 네 가지를 설명하고 있습니다. 빈칸에 알맞은 말을 써넣어 이 글의 내용을 정리해 봅니다.

023쪽 오늘의 어휘

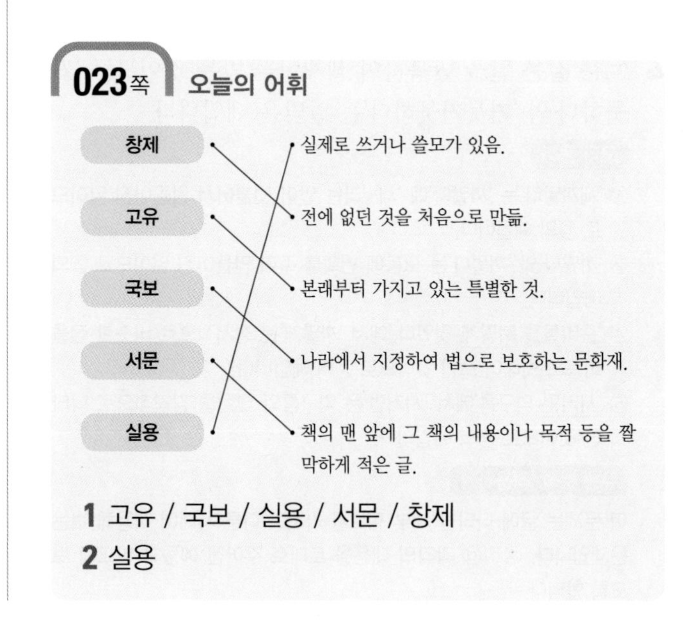

1 고유 / 국보 / 실용 / 서문 / 창제

2 실용

- **글의 종류** 설명하는 글
- **글의 특징** 이 글은 우리말 색채어의 종류와 특징을 구체적인 예를 들어 설명하는 글입니다.
- **글의 주제** 우리말 색채어의 종류와 특징

025쪽 지문 독해

1 색채어 **2** (1) ○ (2) ○ (3) ○ **3** ④ **4** ③

1 이 글은 우리말 색채어의 종류와 특징을 설명하는 글입니다.

2 (1) 색채어는 '색깔을 나타내는 말'입니다.(❶문단)
(2) 우리말 색채어는 사물의 빛깔을 감각적으로 나타내거나 사람의 감정이나 마음 상태를 표현할 때 사용되고, 정서적으로 비슷한 점을 이용해 빗대어 쓰이기도 합니다.(❸문단)
(3) 우리말 색채어의 기본 색상은 흰색, 검은색, 빨간색, 파란색, 노란색의 5가지입니다.(❶문단)

3 우리말이 색채어가 매우 발달한 것은 사실이지만, 모든 색상을 표현할 수 있다는 말은 적절하지 않습니다.

오답 풀이
① '새-'는 '아주 선명하고 짙은'의 의미를 가지므로, '빨갛다'보다 '새빨갛다'가 더 강한 느낌을 줍니다.
② ❹문단에 나와 있는 내용입니다.
③ ❷문단에서 색채어의 형태 변화를 통해 색의 느낌을 달리 표현할 수 있다고 하였습니다.
⑤ ❶문단에 나와 있는 내용입니다.

4 ㉢은 같은 말을 반복하여 색채어를 만든 것이므로 '거뭇하다'와 '거뭇거뭇하다'는 알맞은 예입니다.

오답 풀이
① '새까맣다'는 '까맣다'에 '새-'라는 말이 덧붙어서 만들어진 말이므로 ㉡의 예입니다.
② '까맣다'와 '꺼멓다'는 모음에 변화를 주어 만들어진 말이므로 ㉠의 예입니다.
④ '준비물을 까맣게 잊었다.'에서 '까맣게'는 정서적으로 비슷한 점을 이용해 빗대어 쓰인 것이므로 ㉤의 예입니다.
⑤ '시커먼 먹구름'에서 '시커먼'은 먹구름의 빛깔을 감각적으로 나타낸 것이므로 ㉣의 예입니다.

유형 분석/적용하기
이 문제는 글에 나타난 세부 정보를 가지고 다른 사례에 적용해 보는 문제입니다. ㉠~㉤ 각각의 내용을 토대로 주어진 예들과 비교해 보도록 합니다.

026쪽 지문 분석

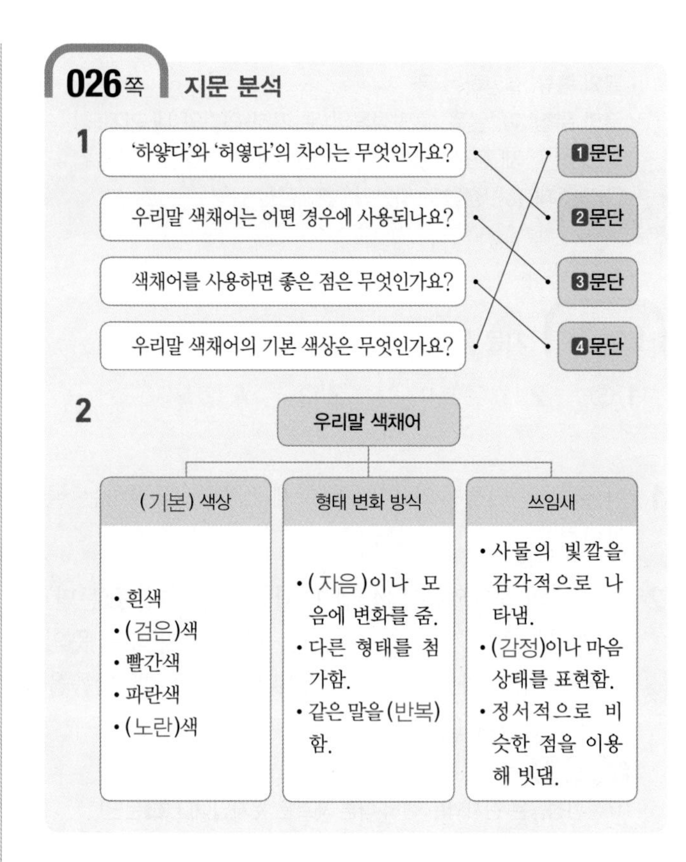

1 ❶문단에서는 색채어의 의미와 우리말 색채어의 기본 색상 5가지를 제시하고, ❷문단에서는 색채어의 다양한 형태가 만들어지는 방식을, ❸문단에서는 색채어의 쓰임새를 설명하고 있습니다. ❹문단에서는 색채어를 사용했을 때의 좋은 점을 언급하고 있습니다.

2 이 글에서는 우리말 색채어의 기본 색상 5가지를 소개한 후, 다양한 형태 변화 방식과 쓰임새를 설명하고 있습니다.

027쪽 오늘의 어휘

- 한계 — 사물이나 능력, 책임 등이 실제 작용할 수 있는 범위.
- 첨가 — 이미 있는 것에 덧붙이거나 보탬.
- 감각적 — 눈, 코, 귀, 혀, 살갗을 통하여 바깥의 어떤 자극을 알아차리는 것.
- 정서적 — 어떤 감정을 불러일으키는 것.
- 빗대어 — 곧바로 말하지 않고 빙 둘러서 말하여.

1 감각적(정서적) / 첨가 / 빗대어 / 정서적 / 한계
2 첨가

- **글의 종류** 설명하는 글
- **글의 특징** 이 글은 세계 4대 문명이 탄생하게 된 공통적인 조건을 통해 문명이 발생한 요인을 설명하는 글입니다.
- **글의 주제** 고대 문명이 발생할 수 있었던 요인

029쪽 지문 독해

1 고대 문명의 발생 요인 **2** (1)-㉣ (2)-㉮ (3)-㉰ (4)-㉯ **3** ① **4** ②

1 이 글은 세계 4대 문명의 발생 요인들을 각각 설명하여, 고대 문명이 발생할 수 있었던 공통적인 요인을 이끌어 내고 있습니다. 따라서 이 글의 중심 내용은 '고대 문명의 발생 요인'입니다.

2 메소포타미아 문명은 티그리스강과 유프라테스강, 이집트 문명은 나일강, 인도 문명은 인더스강, 중국 문명은 황허강을 중심으로 생겨났습니다.

3 ❷문단에서 가장 처음 발생한 문명이 메소포타미아 문명이라고 하였습니다. 그러나 가장 마지막에 발생한 문명은 이 글에 제시되지 않았습니다.

오답 풀이
② 4대 문명의 공통적인 발생 요인은 '강'입니다.(❻문단)
③ 중국 황허강이 노란색을 띠는 이유는 사막을 지나면서 진흙과 모래가 섞였기 때문입니다.(❺문단)
④ 강 주변에 비옥한 토양과 풍부한 먹을거리가 있었기 때문입니다.
⑤ 강에서 물과 먹을거리를 쉽게 구할 수 있기 때문입니다.

4 이 글은 고대 문명이 발생한 네 개 지역 모두 강을 중심으로 발생했음을 설명하고 있습니다. 마찬가지로 보기 의 청동기 문명 역시 대동강을 중심으로 발생했기 때문에 ②와 같은 반응은 적절합니다.

오답 풀이
① 보기 에서 청동기 문명은 고조선이 건국된 이후 널리 퍼졌다고 하였습니다.
③ 보기 에 나와 있는 내용이 아닙니다.
④ 한반도의 문명도 다른 문명들처럼 강을 중심으로 발생했습니다.
⑤ 이 글과 관련된 내용이 아닙니다.

유형 분석/적용하기
제시된 글을 읽고 다른 사례에 적용하는 문제입니다. 이 문제는 보기 의 내용뿐 아니라 주어진 글의 중심 생각을 파악하는 것이 무척 중요합니다. 글의 중심 생각을 바탕으로 보기 를 이해해 보도록 합니다.

030쪽 지문 분석

1

❶문단	세계 4대 (문명)이 발생한 지역
❷문단	메소포타미아 문명의 발생 요인
❸문단	(이집트) 문명의 발생 요인
❹문단	인도 문명의 발생 요인
❺문단	(중국) 문명의 발생 요인
❻문단	문명을 발생시킨 공통적인 요인인 (강)

2 고대 문명이 처음 발생한 지역은 메소포타미아, 이집트, (인도), 중국으로, 이 네 지역의 공통적인 특징은 모두 큰 (강)을 끼고 있었다는 점이다. 강은 (물)과 먹을거리를 쉽게 구할 수 있어서 문명 탄생의 결정적인 (요인)이 되었다.

1 ❶문단에서는 고대 문명이 발생한 4개의 지역을 밝히고, ❷~❺문단에서는 메소포타미아 문명, 이집트 문명, 인도 문명, 중국 문명이 각각 어떤 강을 중심으로 발생했는지 설명하였습니다. 마지막으로 ❻문단에서는 4대 문명의 공통적인 발생 요인이 '강'이었음을 강조하고 있습니다.

2 이 글은 세계 4대 문명의 발생지인 메소포타미아, 이집트, 인도, 중국을 제시한 후, 이 네 지역의 공통적인 특징을 밝히고 있습니다.

031쪽 오늘의 어휘

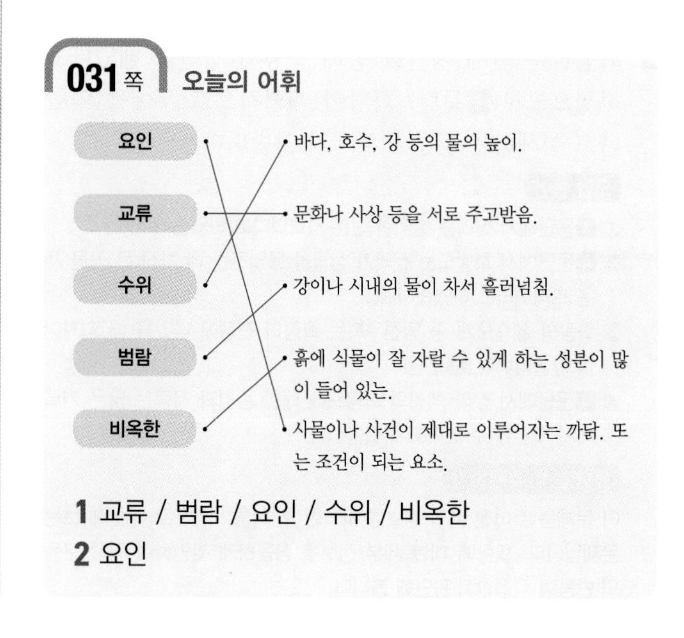

1 교류 / 범람 / 요인 / 수위 / 비옥한
2 요인

역사 02 신라 화랑도의 역사적 의의

- **글의 종류** 설명하는 글
- **글의 특징** 이 글은 신라 화랑도의 조직 구성과 역할을 제시하고, 당시 화랑들이 지켜야 했던 세속오계를 소개하며 화랑도의 역사적 의의를 설명하는 글입니다.
- **글의 주제** 신라 화랑도의 역사적 의의

033쪽 지문 독해

1 ④ **2** (3) ○ (4) ○ **3** ⑤ **4** ⑤

1 이 글은 신라 시대의 화랑도에 대해 설명하고 있는 글입니다.

2 (3) 화랑은 여러 낭도들의 우두머리로서 수백에서 수천 명에 이르는 낭도를 거느릴 수 있었습니다.(❷문단)

(4) 진흥왕은 나라를 위한 인재를 기르기 위해 화랑을 국가 조직으로 키웠습니다.(❶문단)

오답 풀이

(1) 서로 다른 신분의 화랑과 낭도들이 함께 훈련받았다는 점에서 화랑도는 신분에 따른 차별이 심하지 않았음을 알 수 있습니다.(❹문단)

(2) '화랑'은 꽃처럼 아름다운 남자를 뜻합니다.(❶문단)

3 '살생유택'은 살아 있는 것은 함부로 죽이면 안 되고 가려서 해야 한다는 뜻으로, 전쟁과 같이 나라를 위해 싸우는 어쩔 수 없는 상황에서의 살생까지는 금하지 않았습니다.

4 화랑들은 단체 생활을 통해 공동체 정신을 배웠다고 하였으므로(❶문단) 화랑이 개별적으로 무예를 익혔다고 이해하는 것은 적절하지 않습니다.

오답 풀이

① ❹문단에서 신라는 철저한 신분 사회였다고 하였습니다.

② ❹문단에서 화랑도는 신라가 삼국을 통일하는 데 가장 큰 공을 세운 조직이라고 하였습니다.

③ 화랑의 세속오계 중 임전무퇴는 화랑이 전쟁에 나갔을 때 지켜야 할 규율입니다.(❸문단)

④ ❹문단에서 신라 백성의 화랑도에 대한 존경과 사랑은 많은 기록에서 확인할 수 있다고 하였습니다.

유형 분석/추론하기

이 문제는 주어진 글의 정보를 파악한 후 이를 바탕으로 추론해 보는 문제입니다. 화랑에 대한 세부 정보를 꼼꼼하게 확인하며 각 친구들의 반응이 적절한지 판단해 봅니다.

034쪽 지문 분석

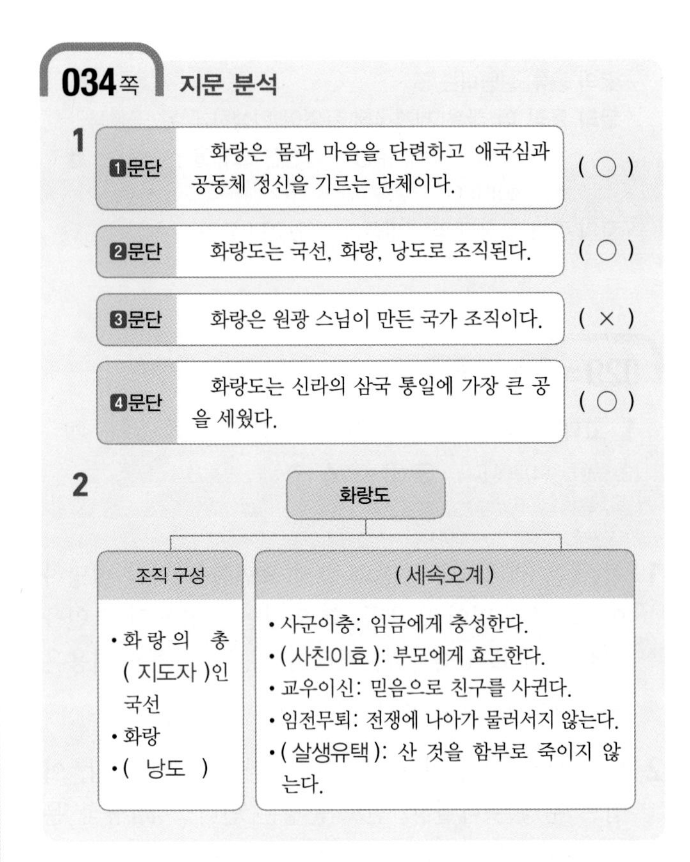

1 ❶문단에서는 화랑의 의미와 기능을 제시하고, ❷문단에서는 화랑도의 조직 구성을, ❸문단에서는 화랑의 세속오계를 설명하고 있습니다. 마지막으로 ❹문단은 화랑도의 역사적 의의를 언급하고 있습니다.

2 이 글은 화랑도의 조직을 크게 국선, 화랑, 낭도로 나누어 설명하고, 화랑이 지켜야 할 규율인 세속오계를 설명하고 있습니다.

035쪽 오늘의 어휘

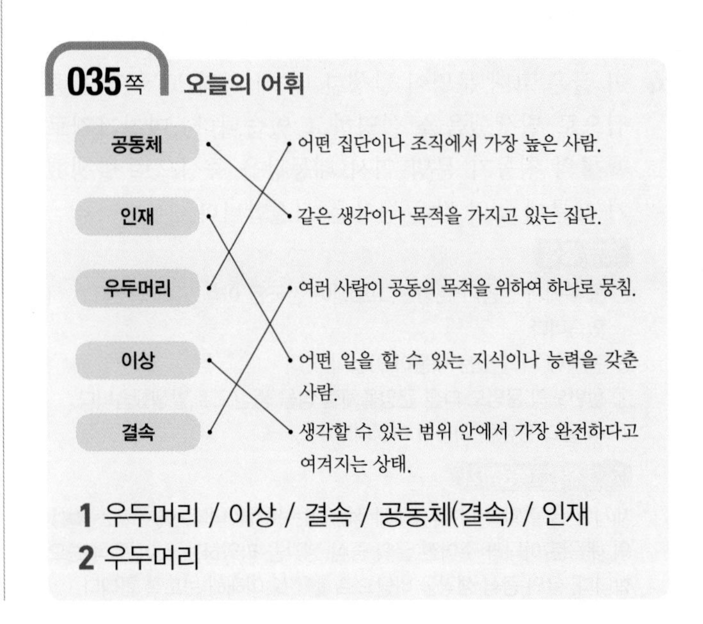

1 우두머리 / 이상 / 결속 / 공동체(결속) / 인재

2 우두머리

- **글의 종류** 설명하는 글
- **글의 특징** 이 글은 만리장성이 지어진 이유와 과정을 제시하고 오늘날 만리장성이 갖는 역사적 의미에 대해 설명하는 글입니다.
- **글의 주제** 만리장성이 지어진 이유와 과정

037쪽 지문 독해

1 만리장성 **2** (1) ○ (2) ○ (3) ○ **3** ⑤ **4** ②

1 이 글은 만리장성이 지어진 이유와 과정을 설명하고 있습니다.

2 (1) ❷문단에서 만리장성은 북방 흉노족의 침입에 대비하기 위해 지었다고 하였습니다.

(2) ❹문단에서 오늘날 만리장성의 총 길이는 약 6500km라고 하였습니다.

(3) ❷문단에서 진시황의 명령으로 만리장성 공사가 시작되었다고 하였습니다.

오답 풀이

(4) ❺문단에 만리장성이 세계 문화유산으로 등재되어 있다는 내용만 제시되어 있을 뿐, 그 시기는 언급되지 않았습니다.

3 ❷문단에서 만리장성의 정확한 공사 기간은 알려지지 않았다고 했습니다. 10년이 넘게 걸린 공사 기간과 약 30만 명에 이르는 참여 인원은 기록으로 명확하게 남아 있는 것이 아니라 추정한 것이므로 ⑤의 설명은 적절하지 않습니다.

오답 풀이

① 만리장성은 흉노족의 침입을 막기 위해 지은 것으로, 봉화대와 같은 시설도 마련된 군사 시설입니다.(❷, ❹문단)

② 만리장성 공사 진행 중에 수많은 백성이 목숨을 잃었다는 내용이 ❸문단에 제시되어 있습니다.

③ 만리장성은 진시황 이후에도 여러 차례 고쳐지고 덧붙여졌습니다.(❹문단)

④ 만리장성은 이미 지어진 다른 장성들을 연결하여 지은 것이라는 내용이 ❷문단에 제시되어 있습니다.

4 ❺문단에서는 만리장성의 긍정적인 의미와 부정적인 의미를 함께 생각해야 한다고 하였습니다.

유형 분석/비판하기

이 문제는 주어진 글을 읽고 설명 대상에 대해 비판적으로 접근해 보는 문제입니다. ❺문단에서는 만리장성이라는 유적의 긍정적인 면과 부정적인 면을 동시에 생각해 볼 것을 권하고 있으므로 이를 고려하여 판단해 봅니다.

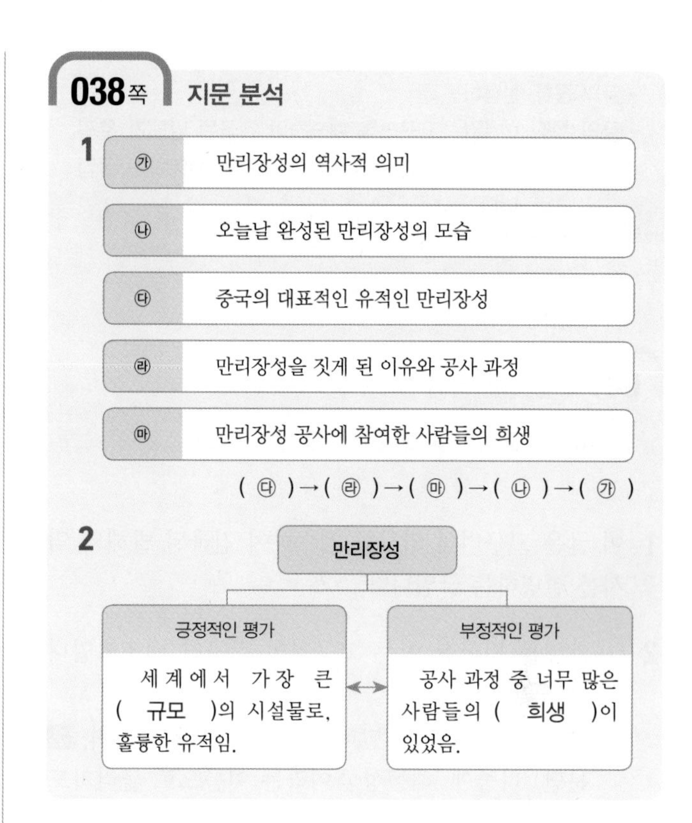

1 ❶문단에서 만리장성을 소개한 후, ❷문단에서는 만리장성을 짓게 된 이유와 공사 과정을, ❸문단에서는 공사에 참여한 사람들의 희생을, ❹문단에서는 오늘날 완성된 만리장성의 길이와 모습을, ❺문단에서는 만리장성의 역사적 의미를 설명하고 있습니다.

2 이 글에서는 만리장성이 훌륭한 문화유산이지만, 그 공사가 무자비하게 진행되어 억울한 희생자가 많았음을 기억해야 한다고 말하고 있습니다.

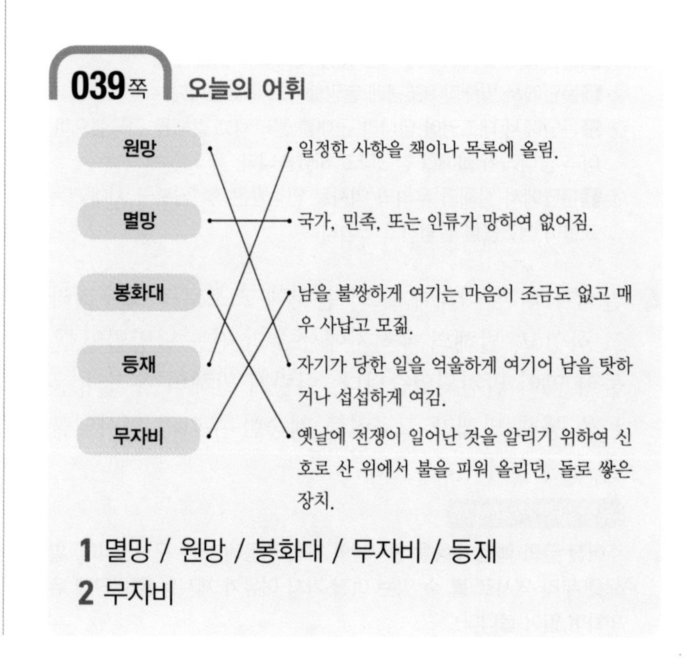

역사 **04 고구려를 계승한 발해의 역사** 040~043쪽

- **글의 종류** 설명하는 글
- **글의 특징** 이 글은 고구려를 계승하여 건국된 발해가 우리 역사에 포함된 이유와 그 의의를 설명하는 글입니다.
- **글의 주제** 고구려를 계승한 발해의 역사

041쪽 지문 독해

1 발해 **2** (1) ○ (2) ○ **3** ⑤ **4** ⑤

1 이 글은 고구려의 역사를 계승하여 건국된 발해의 역사를 설명하는 글입니다.

2 (1) 발해를 건국한 이는 고구려의 장군인 대조영입니다.(❷문단)
(2) 발해는 '진국'에서 '발해'로 이름을 바꾸었으며,(❷문단) 나중에 '해동성국'이라는 이름으로 불리기도 했습니다.(❹문단)

오답 풀이
(3) 대조영이 고구려가 망한 뒤 고구려 유민들과 발해를 세웠다는 내용만 있을 뿐, 고구려가 멸망한 까닭은 설명되어 있지 않습니다.
(4) 발해 유적지에서 온돌이 많이 발견되었다는 내용만 있을 뿐, 온돌의 과학적인 원리는 설명되어 있지 않습니다.

3 ❹문단에 발해가 다른 나라와 교역을 활발하게 전개하였다는 내용은 제시되어 있지만, 구체적인 교역 물품은 나타나 있지 않습니다.

오답 풀이
① ❹문단에서 발해의 전성기는 선왕 때라고 하였습니다.
② ❺문단에서 발해가 926년에 멸망했다고 하였습니다.
③ ❷문단에서 대조영이 당나라 군대를 물리치고 발해를 건국했으며, 이후 당나라가 화해를 청했다고 하였습니다.
④ ❶문단에서 발해가 우리의 역사로 인정받은 후 '남북국 시대'라는 표현이 생겼음을 설명하고 있습니다.

4 발해가 다른 나라에 보낸 문서에 스스로를 고구려라고 하였고, 발해의 유적지에서 우리 전통 난방법인 온돌이 많이 발견되었습니다. 이렇게 발해의 유적과 유물을 통해 발해가 고구려를 계승한 우리의 역사임을 알 수 있습니다.

유형 분석 / 적용하기
주어진 글의 핵심 내용을 친구들의 말에 적용해 보는 문제입니다. 발해를 우리 역사로 볼 수 있는 여러 가지 이유가 제시된 ❸문단에 유의하며 읽어 봅니다.

042쪽 지문 분석

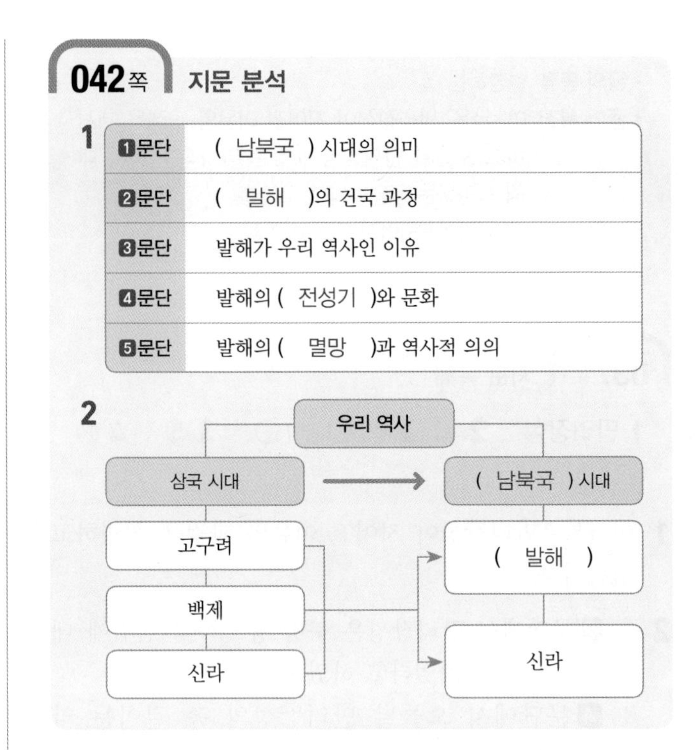

1

문단	내용
❶문단	(남북국) 시대의 의미
❷문단	(발해)의 건국 과정
❸문단	발해가 우리 역사인 이유
❹문단	발해의 (전성기)와 문화
❺문단	발해의 (멸망)과 역사적 의의

2

1 ❶문단에서는 발해를 우리 역사로 포함한 '남북국 시대'의 의미를 밝히고, ❷문단에서는 발해의 건국 과정, ❸문단에서는 발해가 우리 역사인 이유, ❹문단에서는 발해의 문화와 전성기를 설명하였습니다. 마지막 ❺문단에서는 발해의 멸망과 역사적 의의를 설명하고 있습니다.

2 이 글에서는 발해가 우리 역사로 인정받은 후, 이전에 '통일 신라 시대'로 불렸던 시대를 현재는 '남북국 시대'로 부르게 된 것에 대해 설명하였습니다.

043쪽 오늘의 어휘

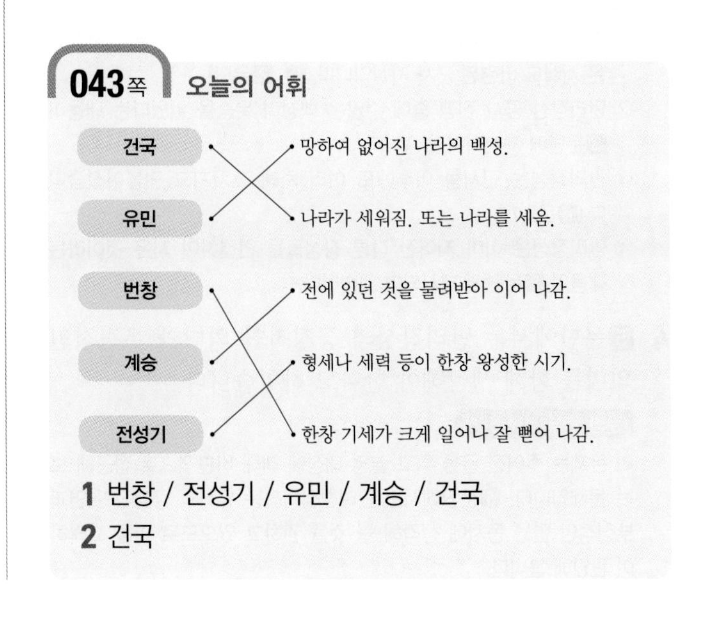

1 번창 / 전성기 / 유민 / 계승 / 건국
2 건국

- **글의 종류** 설명하는 글
- **글의 특징** 이 글은 남한에 남아 있는 고조선의 유적인 '강화 참성단'과 '강화 삼랑성'을 소개하는 글입니다.
- **글의 주제** 강화도에 있는 고조선의 유적인 참성단과 삼랑성의 의의

045쪽 지문 독해

1 참성단, 삼랑성 **2** (1) ○ (2) ○ (4) ○ **3** ③ **4** ③

1 이 글은 강화도에 남아 있는 고조선의 유적인 참성단과 삼랑성을 소개하는 글입니다.

2 (1) 마니산은 '머리가 되는 산'이라는 뜻에서 붙여진 이름입니다.(❷문단)
(2) 삼랑성의 다른 이름은 '정족산성'입니다.(❸문단)
(4) 삼랑성은 단군이 나라를 지키기 위하여 자신의 세 아들에게 쌓게 한 것이라는 이야기가 전해집니다.(❸문단)

3 '유비무환'은 미리 준비가 되어 있으면 걱정할 것이 없다는 뜻의 한자 성어입니다. 따라서 ❸문단에서 단군이 다른 나라가 이 땅을 침략할 것에 대비하여 미리 삼랑성을 쌓아 두었던 상황에 가장 어울리는 한자 성어라고 할 수 있습니다.

오답 풀이
① '다다익선'은 많으면 많을수록 더욱 좋다는 뜻입니다.
② '대기만성'은 크게 될 사람은 늦게 이루어진다는 뜻입니다.
④ '오리무중'은 방향이나 갈피를 잡을 수 없다는 뜻입니다.
⑤ '어부지리'는 두 사람이 서로 싸우는 사이에 엉뚱한 사람이 애쓰지 않고 이익을 가로챈다는 뜻입니다.

4 단군은 다른 민족의 침략을 대비해 한강이 아닌 강화도 정족산에 삼랑성이라는 산성을 쌓게 했습니다.

오답 풀이
① 고조선은 우리 민족 최초의 나라입니다.(❶문단)
② 고조선 사람들은 하늘은 둥글고 땅은 네모나다고 믿었습니다.(❷문단)
④ 고조선과 관련한 유적 대부분이 중국이나 북한에 있는 것으로 보아, 고조선의 영토 대부분은 지금의 북한과 중국 쪽에 있었을 것으로 예상할 수 있습니다.(❹문단)
⑤ 참성단의 쓰임새로 보아, 고조선 사람들은 나라의 안녕을 기원하기 위해 하늘에 제사를 지냈음을 알 수 있습니다.(❷문단)

046쪽 지문 분석

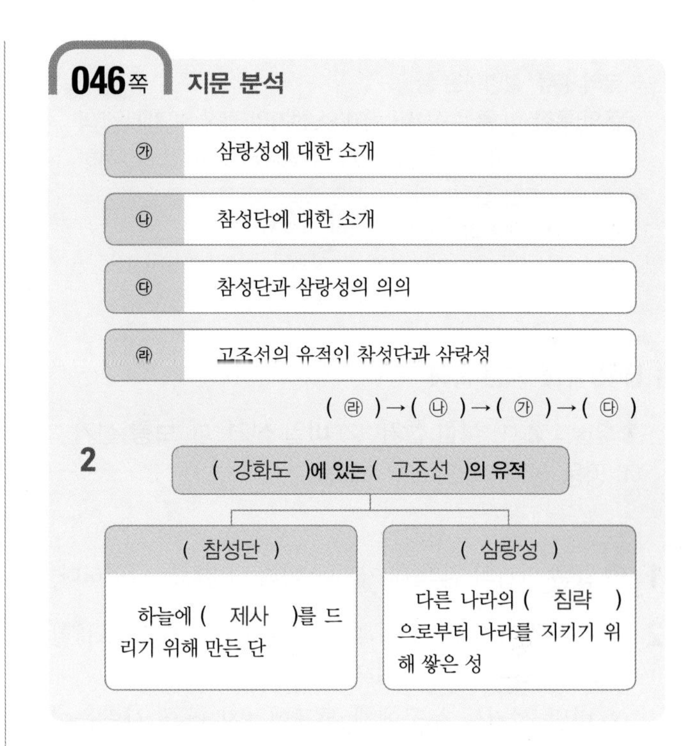

1 ❶문단에서는 강화도에 있는 고조선의 유적인 참성단과 삼랑성을 소개하고, ❷문단에서는 참성단의 위치, 쓰임새, 모양 등을, ❸문단에서는 삼랑성을 쌓은 목적, 유래, 쓰임새 등을 설명하고 있습니다. 마지막으로 ❹문단에서는 참성단과 삼랑성의 의의를 강조하고 있습니다.

2 이 글에서는 강화도에 남아 있는 고조선의 유적 두 곳을 각각 설명하고 있습니다.

047쪽 오늘의 어휘

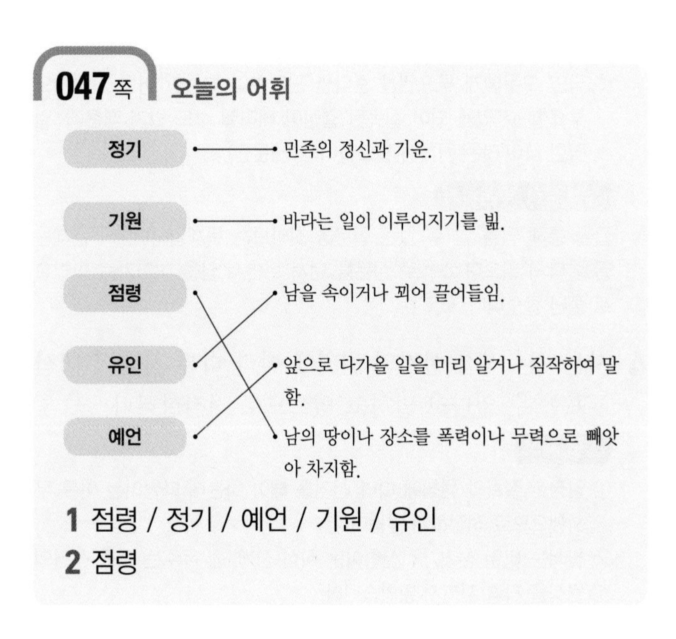

- **글의 종류** 설명하는 글
- **글의 특징** 이 글은 선거의 의미와 선거의 원칙 네 가지의 의미를 설명하고, 선거의 원칙의 필요성을 제시하는 글입니다.
- **글의 주제** 선거의 원칙의 의미와 필요성

049쪽 지문 독해

1 ② **2** (1) 직접 선거 (2) 비밀 선거 (3) 보통 선거 (4) 평등 선거 **3** ② **4** ⑤

1 이 글은 선거의 원칙 네 가지에 대해 설명하는 글입니다.

2 (1) 투표권이 있는 사람 외에 다른 사람이 대신 투표할 수 없도록 하는 원칙은 직접 선거입니다.
(2) 비밀 선거는 누구에게 투표했는지 다른 사람들이 모르게 비밀을 보장하는 원칙입니다.
(3) 보통 선거는 법에 따라 일정한 나이가 되면 모든 국민에게 투표권을 주는 원칙입니다.
(4) 어떠한 조건과 관계없이 한 사람이 한 표씩 동등하게 투표하는 원칙은 평등 선거입니다.

3 이 글에는 선거의 원칙이 언제 생겼는지는 제시되지 않았습니다.

오답 풀이

① 선거와 투표가 어떤 차이가 있는지 ❶문단에서 설명하고 있습니다.
③ 직접 선거를 하지 않고 다른 사람에게 대신 하게 한다면 자신의 생각과는 다른 투표를 할 수 있습니다.(❹문단)
④ 선거는 국민이 나라의 주인으로서 정치에 참여하는 가장 기본적인 방법입니다.(❻문단)
⑤ 국민 모두에게 투표권을 준다면 판단력이 부족한 어린 사람들도 투표할 수 있게 되어 잘못된 결정이 내려질 수도 있기 때문에 '일정한 나이'라는 원칙이 필요합니다.(❷문단)

유형 분석/추론하기

글을 통해 답을 알 수 없는 질문을 찾아보는 문제입니다. 이 문제는 글을 다시 읽으며 스스로 질문을 던져 보면서 답을 찾아가는 방법으로 풀면 좋습니다.

4 시온이는 직접 선거의 원칙에 따라 다른 사람이 대신 투표할 수 없다고 말하고 있으므로 적절합니다.

오답 풀이

① 일정한 절차와 원칙에 따라 선거를 해야 하는데 다현이는 이를 무시했으므로 적절하지 않습니다.
② 찬서는 비밀 선거, ③ 신형이는 직접 선거, ④ 유주는 평등 선거의 원칙을 각각 지키지 않았습니다.

050쪽 지문 분석

1

❶문단	선거는 원칙에 따라 자신들의 대표를 뽑는 것이다.	(○)
❷문단	보통 선거는 모든 국민에게 투표권을 주는 것이다.	(×)
❸문단	평등 선거는 한 사람이 한 표씩 투표하는 것이다.	(○)
❹문단	직접 선거는 자신이 직접 투표해야 하는 것이다.	(○)
❺문단	비밀 선거는 누구를 뽑았는지 공개하지 않는 것이다.	(○)
❻문단	민주주의에서 나라의 주인은 국민이어야 한다.	(×)

2 선거의 원칙

(보통) 선거	일정한 나이가 되면 투표권을 가짐.
(평등) 선거	한 사람이 한 표씩 동등하게 투표함.
(직접) 선거	다른 사람이 대신 투표할 수 없음.
(비밀) 선거	누구에게 투표하는지 모르게 함.

1 보통 선거란 '일정한 나이가 된' 모든 국민에게 투표권을 주는 것입니다. ❻문단에서는 민주주의 사회에서 선거의 4원칙의 필요성을 강조하였습니다.

2 이 글에서는 선거의 원칙 네 가지를 설명하였습니다.

051쪽 오늘의 어휘

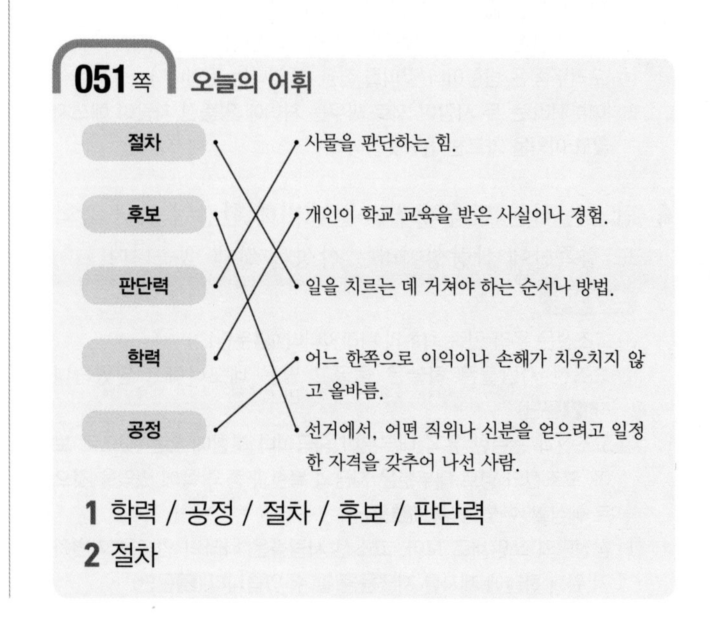

1 학력 / 공정 / 절차 / 후보 / 판단력
2 절차

- **글의 종류** 주장하는 글
- **글의 특징** 이 글은 미래 직업의 변화에 따른 교육의 필요성과 올바른 준비 자세의 중요성에 대하여 주장하는 글입니다.
- **글의 주제** 미래 직업을 위한 우리의 올바른 준비 자세

053쪽 지문 독해

1 미래 직업 **2** (1) ○ (3) ○ **3** ② **4** ⑤

1 이 글은 미래 직업에 대한 우리의 올바른 준비 자세에 대해 주장하는 글입니다.

2 (1) ❶문단에는 운동선수, 연예인, 교사, 의사 등 요즘 인기 있는 직업의 예가 제시되어 있습니다.
(3) ❷문단에는 미래에 더 발달하게 될 기술들이 소개되어 있습니다.

오답 풀이

(2) 미래 직업에 대해 아무도 확실한 답을 줄 수 없을 것이라는 내용이 ❶문단에 있습니다.
(4) ❹문단에서는 미래에 대해 무조건 긍정하는 것도, 무조건 부정하는 것도 모두 적절하지 않다고 했습니다.

3 ❷문단에서 미래 직업의 예에 대해 설명하고 있습니다. 매장에서 주문을 받고 계산을 해 주는 일은 지금도 기계가 대신하는 곳이 많습니다. 급격히 늘고 있는 무인 매장이 그 예입니다.

4 이 글은 불확실한 미래 직업을 위해 인간만이 갖는 능력을 키우기 위한 교육의 필요성과, 미래 사회에 필요한 사람이 되겠다는 마음가짐으로 미리 준비하는 자세를 갖는 것의 중요성을 주장하고 있습니다.

오답 풀이

① 미래가 불확실하다 하더라도 지금부터 미리 준비하는 자세가 중요합니다.
② 미래에도 여러 사람과 협력하고 다른 사람의 마음에 공감하는 소통 능력은 계속 중요할 것입니다.(❸문단)
③ 요즘에 가장 인기가 많은 직업이라고 해서 미래에도 그럴 것이라고 예상할 수는 없습니다.
④ 석유 대체 기술과 관련된 직업뿐 아니라 다른 여러 직업에 대해 열린 자세로 알아보는 것이 좋습니다.

유형 분석/적용하기

이 문제는 주어진 글을 읽고 내용을 이해한 다음, 이를 다른 사례에 적용해 보는 문제입니다. 글쓴이의 핵심 주장이 무엇인지 다시 한번 생각해 봅니다.

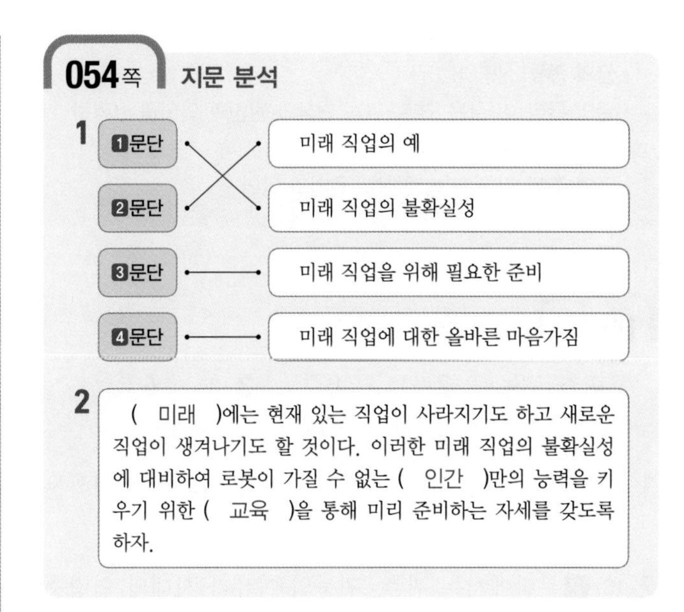

1 ❶문단에서는 미래 직업의 불확실성을 설명하고 있고, ❷문단에 제시된 미래 직업의 예를 근거로 ❸문단에서는 미래 직업을 위해 필요한 준비인 교육의 중요성을 주장하고 있습니다. 마지막으로 ❹문단에서는 미래 직업에 대한 우리의 올바른 마음가짐을 강조하며 마무리하였습니다.

2 이 글은 ❶문단에서는 미래 직업의 불확실성을 제시하고, ❷, ❸문단에서는 미래 직업의 예를 소개하고 미래 직업을 위한 준비의 필요성을 주장하고 있습니다. ❹문단에서는 미래 직업에 대한 우리의 올바른 마음가짐을 강조하고 있습니다.

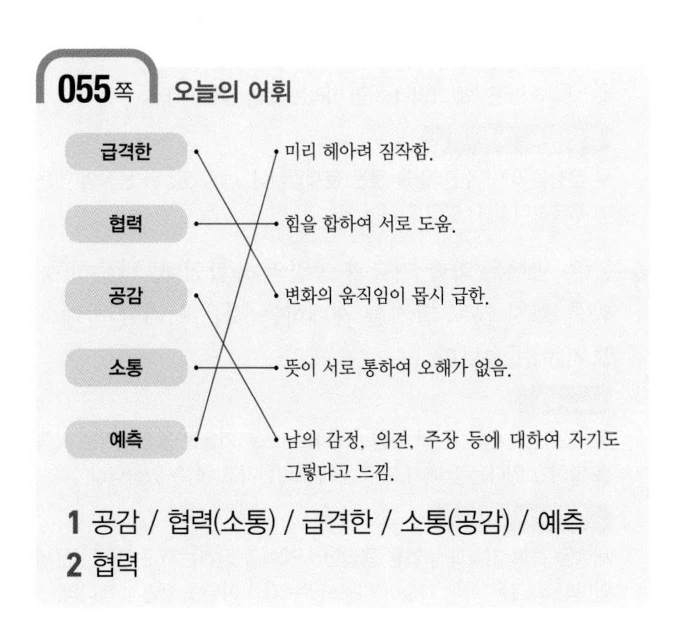

- **글의 종류** 설명하는 글
- **글의 특징** 이 글은 귀촌, 귀농 현상의 원인과 의의를 설명하는 글입니다.
- **글의 주제** 귀촌, 귀농 현상의 원인과 의의

057쪽 지문 독해

1 귀촌, 귀농 **2** (3) ○ (4) ○ **3** ③ **4** ④

1 이 글은 귀촌, 귀농 현상의 원인과 의의를 설명하는 글입니다.

2 (3) ❷문단에서는 귀촌, 귀농의 이유가 시대와 연령층에 따라 다름을 설명하고 있습니다. 과거에는 주로 은퇴한 사람들이 도시 문제를 피하려고 귀촌을 선택했습니다.

(4) ❹문단에서는 귀촌, 귀농이 도시의 인구 집중 현상을 완화시켜 주기 때문에 국토의 균형적인 발전에 도움이 된다고 설명하고 있습니다.

3 ㉠의 앞 문장에는 과거에 사람들이 귀촌, 귀농을 했던 이유가 드러나 있고, ㉠의 뒷 문장에는 이전과는 달라진 요즘 사람들이 귀촌, 귀농을 하는 이유가 제시되어 있습니다. 따라서 ㉠에는 서로 상반된 내용을 이어 주는 말인 '그러나'가 들어가기에 적절합니다.

오답 풀이

① '또한'은 '그 위에 더. 또는 거기에다 더'라는 뜻의 말입니다.
② '그리고'는 낱말이나 문장 등을 나란히 연결할 때 쓰는 말입니다.
④ '그래서'는 앞의 내용이 뒤의 내용의 원인이나 근거, 조건 등이 될 때 쓰는 말입니다.
⑤ '왜냐하면'은 '왜 그러냐 하면'이라는 뜻의 말입니다.

유형 분석 / 어휘·어법

두 문장을 이어 주는 말을 묻는 문제입니다. ㉠의 앞, 뒤 문장의 내용에 주목하여 다시 읽어 봅니다.

4 ㉡은 새로운 과학 기술과 농업의 융합인데, 단순히 농약을 쓰지 않고 딸기를 재배하는 것은 이러한 사례로 보기 어렵습니다.

오답 풀이

①, ②, ③, ⑤는 기존의 농업 품목에 새로운 기술을 융합시키는 사례를 말하고 있다는 점에서 모두 ㉡에 해당한다고 볼 수 있습니다.

유형 분석 / 적용하기

새로운 과학 기술과 농업을 융합한 사례에 해당하는지 판단하는 문제입니다. 새로운 과학 기술이 적용되었는지의 여부를 확인해 봅니다.

058쪽 지문 분석

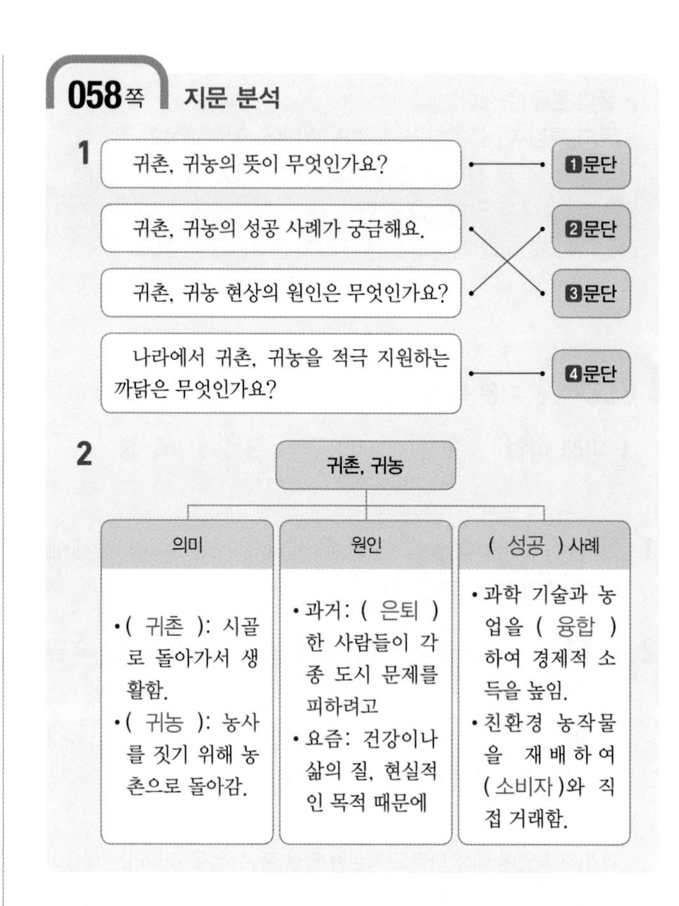

1 ❶문단에서는 귀촌, 귀농의 의미를, ❷문단에서는 귀촌, 귀농 현상의 원인을, ❸문단에서는 귀촌, 귀농의 성공 사례를 설명하고 있습니다. ❹문단에서는 귀촌, 귀농의 의의와 다양한 지원에 대해 설명하고 있습니다.

2 이 글에서는 귀촌, 귀농의 의미와 원인을 제시하고, 성공한 사례를 소개하고 있습니다.

059쪽 오늘의 어휘

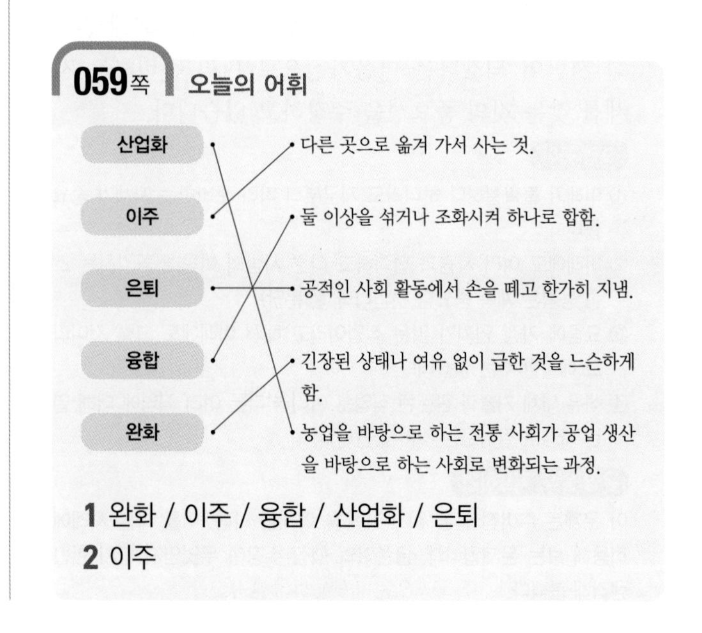

1 완화 / 이주 / 융합 / 산업화 / 은퇴
2 이주

- **글의 종류** 설명하는 글
- **글의 특징** 이 글은 생활 속 장애인 편의 시설의 대표적인 예를 소개하는 글입니다.
- **글의 주제** 생활 속 장애인 편의 시설

061쪽 지문 독해

1 편의 시설 **2** (1) ○ (2) ○ **3** ② **4** ②

1 이 글은 우리 생활 속에 있는 장애인 편의 시설을 소개하고 있습니다.

2 ❹문단에는 점자의 뜻이 제시되어 있고, ❷문단에는 저상 버스의 좋은 점이 나타나 있습니다.

오답 풀이

(3) ❺문단에 우리나라에 장애인 편의 시설이 한참 부족하다는 내용이 있을 뿐, 다른 나라의 장애인 편의 시설의 사례에 대한 내용은 이 글에 나와 있지 않습니다.

(4) 장애인 편의 시설을 이용할 때의 만족 정도에 관한 내용은 이 글에 나와 있지 않습니다.

3 엘리베이터는 장애인만 사용할 수 있는 장애인 전용 시설이 아닙니다. 엘리베이터는 장애인을 포함한 모든 사람들이 이용할 수 있는 편의 시설의 좋은 사례입니다.

오답 풀이

① 저상 버스는 장애인뿐만 아니라, 아이, 노약자 등 모든 사람들이 편하게 이용할 수 있습니다.(❷문단)

③ 점자는 시각 장애인들을 위한 문자입니다.(❹문단)

④ 우리나라는 설치 비용 문제로 인해 장애인 편의 시설이 한참 부족한 상황입니다.(❺문단)

⑤ 저상 버스는 출입구에 계단을 없애고 경사판을 설치한 버스입니다.(❷문단)

유형 분석/내용 이해

글에서 설명한 내용과 선지의 내용이 일치하는지 판단하는 문제입니다. 글을 꼼꼼하게 읽고 내용을 파악하는 것이 중요합니다.

4 ㉡은 장애인만 이용할 수 있는 전용 시설을 말합니다. 지하철 역사 내에 설치된 휠체어 리프트는 휠체어를 탄 장애인만 이용할 수 있는 시설이므로 ㉡의 사례로 적절합니다.

유형 분석/적용하기

주어진 글을 읽고 다른 유사한 사례를 찾아보는 문제입니다. 장애인 편의 시설 중에서 장애인만 이용하는 것과 모든 사람들이 같이 이용할 수 있는 것에는 무엇이 있는지 구분하여 생각해 봅니다.

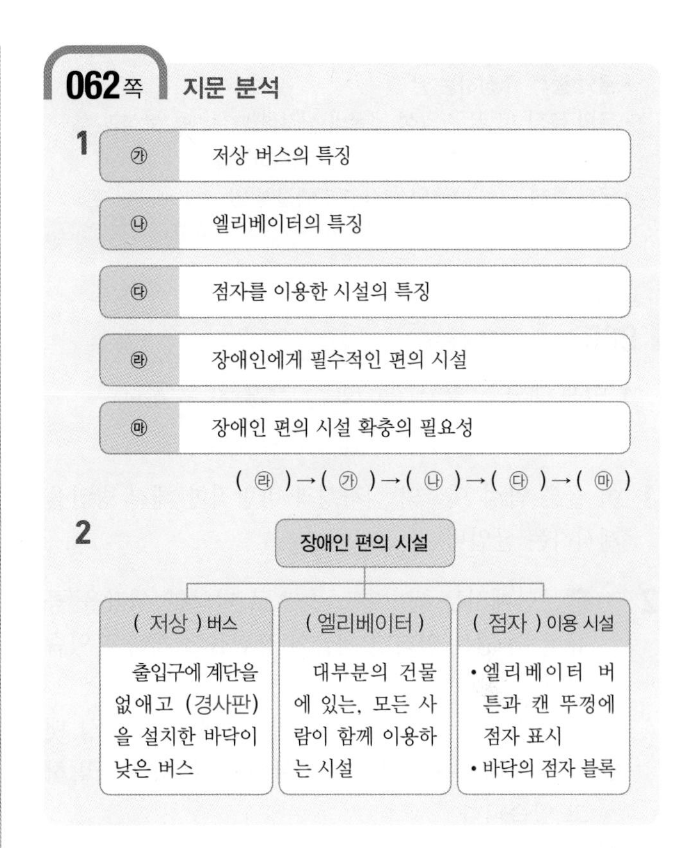

1 ❶문단에서 장애인에게 편의 시설은 삶을 유지하는 데 필수적임을 밝히고, ❷~❹문단에서는 각각 저상 버스, 엘리베이터, 점자 이용 시설의 특징을 설명하였습니다. ❺문단에서는 장애인 편의 시설을 좀 더 확충할 필요가 있음을 강조하고 있습니다.

2 이 글에서는 장애인 편의 시설 중 저상 버스, 엘리베이터, 점자를 이용한 시설에 대해 설명하고 있습니다.

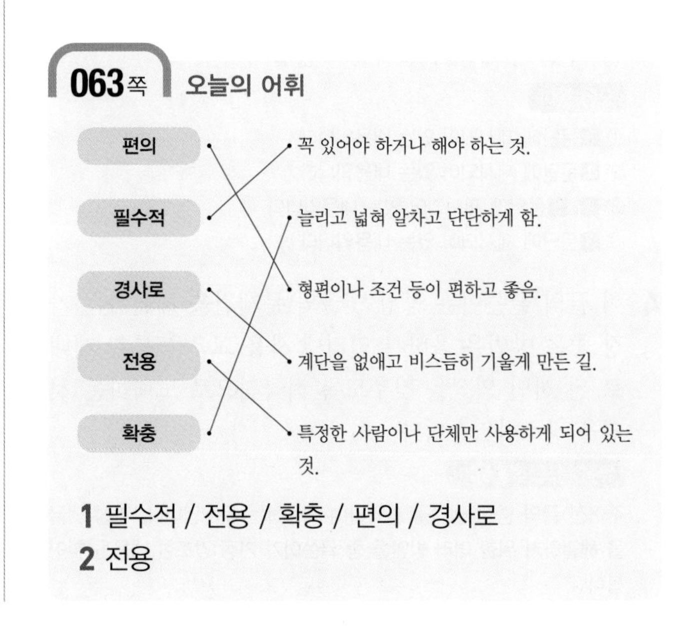

- **글의 종류** 주장하는 글
- **글의 특징** 이 글은 악성 댓글의 심각성과 원인을 분석한 후 바람직한 해결 방안을 제시하는 글입니다.
- **글의 주제** 악성 댓글의 심각성과 해결 방안

065쪽 지문 독해

1 악성 댓글 **2** (1) ○ (2) ○ **3** ④ **4** ④

1 이 글은 악성 댓글의 심각성과 바람직한 해결 방안을 제시하는 글입니다.

2 (1) ❶문단에서는 쌍방향 소통으로 다양한 생각을 공유할 수 있는 인터넷 댓글의 장점을 소개하고 있습니다.

(2) ❷문단에서는 인터넷에 올려진 글에 달린 악성 댓글은 상대방에게 마음의 상처를 줄 수 있음을 밝히고 있습니다.

오답 풀이

(3) 악성 댓글에 대한 포털 사이트의 법적인 책임에 관한 내용은 이 글에 제시되지 않았습니다.

(4) 익명성을 보장하기 위한 제도적인 장치는 이 글에 언급되지 않았습니다. ❹문단에서는 익명성으로 인해 발생하는 악성 댓글을 막기 위한 제도적인 장치에 대해 설명하고 있습니다.

3 악성 댓글을 규제하기 위한 제도적인 장치는 표현의 자유를 막을 수 있다는 우려로 인해 반대하는 사람들이 많습니다.(❹문단) 따라서 악성 댓글을 규제하는 제도적인 장치가 표현의 자유를 위해 필요하다는 것은 이 글의 내용과 일치하지 않습니다.

오답 풀이

① ❸문단에 제시되어 있는 내용입니다.
② ❶문단에 제시되어 있는 내용입니다.
③ ❷, ❺문단에 제시되어 있는 내용입니다.
⑤ ❸문단에 제시되어 있는 내용입니다.

4 이 글의 글쓴이는 악성 댓글의 문제점을 해결하는 가장 좋은 방법은 올바른 인터넷 사용 교육을 통한 제대로 된 시민 의식을 갖추도록 적극적으로 노력하는 것임을 강조하였습니다.

유형 분석/적용하기

주어진 글의 중심 생각을 파악하여 적용하는 문제입니다. 악성 댓글을 해결하기 위한 여러 방안들 중 글쓴이가 가장 강조한 내용을 찾아봅니다.

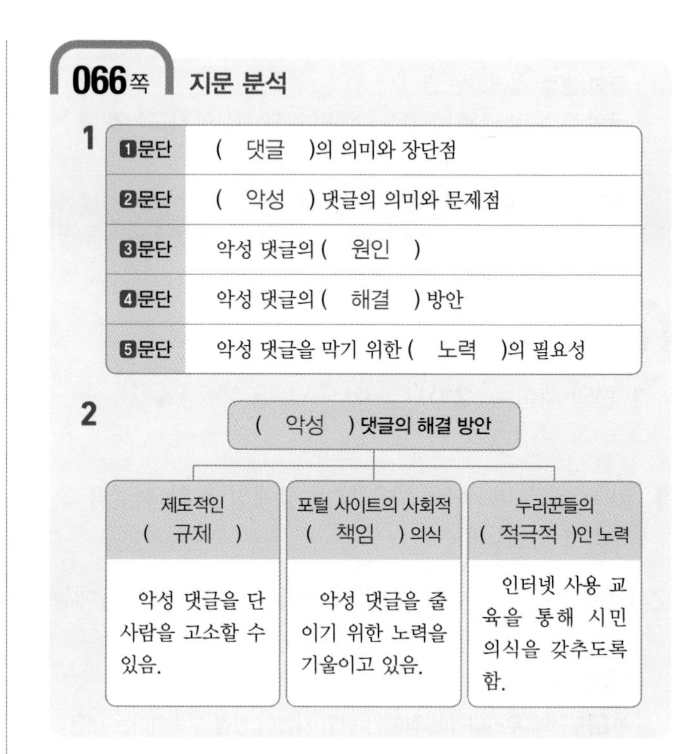

066쪽 지문 분석

1

문단	내용
❶문단	(댓글)의 의미와 장단점
❷문단	(악성) 댓글의 의미와 문제점
❸문단	악성 댓글의 (원인)
❹문단	악성 댓글의 (해결) 방안
❺문단	악성 댓글을 막기 위한 (노력)의 필요성

2

1 ❶문단에서는 댓글의 의미와 장단점을 밝히고, ❷문단에서는 악성 댓글의 의미와 문제점을 설명하고 있습니다. ❸문단에서 악성 댓글의 원인을 설명한 후 ❹~❺문단에서 악성 댓글의 해결 방안을 설명하고 있습니다.

2 이 글은 악성 댓글의 해결 방안을 제도적인 규제, 포털 사이트의 사회적 책임 의식, 누리꾼들의 적극적인 노력으로 나누어 설명하고 있습니다.

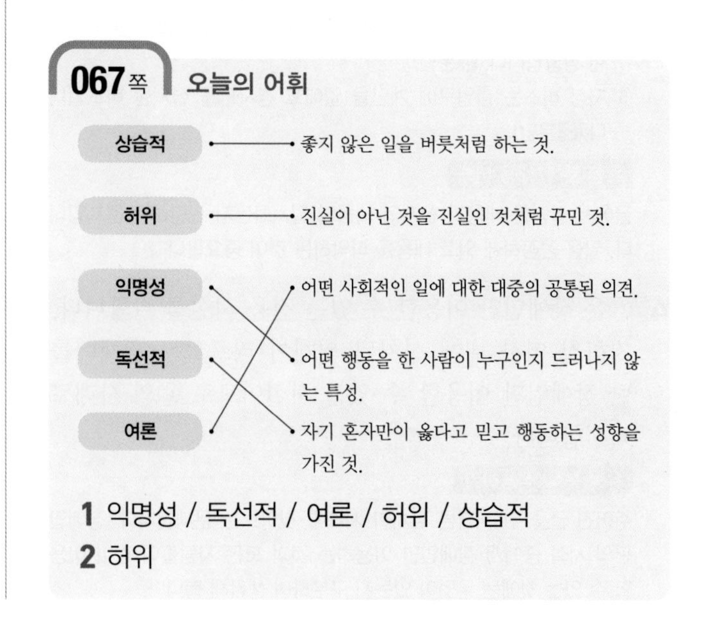

067쪽 오늘의 어휘

1 익명성 / 독선적 / 여론 / 허위 / 상습적
2 허위

• **글의 종류** 주장하는 글
• **글의 특징** 이 글은 반려동물이라는 말의 의미와 유래, 반려동물을 키울 때의 좋은 점을 밝히고, 책임과 의무를 바탕으로 반려동물의 주인이 가져야 할 올바른 자세를 주장하고 있는 글입니다.
• **글의 주제** 반려동물을 대하는 올바른 자세

069쪽 지문 독해

1 반려동물 **2** (2) ○ (3) ○ **3** ⑤ **4** ④

1 이 글은 반려동물에 대한 책임과 의무를 통해 반려동물을 올바른 자세로 대할 것을 주장하는 글입니다.

2 (2) **2**문단에 반려동물을 키우면 좋은 점이 세 가지 제시되어 있습니다.
(3) '반려동물'은 동물을 사람과 함께 살아가는 가족이나 친구 같은 존재로 인식하는 말입니다. 이와 달리 '애완동물'은 동물을 사람의 즐거움을 위해 기른다는 뜻이 담겨 있는 말입니다.(**1**문단)

3 **3**문단에서는 반려동물에 대한 책임과 의무를 구체적인 예를 들어 제시하고 있습니다. 특히 반려동물과 함께 외출할 때 목줄과 배설물 처리를 위한 봉투, 주인의 정보를 적은 표를 준비해야 함을 언급하고 있으므로 ⑤는 이 글을 통해 답을 알 수 있는 질문으로 적절합니다.

유형 분석/추론하기
글을 읽고 해당 질문에 대한 답을 알 수 있는지 묻는 문제입니다. 각 질문의 답에 해당하는 내용이 주어진 글에 있는지 확인하며 읽어 봅니다.

4 **4**문단에는 반려동물을 대하는 올바른 자세가 제시되어 있습니다. 반려동물을 주인 마음대로 다루려고 하거나, 자신의 즐거움만을 위해 반려동물을 키우는 것은 반려동물을 대하는 올바른 자세가 아닙니다. 반려동물을 자신이 잘 돌볼 수 있는지 스스로 생각해 보는 자세가 중요합니다.

오답 풀이
4문단에서는 반려동물을 키울 때에 주인으로서 가져야 할 올바른 자세를 강조했습니다. 그런데 ①, ②, ③, ⑤의 친구들은 모두 키우고 싶은 동물의 조건만 말하고 있습니다. 따라서 반려동물을 자신이 잘 돌볼 수 있는지 스스로 생각해 보는 자세와는 거리가 멀다고 할 수 있습니다.

070쪽 지문 분석

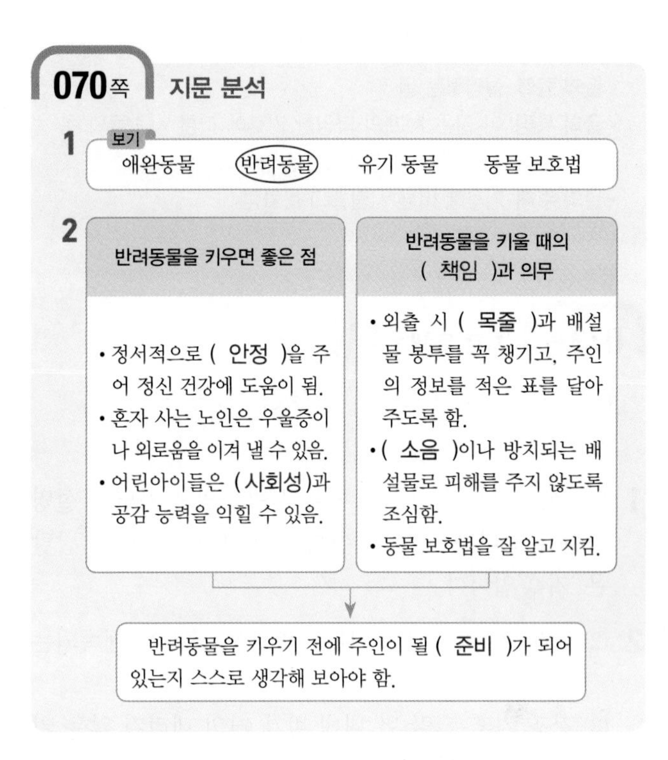

1 이 글은 반려동물을 대하는 올바른 자세를 주장하는 글입니다. 따라서 이 글의 핵심어는 '반려동물'이 적절합니다. 반려동물이란 사람이 집에서 기르며 같이 생활하는 동물을 의미합니다.

2 이 글은 반려동물을 키우면 좋은 점과 그에 따른 책임과 의무를 강조하고 있습니다. 이를 통해 반려동물을 키우기 전에 주인이 될 준비가 되어 있는지 스스로 생각해 볼 필요가 있음을 주장하고 있습니다.

071쪽 오늘의 어휘

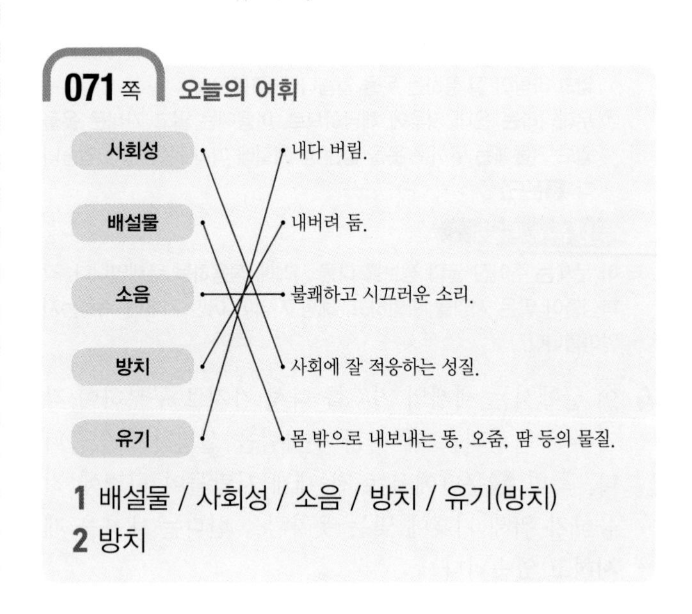

1 배설물 / 사회성 / 소음 / 방치 / 유기(방치)
2 방치

- **글의 종류** 설명하는 글
- **글의 특징** 이 글은 세계의 다양한 기후에 따른 사람들의 옷차림에 대해 설명하는 글입니다.
- **글의 주제** 기후에 따른 사람들의 옷차림

073쪽 지문 독해

1 ④　2 (2) ○ (3) ○　3 ⑤　4 ③

1 이 글은 세계의 기후에 따른 사람들의 옷차림을 설명하는 글입니다. 따라서 ㉠에 들어가기에 알맞은 낱말은 '기후'입니다.

2 (2) 열대 기후는 일 년 내내 뜨거운 날씨가 계속되는 기후입니다.(❺문단)
(3) 건조 기후는 일 년 내내 비가 거의 내리지 않는 기후입니다.(❹문단)

오답 풀이
(1) 한대와 냉대 기후는 지구에서 가장 추운 기후입니다.(❷문단)
(4) 온대 기후는 기온이 따뜻하고 사계절의 변화가 뚜렷한 기후로, 우리나라가 이에 해당합니다.(❸문단)

3 아마존 밀림 지역은 열대 기후입니다. 따라서 피부가 많이 드러나는 옷이나 땀이 잘 마르는 얇고 바람이 잘 통하는 옷을 준비하는 것이 적절합니다.

오답 풀이
① 남극 지역은 지구에서 가장 추운 곳 중 하나이므로, 두꺼운 털옷이나 가죽옷을 입습니다.(❷문단)
② 중동 지역은 건조 기후에 해당하므로, 온몸을 덮는 검은 옷을 입고 머리에는 수건을 둘러 감습니다.(❹문단)
③ 아프리카 중부 지역은 열대 기후에 해당하므로, 땀이 잘 마르도록 얇고 바람이 잘 통하는 옷을 입습니다.(❺문단)
④ 우리나라는 온대 기후에 해당하므로, 여름에는 얇고 가벼운 옷을 입고 겨울에는 두꺼운 옷을 입는 등 계절에 따라 옷을 달리 입습니다.(❸문단)

유형 분석/적용하기
이 문제는 주어진 글의 정보를 다른 사례에 적용하는 문제입니다. 각 학생들이 맡은 지역을 확인하고, 해당 지역이 어떤 기후에 속하는지 알아봅니다.

4 이 글에서는 세계의 기후를 다섯 가지로 구분하여 각 기후의 특징과 그에 따른 옷차림을 설명하고 있습니다. 특히 ❶문단에서는 전 세계 사람들이 환경에 적응하기 위해 기후에 맞는 옷차림을 한다는 내용을 제시하고 있습니다.

074쪽 지문 분석

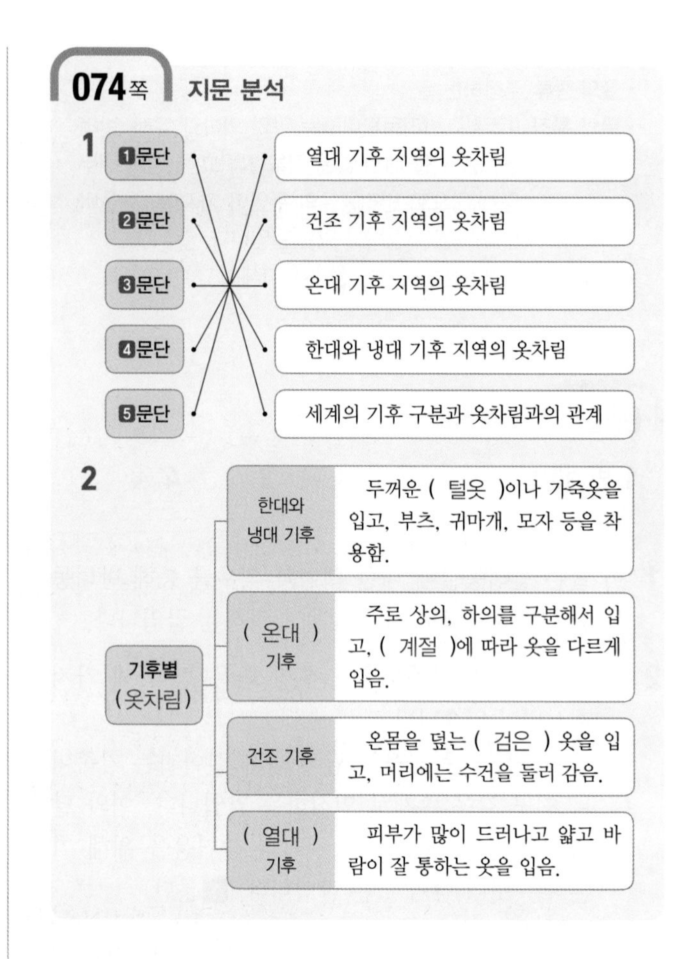

1 ❶문단에서는 세계의 기후를 크게 5가지로 구분하고, ❷~❺문단에서는 각각 한대와 냉대, 온대, 건조, 열대 기후에 따른 사람들의 옷차림을 설명하고 있습니다.

2 이 글에서는 세계의 기후 구분에 따라 달라지는 사람들의 옷차림에 대해 설명하고 있습니다.

075쪽 오늘의 어휘

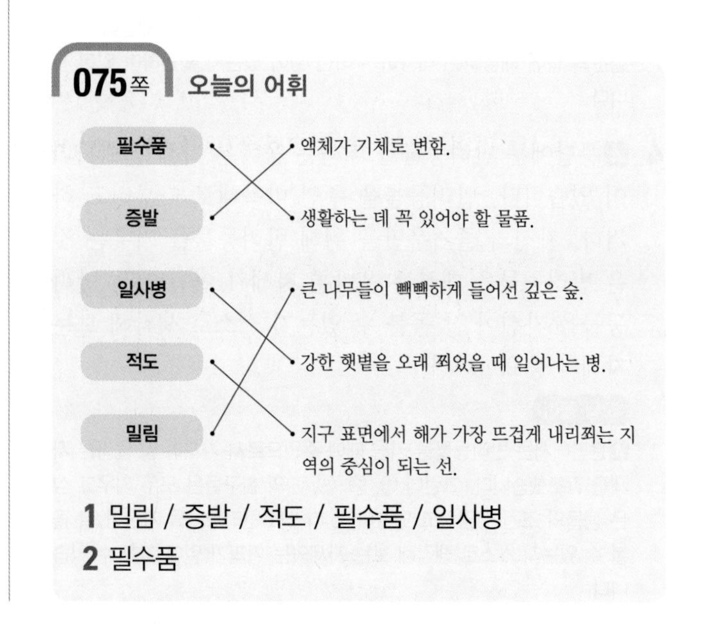

1 밀림 / 증발 / 적도 / 필수품 / 일사병
2 필수품

- **글의 종류** 설명하는 글
- **글의 특징** 이 글은 정월 대보름의 의미를 밝히고, 그날에 즐기는 대표적인 놀이들을 설명하는 글입니다.
- **글의 주제** 정월 대보름에 즐기는 다양한 놀이와 의의

077쪽 지문 독해

1 정월 대보름 **2** (1) ○ (2) ○ (3) ○ **3** ③
4 ①

1 이 글에서는 정월 대보름에 즐기는 다양한 놀이들을 소개하고 있습니다.

2 (1) 정월 대보름은 음력 1월 15일로 한 해의 첫 번째 보름달이 뜨는 날입니다.(❶문단)
(2) 줄다리기는 여러 사람이 편을 나누어 밧줄을 당겨 승부를 겨루는 놀이입니다.(❷문단)
(3) 쥐불놀이를 하는 이유는 쥐나 해충을 없애고 타고 남은 재가 거름이 되도록 하기 위해서입니다.(❸문단)

오답 풀이
(4) ❹문단에서 우리 조상은 다리밟기 놀이를 하면 그 해에 다리에 병이 생기지 않는다고 믿었다고 하였습니다. 이 글에 다리에 병이 생기는 이유는 따로 제시되어 있지 않습니다.

3 정월 대보름의 다양한 놀이들은 대부분 풍년을 기원하기 위해 즐긴 것입니다. 특히 줄다리기와 쥐불놀이는 모두 그 해 농사가 잘되기를 바라는 마음에서 유래된 놀이라고 할 수 있습니다.

오답 풀이
① 정월 대보름은 양력이 아니라 음력 1월 15일입니다.(❶문단)
② 논과 밭을 밟는 것이 아니라 논과 밭에 불을 놓으면 타고 남은 재가 거름이 되어 그 해 농사가 잘된다고 믿었습니다.(❸문단)
④ 줄다리기에서 남자가 아니라 여자가 이기면 그 해 풍년이 든다고 믿었습니다.(❷문단)
⑤ 정월 대보름은 일 년 중 가장 큰 보름달이 아니라, 첫 번째로 뜬 보름달을 볼 수 있는 날이라고 했습니다.(❶문단)

4 ㉠'정월 대보름'은 ㉡'명절'의 한 종류이므로 ㉠은 ㉡에 포함되는 낱말입니다.

유형 분석 / 어휘·어법
이 문제는 지정한 두 어휘의 의미 관계를 파악하는 유형의 문제입니다. 어느 한쪽이 다른 쪽에 포함되는지, 비슷한 의미인지, 반대되는 의미인지 등을 생각해 보도록 합니다.

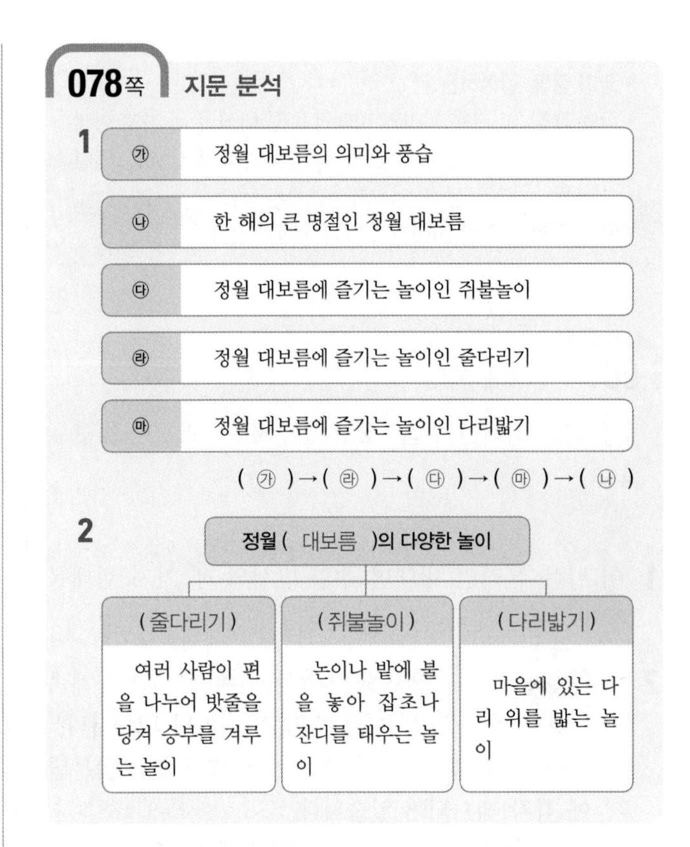

1 ❶문단에서는 정월 대보름의 의미와 그날의 풍습에 대해 설명하고, ❷~❹문단에서는 각각 줄다리기, 쥐불놀이, 다리밟기 놀이에 대해 설명하였습니다. ❺문단에서는 정월 대보름이 한 해의 큰 명절임을 설명하였습니다.

2 이 글은 정월 대보름에 즐기는 세 가지 놀이를 설명하고 있습니다.

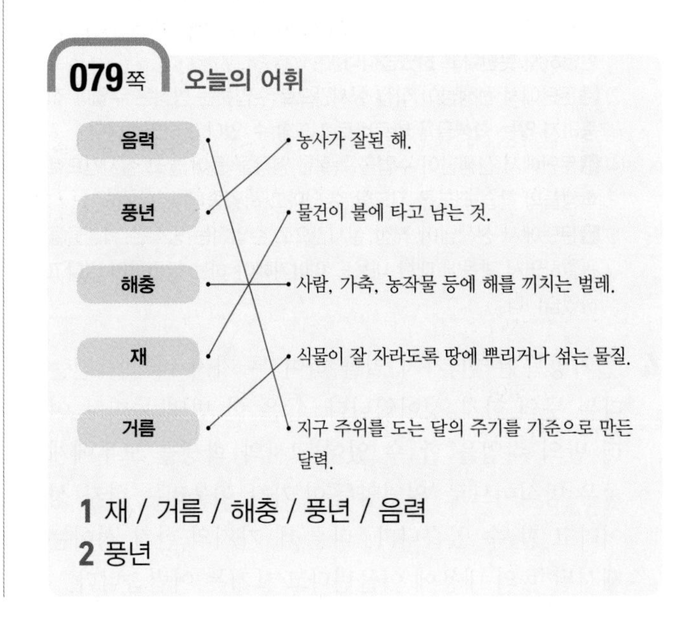

- **글의 종류** 설명하는 글
- **글의 특징** 이 글은 온라인 비대면 수업 방식의 세 가지 형태를 설명하고 앞으로의 전망에 대해 밝힌 글입니다.
- **글의 주제** 온라인 비대면 수업의 형태와 전망

081쪽 지문 독해

1 온라인 비대면 수업 **2** (1) ○ (3) ○ (4) ○ **3** ③ **4** ③

1 이 글은 온라인 비대면 수업 방식의 세 가지 형태를 설명하는 글입니다.

2 (1) ❺문단에는 앞으로도 온라인 비대면 수업이 계속 활용될 가능성이 높다는 전망이 나타나 있습니다.
(3) 온라인 비대면 수업의 세 가지 형태가 ❷~❹문단에 각각 제시되어 있습니다.
(4) ❶문단에는 온라인 비대면 수업이 감염병 등의 이유로 진행된 것임을 밝히고 있습니다.

오답 풀이

(2) 온라인 비대면 수업용 교재에 대한 내용은 이 글에서 설명하고 있지 않습니다.

3 선생님이 수업을 미리 녹화한 영상을 틀어 주는 방식은 영상을 틀어 놓고 동시에 학생들과 채팅창을 통해 소통이 가능하므로 ③은 적절하지 않습니다.

오답 풀이

① ❷문단에서 이미 제작된 영상을 보여 주는 방식은 학급별 상황을 반영하지 못한다고 하였습니다.
② ❸문단에서 선생님이 직접 실시간으로 수업하는 방식은 수업에 집중하지 않는 학생들을 바로바로 지도할 수 있다고 하였습니다.
④ ❹문단에서 선생님이 수업을 녹화한 영상을 틀어 놓고 실시간으로 학생들의 학습 태도를 지도할 수 있다고 하였습니다.
⑤ ❸문단에서 선생님이 직접 실시간으로 수업하는 방식은 학생들을 관찰하면서 과목에 대한 내용도 이야기해야 하는 불편함이 있다고 하였습니다.

4 '일거양득'은 한 가지 일을 하여 두 가지 이익을 얻는다는 뜻의 한자 성어입니다. ㉡은 한 번의 녹화로 여러 반의 수업을 할 수 있어 교사와 학생들 모두에게 좋은 방식이므로 '일거양득'이 가장 어울리는 한자 성어라고 할 수 있습니다. 다른 네 가지의 한자 성어는 제시된 ㉡의 내용에 어울린다고 보기는 어렵습니다.

082쪽 지문 분석

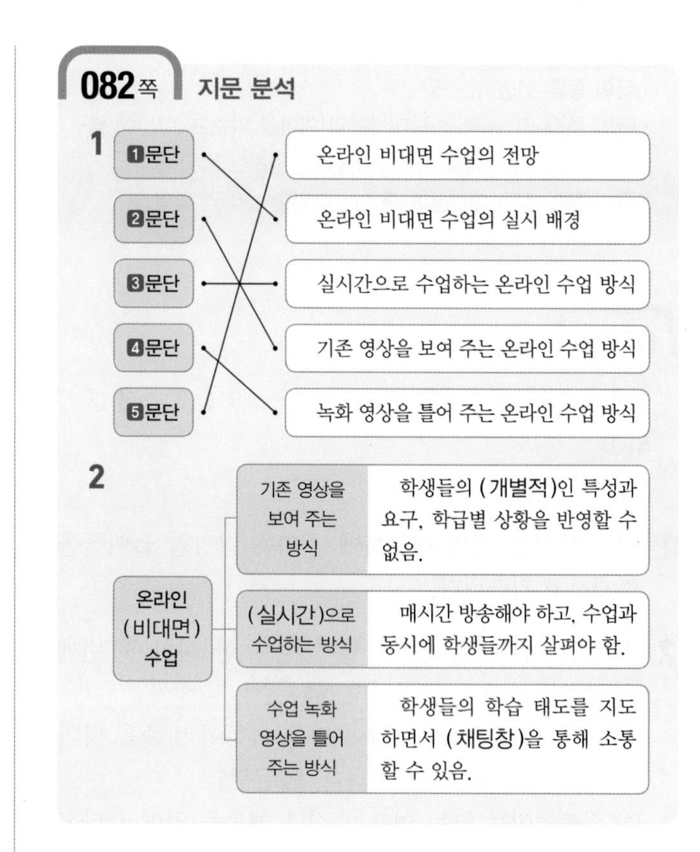

1 ❶문단에서는 온라인 비대면 수업을 실시하게 된 배경을 밝히고, ❷~❹문단에서는 각각 기존 영상을 보여 주는 방식, 선생님이 실시간으로 수업하는 방식, 녹화한 영상을 틀어 주는 방식을 설명하고 있습니다. ❺문단에는 온라인 비대면 수업 방식에 대한 앞으로의 전망이 나타나 있습니다.

2 이 글에서는 온라인 비대면 수업의 형태를 세 가지 방식으로 나누어 설명하고 있습니다.

083쪽 오늘의 어휘

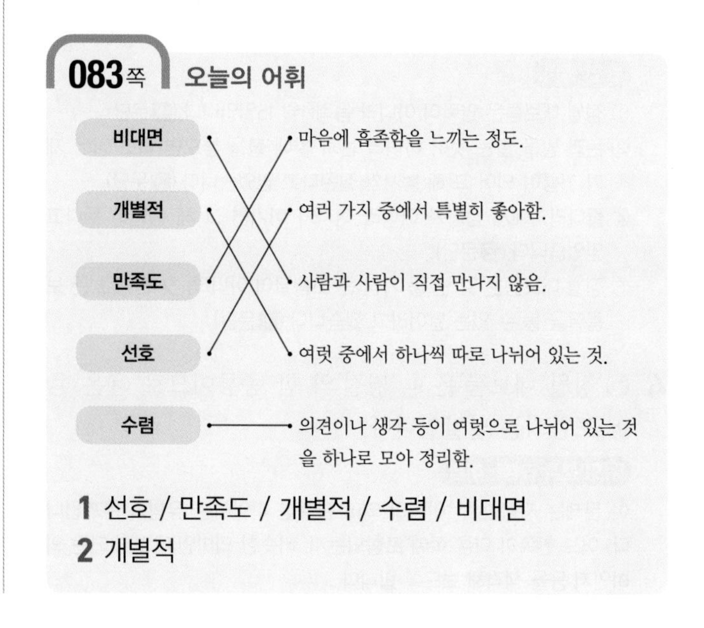

1 선호 / 만족도 / 개별적 / 수렴 / 비대면
2 개별적

- **글의 종류** 설명하는 글
- **글의 특징** 이 글은 누리 소통망의 의미와 장점과 단점을 설명하는 글입니다.
- **글의 주제** 누리 소통망의 장점과 단점

085쪽 지문 독해

1 누리 소통망 **2** (2) ○ (3) ○ **3** ③ **4** ④

1 이 글은 누리 소통망의 의미와 특징을 설명하는 글입니다.

2 ❷문단에는 누리 소통망의 장점이, ❸문단에는 누리 소통망의 단점이 제시되어 있습니다.

3 누리 소통망은 적은 비용으로도 전문가의 지식이나 의견, 다양한 정보를 쉽게 얻을 수 있습니다.

오답 풀이
① 개인 정보가 유출되기 쉽다는 것은 누리 소통망의 단점입니다.
② 개인의 사생활이 침해당할 수 있다는 점은 누리 소통망의 단점입니다.
④ 누리 소통망의 익명성으로 인해 비난과 욕설이 담긴 악성 댓글을 다는 것은 바람직하지 않으므로 이를 누리 소통망의 장점으로 볼 수 없습니다.
⑤ 누리 소통망에는 정확하지 않거나 잘못된 정보들이 있을 수 있으며, 이는 누리 소통망의 단점에 해당합니다.

4 누리 소통망이 건전한 소통의 도구가 되기 위해서는 누리 소통망의 특징을 잘 이해하고 올바르게 이용하려는 노력이 필요합니다. 따라서 ④와 같이 댓글을 쓸 때 다른 사람에게 상처가 되지 않도록 주의를 기울이는 태도는 ㉡을 잘 실천하고 있다고 볼 수 있습니다.

오답 풀이
① 누리 소통망에 개인 정보를 모두 공개하면 범죄에 이용되거나 사이버 괴롭힘을 당할 수 있습니다.
② 누리 소통망에 전문가도 아니면서 전문가인 것처럼 글을 남기는 것은 바람직하지 않은 행동입니다.
③ 누리 소통망에는 정확하지 않거나 잘못된 정보들이 있을 수 있습니다.
⑤ 누리 소통망의 특징을 잘 이해하고 올바르게 이용하려는 노력과는 관계가 없는 행동입니다.

유형 분석/적용하기
이 문제는 글쓴이의 중심 생각을 다른 사례에 적용하는 문제입니다. 이 글의 마지막 문단에는 글쓴이의 중심 생각이 나타나 있습니다. 누리 소통망의 특징을 이해하며 주의를 기울이고 있는 친구가 누구인지 찾아봅니다.

086쪽 지문 분석

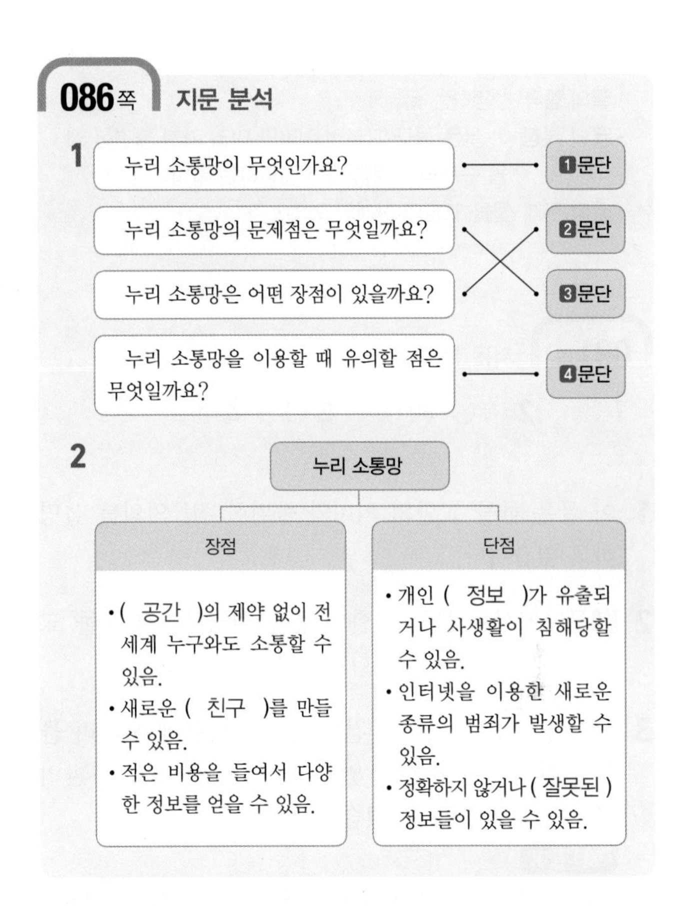

1 ❶문단에서는 누리 소통망의 의미를, ❷문단에서는 누리 소통망의 장점을, ❸문단에서는 누리 소통망의 단점을 설명하였습니다. ❹문단에서는 누리 소통망을 이용할 때 유의할 점을 강조하고 있습니다.

2 이 글은 누리 소통망의 장점과 단점을 각각 세 가지씩 제시하며 구체적으로 설명하고 있습니다.

087쪽 오늘의 어휘

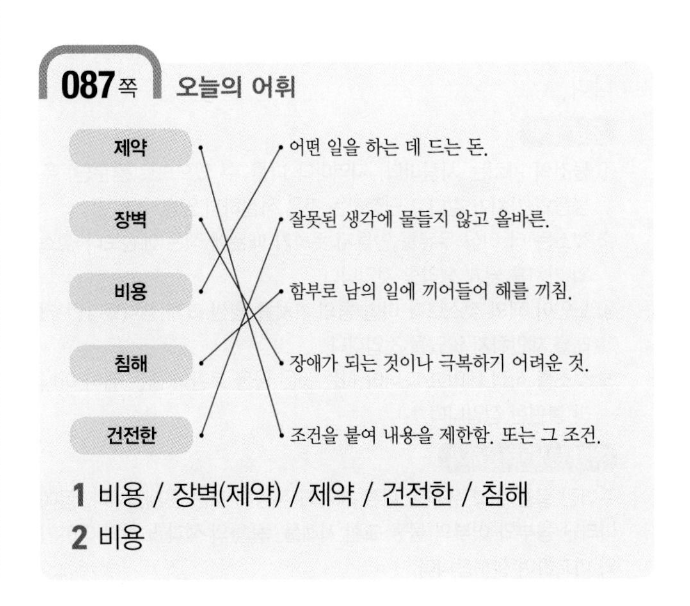

1 비용 / 장벽(제약) / 제약 / 건전한 / 침해
2 비용

- **글의 종류** 설명하는 글
- **글의 특징** 이 글은 물물 교환의 의미와 여러 가지 불편한 점을 구체적인 예를 들어 설명하는 글입니다.
- **글의 주제** 물물 교환의 한계와 의의

091쪽 지문 독해

1 ④ **2** (1) ○ (4) ○ **3** ① **4** ③

1 이 글은 물물 교환의 의미와 불편한 점, 의의를 설명하고 있습니다.

2 ❶문단에서는 물물 교환의 뜻을 설명하면서 물물 교환이 왜 생겨났는지도 함께 설명하고 있습니다.

3 사람마다 갖고 있는 물건이 다르기 때문에 오히려 물물 교환이 이루어질 수 있었으므로, ①은 물물 교환의 불편한 점으로 볼 수 없습니다.

오답 풀이

② ❷문단에서 물건에 대한 가치가 사람마다 다를 수 있는 것이 물물 교환의 불편한 점이라고 하였습니다.
③ ❹문단에서 물건을 다른 사람과 교환하려면 자신의 물건을 직접 들고 가야 하는 것이 물물 교환의 불편한 점이라고 하였습니다.
④ ❸문단에서 내 물건과 바꿀 물건을 가진 사람을 직접 찾아 나서야 하는 것이 물물 교환의 불편한 점이라고 하였습니다.
⑤ ❸문단에서 서로 원하는 물건을 교환할 사람을 만나기가 어렵다는 것이 물물 교환의 불편한 점이라고 하였습니다.

4 물물 교환은 자신이 필요로 하는 물건을 갖고 있는 사람을 찾아 이루어지는 것이므로, 잭이 마법 콩이 필요 없다면 노인과 잭의 거래는 이루어지지 않을 것입니다.

오답 풀이

① 물건의 가치는 사람마다, 지역마다 다를 수 있으므로(❷문단) 두 물품의 가치가 같다고 단정하는 것은 적절하지 않습니다.
② 젖소는 더 이상 우유를 만들지 못하기 때문에 잭은 예전보다 젖소의 가치를 낮게 생각할 것입니다.
④ 노인이 잭의 젖소보다 마법 콩의 가치를 훨씬 크게 생각했다면 거래를 제안하지 않았을 것입니다.
⑤ 젖소를 직접 데리고 다녀야 하는 것은 물물 교환의 좋은 점이 아니라 불편한 점입니다.

유형 분석/적용하기

주어진 글을 읽고 유사한 다른 사례에 적용해 보는 문제입니다. 글에 나타난 농부와 어부의 물물 교환 사례를, 보기 의 잭과 노인의 이야기와 비교하여 살펴봅니다.

092쪽 지문 분석

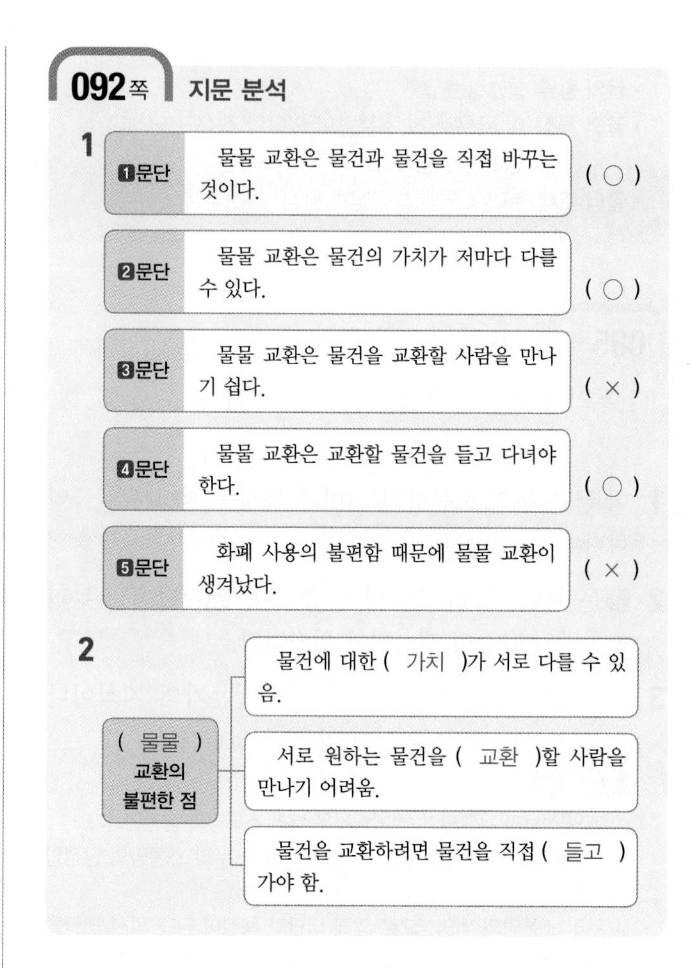

1 ❸문단은 물물 교환을 할 때 서로 원하는 물건을 교환할 사람을 만나기가 어렵다는 내용입니다. ❺문단은 물물 교환의 불편한 점들 때문에 화폐의 필요성이 커졌다는 내용입니다.

2 이 글은 물물 교환의 불편한 점을 세 가지로 구분하여 설명하고 있습니다.

093쪽 오늘의 어휘

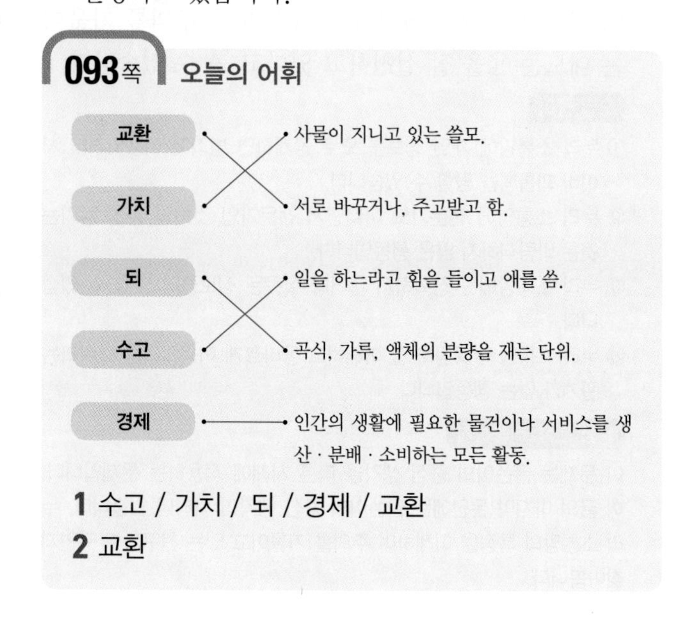

1 수고 / 가치 / 되 / 경제 / 교환
2 교환

- **글의 종류** 설명하는 글
- **글의 특징** 이 글은 기업의 의미와 목적을 밝힌 후, 기업의 역할과 사회적 책임에 대해 설명하는 글입니다.
- **글의 주제** 기업의 역할과 사회적 책임

095쪽 지문 독해

1 역할 **2** (1) ○ (2) ○ (3) ○ **3** ④
4 ④

1 이 글은 기업의 역할과 사회적 책임을 설명하는 글입니다.

2 (1) 기업의 목적은 이윤을 내기 위한 것임을 ❶문단에서 밝히고 있습니다.
(2) ❹문단에서는 기업이 소비자에게 선택을 받아 높은 이윤을 얻기 위해서 유명한 연예인을 광고에 등장시켜 관심을 끄는 것이라고 하였습니다.
(3) ❸문단에서는 기업이 더 좋은 물건을 더 빨리 더 많이 만들기 위해서 능력 있는 사람들을 고용하는 것이라고 하였습니다.

오답 풀이
(4) 기업 간 경쟁이 소비자와 기업에게 미치는 긍정적인 영향에 대해서는 ❹문단에 제시되어 있지만, 경쟁으로 인한 문제점은 언급되지 않았습니다.

3 기업의 목적은 이윤을 추구하는 것이지만, 사회 안에서 공정한 거래 질서가 유지되도록 노력해야 합니다. 따라서 공정하지 않은 거래도 해야 한다는 ④의 내용은 기업의 역할로 적절하지 않습니다.

오답 풀이
① ❺문단에서 기업은 나라에 세금을 성실하게 내야 한다고 하였습니다.
② ❸문단에서 기업은 사람들에게 일자리를 제공하는 역할을 한다고 하였습니다.
③, ⑤ ❷문단에서 기업이 하는 일 중 가장 중요한 것은 생산 활동이라고 하였습니다.

4 기업의 사회적 책임은 어려운 사람들을 위해 이윤의 일부를 사회에 돌려줌으로써 긍정적인 영향력을 미치는 것을 말합니다.

유형 분석 추론하기
글을 읽고 ㉡의 앞과 뒤의 내용들을 고려하여 의미를 추론해 보는 문제입니다. ㉡의 앞뒤 문맥에 유의하며 글을 다시 읽어 봅니다.

096쪽 지문 분석

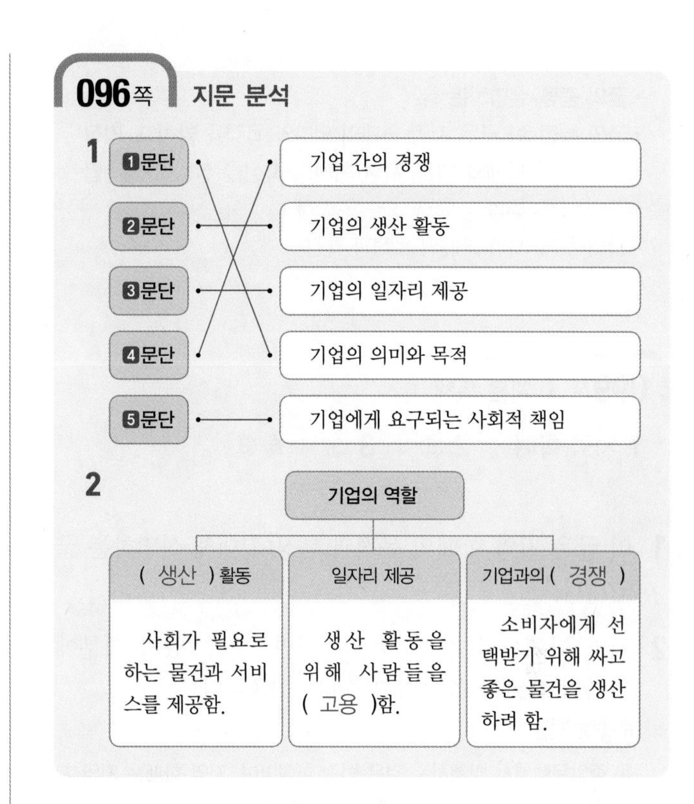

1 ❶문단에서는 기업의 의미와 목적을 밝히고, ❷~❹문단에서는 기업의 역할을 생산 활동, 일자리 제공, 경쟁으로 구분하여 각각 설명하였습니다. ❺문단에서는 기업의 사회적 책임에 대해 강조하고 있습니다.

2 이 글은 기업의 역할을 생산 활동, 일자리 제공, 경쟁 등으로 구분하여 설명하고 있습니다.

097쪽 오늘의 어휘

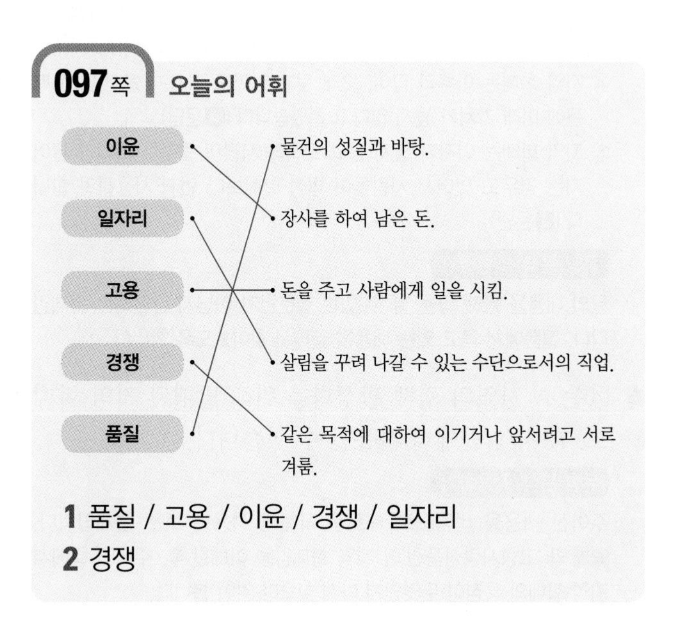

1 품질 / 고용 / 이윤 / 경쟁 / 일자리
2 경쟁

- **글의 종류** 설명하는 글
- **글의 특징** 이 글은 지역 화폐의 의미와 목적을 밝히고, 법정 화폐와 다른 지역 화폐의 특징을 설명하는 글입니다.
- **글의 주제** 지역 화폐의 목적과 특징

099쪽 지문 독해

1 지역 화폐 **2** ⑤ **3** ③ **4** ③

1 이 글은 지역 화폐의 목적과 특징에 대해 설명하는 글입니다.

2 지역 화폐는 특정 지역 안에서만 쓸 수 있기 때문에 지역 밖으로 유출되지 않습니다.(❸문단)

오답 풀이

① 중앙은행에서 발행하는 것은 법정 화폐이며, 지역 화폐는 지역 자치 단체나 시민 단체가 발행합니다.(❷문단)

② 지역 화폐는 전통 시장과 소상공인의 소득 증가를 이끌기 위한 것입니다.(❷문단)

③ 지역 화폐는 이자가 붙지 않습니다.(❹문단)

④ 지역 화폐는 법정 화폐와 달리 그 지역 안에서만 사용할 수 있습니다.(❸문단)

3 사람들이 지역 화폐를 사용하는 것을 꺼린다는 내용은 이 글에 제시되지 않았습니다.

오답 풀이

① ❶문단에서 지역 화폐는 지역 경제의 위기를 이겨 내기 위해서 도입되었다고 하였습니다.

② 지역 화폐는 그 지역 안에서만 사용되어야 지역 경제의 활성화에 도움이 될 수 있기 때문에 사용 범위를 제한한 것입니다.

④ 지역 화폐는 아무리 많이, 오래 갖고 있어도 이자가 붙지 않기 때문에 미래 가치가 높지 않다고 하였습니다.(❹문단)

⑤ 지역 화폐는 이자가 붙지 않고 오히려 시간이 갈수록 가치가 떨어지는 경우도 있어서 사람들이 법정 화폐보다 먼저 사용하려 합니다.(❹문단)

유형 분석/추론하기

글의 내용을 통해 답을 알 수 있는 질문인지 아닌지 판단하는 문제입니다. 질문에서 묻고 있는 내용을 글에서 찾아보도록 합니다.

4 ㉮는 A 지역의 경제 활성화를 위해 발행된 지역 화폐로, A 지역 안에서 사용할 수 있습니다.

유형 분석/적용하기

주어진 내용을 바탕으로 새로운 사례에 적용해 보는 문제입니다. 보기의 '고향사랑상품권'이 지역 화폐임을 이해한 후, 주어진 글에서 지역 화폐의 특징이 무엇인지 다시 찾으며 읽어 봅니다.

100쪽 지문 분석

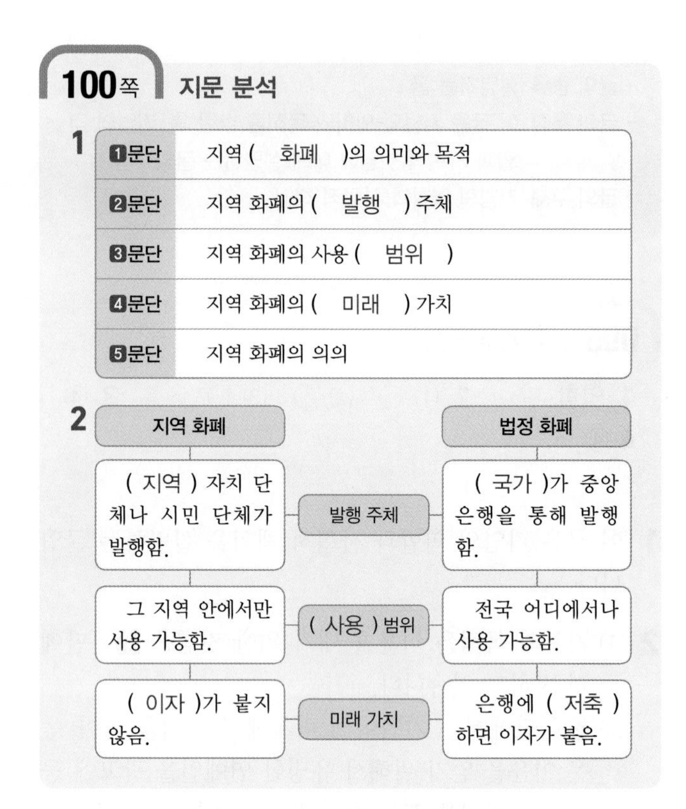

1

문단	내용
❶문단	지역 (화폐)의 의미와 목적
❷문단	지역 화폐의 (발행) 주체
❸문단	지역 화폐의 사용 (범위)
❹문단	지역 화폐의 (미래) 가치
❺문단	지역 화폐의 의의

2

지역 화폐		법정 화폐
(지역) 자치 단체나 시민 단체가 발행함.	발행 주체	(국가)가 중앙 은행을 통해 발행함.
그 지역 안에서만 사용 가능함.	(사용) 범위	전국 어디에서나 사용 가능함.
(이자)가 붙지 않음.	미래 가치	은행에 (저축) 하면 이자가 붙음.

1 ❶문단에서는 지역 화폐의 의미와 목적을 제시하였고, ❷~❹문단에서는 지역 화폐의 특징을 발행 주체, 사용 범위, 미래 가치로 구분하여 각각 설명하였습니다. ❺문단에서는 이러한 특징을 바탕으로 지역 화폐가 갖는 의의를 강조하고 있습니다.

2 이 글은 지역 화폐의 특징을 법정 화폐와 비교하여 발행 주체, 사용 범위, 미래 가치의 세 항목으로 나누어 설명하고 있습니다.

101쪽 오늘의 어휘

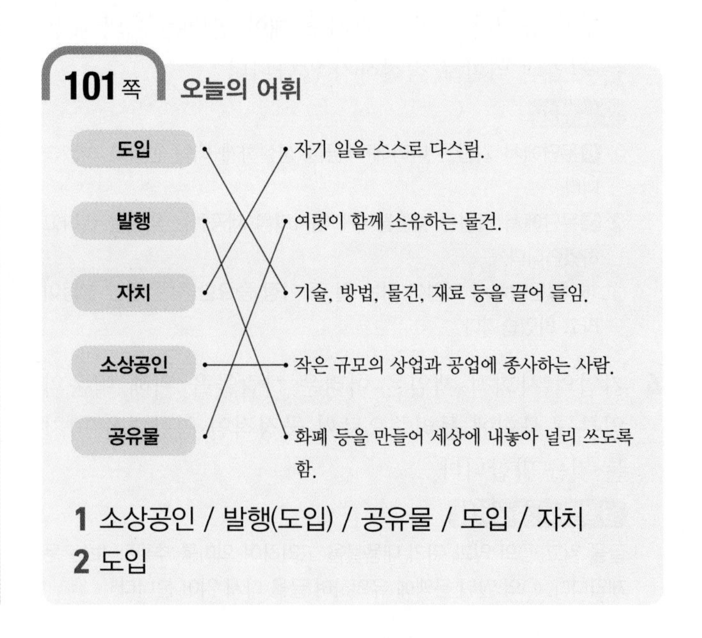

1 소상공인 / 발행(도입) / 공유물 / 도입 / 자치
2 도입

- **글의 종류** 설명하는 글
- **글의 특징** 이 글은 화산 폭발 실험의 준비물과 방법을 안내하고, 실험 결과를 통해 화산 폭발의 원리를 설명하는 글입니다.
- **글의 주제** 화산 폭발 실험의 준비물과 방법

103쪽 지문 독해

1 화산 **2** (1) ○ (3) ○ **3** ③ **4** ⑤

1 이 글은 화산 폭발 실험을 통해 화산 폭발의 원리를 설명하는 글입니다.

2 화산의 의미는 ❶문단에, 화산 폭발 실험의 방법은 ❸문단에 나타나 있습니다.

오답 풀이

(2) 화산 폭발의 위험성은 이 글에 나타나 있지 않습니다.
(4) 화산 폭발이 대기에 미치는 영향은 이 글에 언급되지 않았습니다.

3 빨간 물감은 마그마의 붉은 색깔과 비슷하게 보이도록 하여 눈으로 확인하기 쉽게 하려고 넣은 것입니다. 빨간 물감과 베이킹 소다를 탄 용액이 마그마처럼 끓어오르게 해 주는 물질은 이산화 탄소입니다.

오답 풀이

① ❷문단에서 가장 중요한 준비물이 탄산수소 나트륨과 산성 물질이라고 하였습니다. 탄산수소 나트륨으로 베이킹 소다를 준비하고, 산성 물질로 구연산이나 식초를 준비하라고 하였으므로 알맞은 설명입니다.
② ❷문단에서 탄산수소 나트륨과 산성 물질이 만나면 이산화 탄소가 발생한다고 하였습니다.
④ ❹문단에서 베이킹 소다를 탄 용액에 구연산을 녹인 용액을 떨어뜨리면 이산화 탄소가 발생되어 빨간색 방울이 마그마처럼 부글부글 끓어오른다고 하였습니다.
⑤ ❶문단에서 화산 활동을 직접 눈으로 보기는 어렵지만 간단한 준비물만 있다면 실험을 통해 화산 폭발의 원리를 이해할 수 있다고 하였습니다.

4 ❹문단에서 화산 폭발도 밀도의 차이 때문에 생긴다고 하였습니다. 땅속의 마그마가 주변 물질보다 밀도가 작아서 지표 밖 위로 올라오는 것이라고 설명되어 있습니다.

유형 분석/적용하기

이 문제는 글의 중심 내용을 잘 이해한 친구를 찾는 문제입니다. 실험을 통해 화산 폭발 원리를 설명하는 글임을 잘 기억하고 마지막 문단을 꼼꼼히 읽어 봅니다.

104쪽 지문 분석

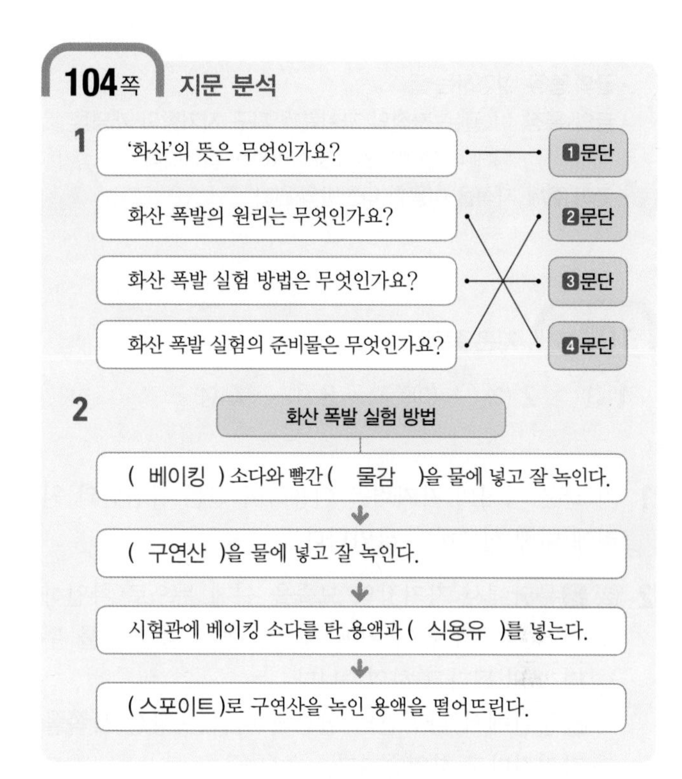

1 ❶문단에서는 화산의 의미를, ❷문단에서는 화산 폭발 실험을 위한 준비물을, ❸문단에서는 화산 폭발 실험 방법을 설명하고 있습니다. 마지막으로 ❹문단에서는 실험 결과를 통해 알 수 있는 화산 폭발의 원리를 설명하고 있습니다.

2 이 글의 ❸문단에서는 화산 폭발 실험의 과정을 순서대로 설명하고 있습니다.

105쪽 오늘의 어휘

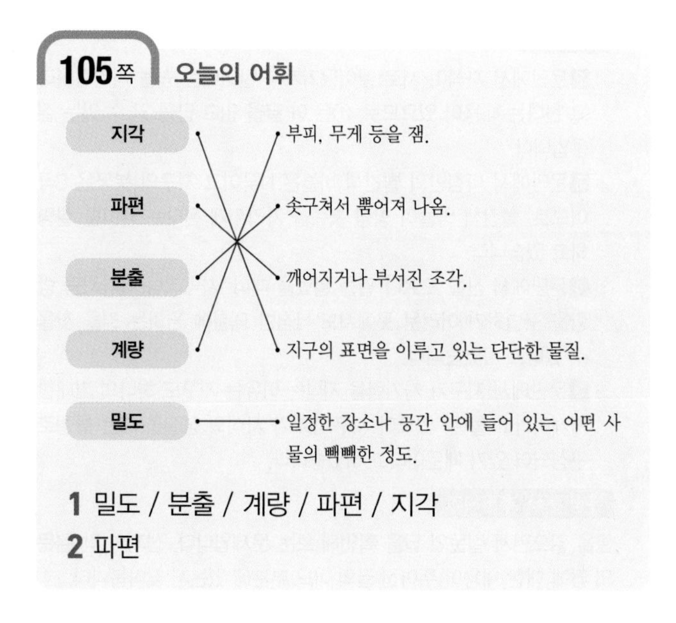

1 밀도 / 분출 / 계량 / 파편 / 지각
2 파편

- **글의 종류** 설명하는 글
- **글의 특징** 이 글은 자석의 자기력과 지구 자기장의 개념을 통해 나침반의 원리를 설명하는 글입니다.
- **글의 주제** 자석을 이용한 나침반의 원리

107쪽 지문 독해

1 ③ **2** (2) ○ (3) ○ **3** ① **4** ④

1 이 글은 자석의 자기력을 이용하여 만든 나침반의 원리에 대해 설명하는 글입니다.

2 (2) ❷문단에서 자기장의 모습을 쉽게 눈으로 확인하려면 하얀색 종이 위에 자석을 놓고 철 가루를 뿌려 보면 된다고 하였습니다.
(3) ❸문단에서 나침반의 빨간색 바늘은 항상 북쪽을 가리킨다고 하였습니다.

3 모든 자석에는 서로 끌어당기거나 밀어내는 힘인 자기력이 있습니다.(❷문단)

오답 풀이
② 지구의 북극은 S극, 남극은 N극입니다.(❸문단)
③ 자기력이 미치는 공간이 자기장입니다.(❷문단)
④ 나침반의 빨간색 바늘은 N극이므로 항상 지구의 S극인 북극을 가리킵니다.(❸문단)
⑤ 자석은 같은 극끼리는 밀어내고 다른 극끼리는 끌어당깁니다.(❷문단)

4 지구 자기장이 지구에 미치는 영향이나 역할은 이 글에 제시되지 않았습니다.

오답 풀이
① ❷문단에서 자석이 서로 끌어당기거나 밀어내는 힘을 자기력이라고 한다는 내용이 있으므로, ①은 이 글을 읽고 답을 알 수 있는 질문입니다.
② ❸문단에서 나침반의 빨간색 바늘은 N극이고 지구의 북극은 S극이므로, 빨간색 바늘이 항상 북쪽을 가리키게 된다는 원리를 설명하고 있습니다.
③ ❹문단에서 산을 오르다 길을 잃었을 때나, 사막이나 바다처럼 방향을 구별하기 어려운 곳에서도 나침반 덕분에 원하는 길을 찾을 수 있다고 하였습니다.
⑤ ❸문단에서 지구가 자기력을 지니는 이유는 지구도 하나의 거대한 자석이라고 할 수 있으며 지구 내부가 자석의 성질을 띠는 물질로 구성되어 있기 때문이라고 하였습니다.

유형 분석 추론하기
글을 읽으면서 질문의 답을 확인해 보는 문제입니다. 선지의 각 질문의 답에 대한 내용이 주어진 글의 어느 부분에 있는지 찾아봅니다.

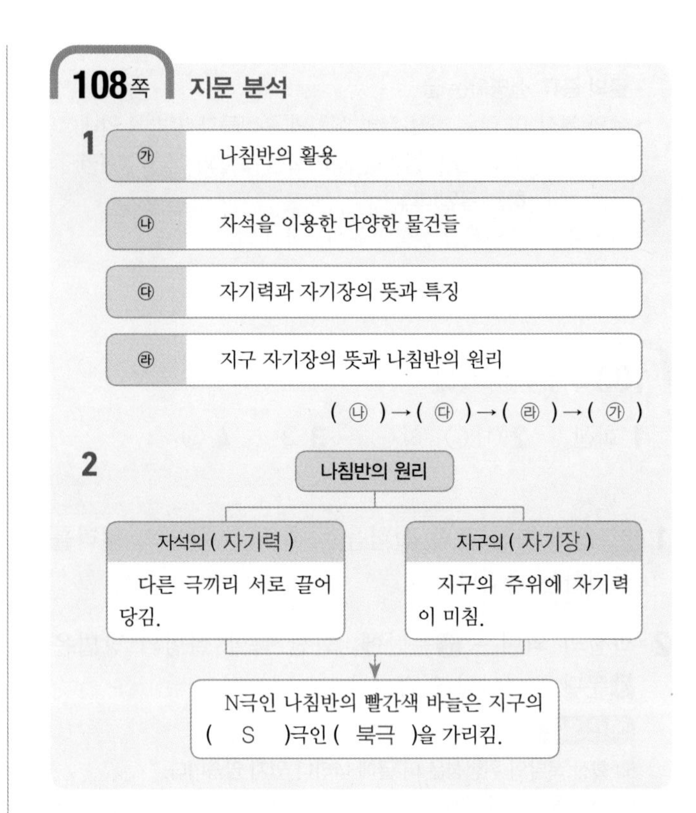

1 ❶문단에서는 자석을 이용한 다양한 물건들을 소개하고, ❷문단에서는 자기력과 자기장의 뜻과 특징을 설명하고 있습니다. ❸문단에서는 지구 자기장의 뜻과 나침반의 원리를 설명하고, ❹문단에서는 나침반을 활용하는 상황을 예를 들어 설명하고 있습니다.

2 이 글은 자석의 자기력과 지구 자기장의 개념을 먼저 설명한 후, 나침반의 빨간색 바늘이 항상 북쪽을 향하는 원리를 설명하고 있습니다.

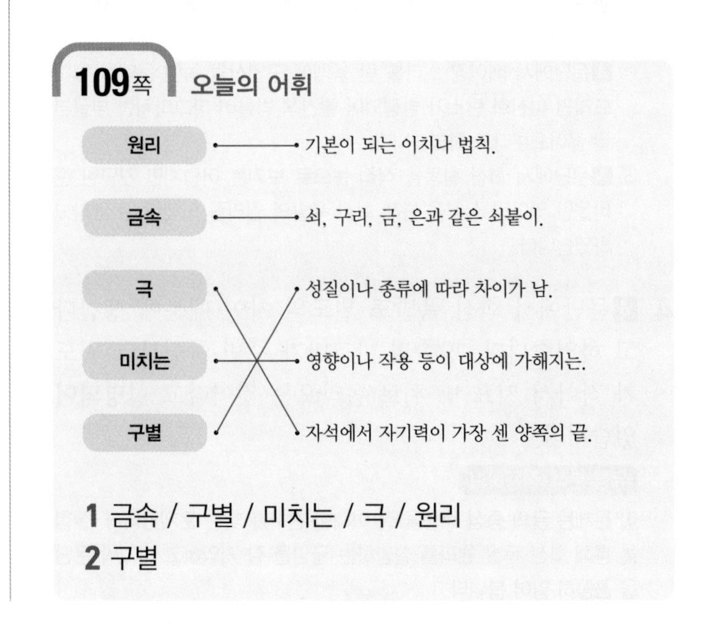

• **글의 종류** 설명하는 글
• **글의 특징** 이 글은 소리가 발생되는 원리와 소리가 전달되는 원리를 설명하는 글입니다.
• **글의 주제** 소리의 발생과 전달 원리

111쪽 지문 독해

1 소리 2 (1) ○ (2) ○ (4) ○ 3 ② 4 ②

1 이 글은 소리가 발생되는 원리와 소리가 전달되는 원리를 설명하는 글입니다.

2 (1) 매질은 소리를 전달하는 물질이며(❷문단), 공기나 물, 흙, 실 등이 그 예입니다.(❶문단)
(2) 소리는 파동 현상을 통해 다른 사람의 귀에 전달됩니다.(❸문단)
(4) 우주에는 진동을 전달해 줄 매질인 공기가 없기 때문에 소리가 나지 않습니다.(❹문단)

3 매질에는 꼭 공기만 있는 것은 아닙니다. ❶문단을 보면 소리를 전달할 수 있는 매질로 공기 외에도 물, 흙, 실 등이 있다고 했으니, 물속에서도 물이 매질이 되어 소리가 전달될 수 있습니다.

오답 풀이
① ❶문단에서 옛날 사람들은 전쟁이 일어났을 때 북을 두드려서 큰 소리를 내어 알렸다고 하였으므로, 옛날 사람들이 북을 울려 중요한 사항을 알렸을 것이라고 짐작하는 것은 적절합니다.
③ 종소리도 다른 소리와 마찬가지로 종을 쳐서 생긴 떨림이 공기를 진동시켜서 사람들의 귀에 전달될 것입니다.
④ ❷문단에서 진동이 크면 소리도 커지고 진동이 작으면 소리도 작아진다고 하였으므로, 북이나 종 소리가 크게 들리는 것이 진동이 크기 때문일 것이라고 짐작하는 것은 적절합니다.
⑤ ❹문단에서 우주에는 진동을 전달해 줄 물질인 공기가 없기 때문에 우주에서는 아무 소리도 나지 않는다고 하였습니다.

4 ❶문단에서 소리는 물체의 진동으로 전달되는 파동을 통해 귀에 들리는 것으로, 매질이 필요하다고 하였습니다. 보기 에서 빛은 매질이 필요 없지만 파동의 하나라고 하였으므로, 소리와 빛의 공통점은 파동으로 전달된다는 것입니다.

유형 분석/적용하기
글에서 설명하는 중심 대상을 비슷한 다른 대상과 비교해 보는 문제입니다. 소리가 전달되는 방법과 빛이 전달되는 방법을 비교하며 읽어 봅니다.

112쪽 지문 분석

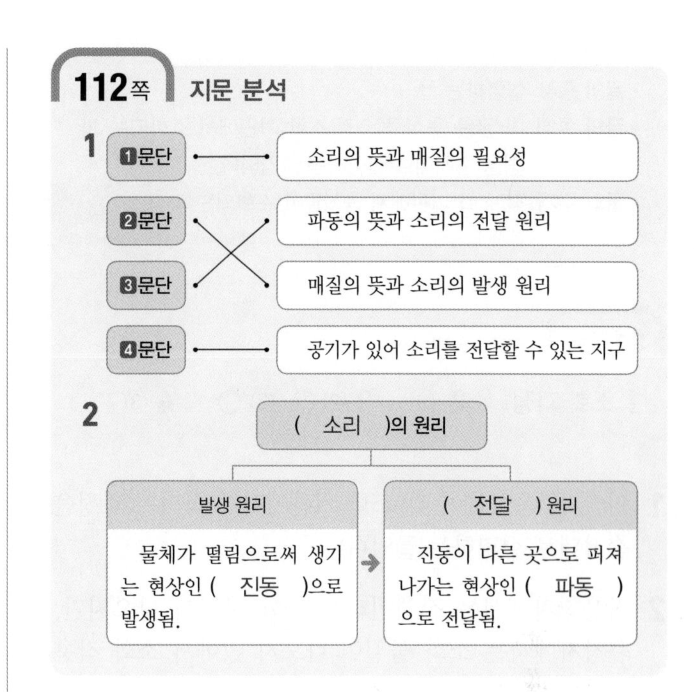

1 ❶문단에서는 소리의 뜻과 매질의 필요성을, ❷문단에서는 매질의 뜻과 소리가 발생되는 원리를, ❸문단에서는 파동의 뜻과 소리가 전달되는 원리를 설명하고 있습니다. 마지막으로 ❹문단에서는 우주와 달리 공기가 있어 소리를 전달할 수 있는 지구의 특성을 설명하고 있습니다.

2 이 글은 소리가 발생되는 원리와 전달되는 원리를 진동과 파동의 개념으로 설명하고 있습니다. 빈칸에 알맞은 말을 써넣어 이 글의 내용을 정리해 보도록 합니다.

113쪽 오늘의 어휘

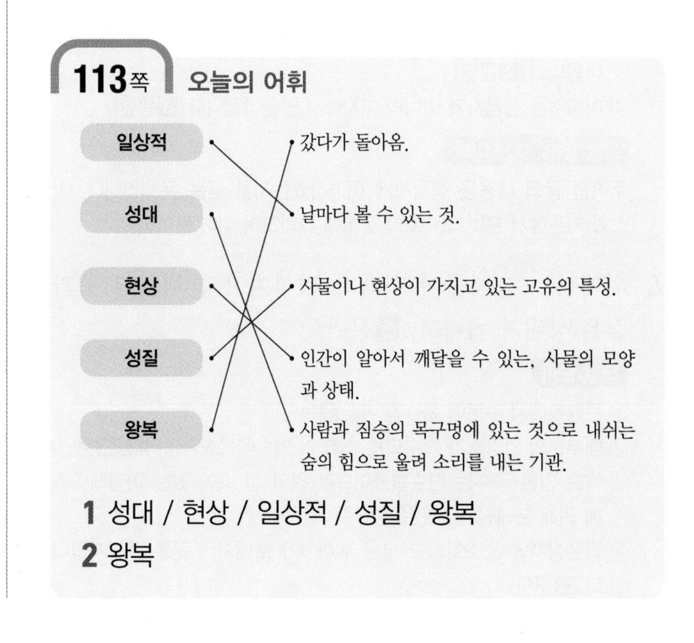

1 성대 / 현상 / 일상적 / 성질 / 왕복
2 왕복

• **글의 종류** 설명하는 글
• **글의 특징** 이 글은 음식물이 각 소화 기관에서 소화되는 과정을 순서대로 설명하는 글입니다.
• **글의 주제** 각 소화 기관에서 음식물이 소화되는 과정

115쪽 지문 독해

1 소화 과정 **2** ⑤ **3** (2) ○ (3) ○ **4** ③

1 이 글은 음식물이 각 소화 기관에서 소화되는 과정을 순서대로 설명하는 글입니다.

2 작은창자에서는 장액이라는 소화 물질이 나오지만, 큰창자에서는 소화 물질이 나오지 않아서 소화 작용은 일어나지 않으며 수분만 흡수됩니다.

오답 풀이
① 5문단에 나와 있는 내용입니다.
② 3문단에 나와 있는 내용입니다.
③ 3문단을 보면 부서진 음식물이 식도를 타고 위로 내려온다고 하였고, 위에서 죽이 된 음식물이 샘창자라는 통로를 이용해서 작은창자로 가게 된다고 하였습니다. 따라서 식도와 샘창자는 음식물이 이동하는 통로라고 할 수 있습니다.
④ 2문단에 나와 있는 내용입니다.

3 (2) 입에서 나오는 침 속에는 아밀레이스라는 소화 물질이 들어 있습니다.(2문단)
(3) 쓸개즙은 쓸개에서 저장하는 소화 물질입니다.(3문단)

오답 풀이
(1) 큰창자에서는 소화 물질이 나오지 않습니다. 장액은 작은창자에서 나옵니다.(4문단)
(4) 이자액은 샘창자가 아니라 이자에서 만들어집니다.(3문단)

유형 분석/내용 이해
주어진 글의 내용을 정확하게 이해하였는지를 묻는 문제입니다. 각 소화 기관에서 분비되는 소화 물질에 유의하며 읽어 봅니다.

4 위에서는 음식물이 위액과 뒤섞이고 분해되어 죽과 같은 상태가 됩니다.(3문단)

오답 풀이
① 큰창자에서 수분이 흡수됩니다.(4문단)
② 대부분의 영양소가 흡수되는 소화 기관은 작은창자입니다.(4문단)
④ 쌀로 만든 국수는 탄수화물이므로 입의 침 속에 있는 아밀레이스에 의해 분해됩니다.(2문단)
⑤ 작은창자에서 소화되고 남은 찌꺼기가 보내지는 곳은 큰창자입니다.(4문단)

116쪽 지문 분석

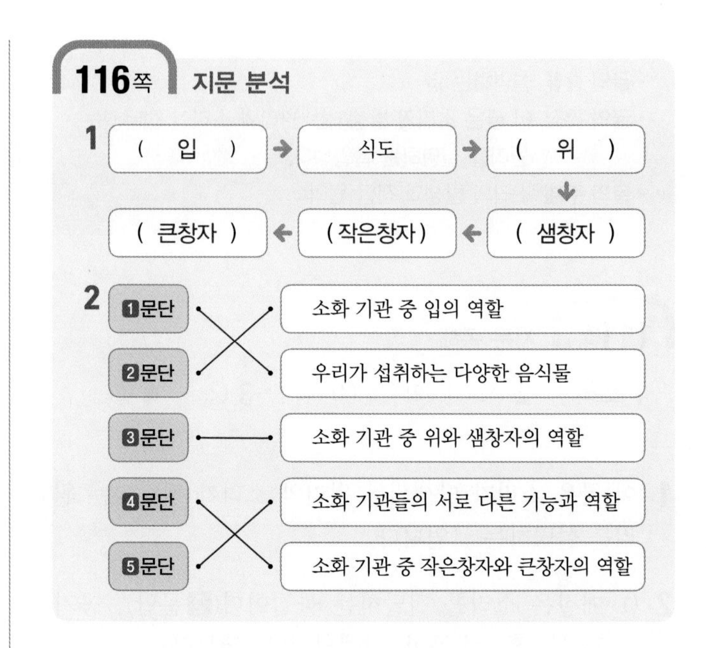

1 이 글은 음식물이 소화되는 과정을 입, 위, 샘창자, 작은창자, 큰창자로 나누어 설명하고 있습니다.

2 1문단에서는 우리가 다양한 음식물을 섭취하며 살아가고 있음을 제시하였습니다. 2문단에서는 입의 역할을 설명하였고, 3문단에서는 위와 샘창자의 역할을 설명하였으며, 4문단에서는 작은창자와 큰창자의 역할을 설명하였습니다. 5문단에서는 소화 기관들이 이어져 있지만 저마다 다른 기능과 역할이 있음을 설명하였습니다. 각 문단의 중심 내용으로 알맞은 것을 골라 선으로 이어 봅니다.

117쪽 오늘의 어휘

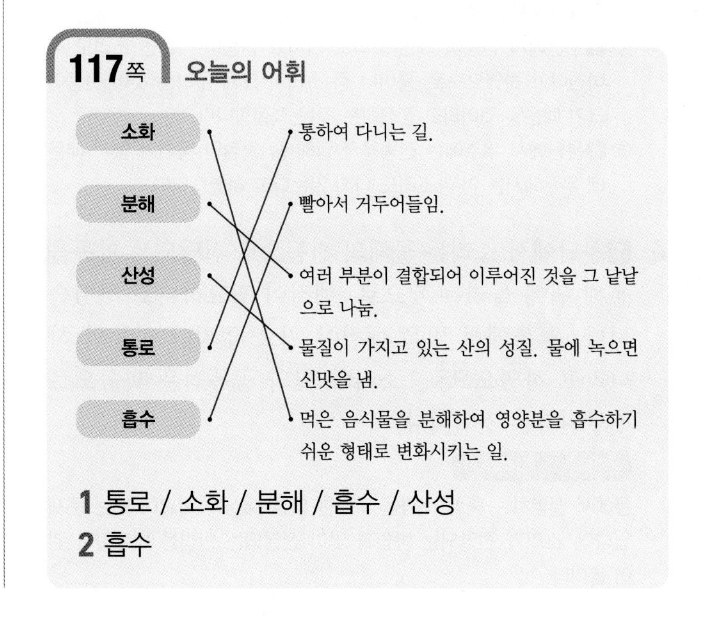

1 통로 / 소화 / 분해 / 흡수 / 산성
2 흡수

기술 01 석빙고에 담긴 과학적 원리

- **글의 종류** 설명하는 글
- **글의 특징** 이 글은 석빙고에 담긴 과학적 원리를 석빙고의 외부와 내부 구조를 통해 설명하는 글입니다.
- **글의 주제** 석빙고에 담긴 과학적 원리

119쪽 지문 독해

1 석빙고 **2** ④ **3** ⑤ **4** ④

1 이 글은 석빙고에 담긴 과학적 원리를 설명하는 글입니다.

2 석빙고는 한여름에도 시원한 동굴처럼 얼음을 보관하기 위해 땅을 깊게 파서 만들었습니다.(❷문단)

오답 풀이

① 석빙고에는 여름의 더위를 이기는 우리 조상의 지혜가 담겨 있습니다.(❺문단)
② 지금 남아 있는 경주 석빙고와 안동 석빙고는 조선 시대에 만들어진 것입니다.(❶문단)
③ 석빙고는 겨울에 언 얼음을 여름까지 보관하는 창고이므로 옛날 사람들이 여름에 얼음을 만들었다는 것은 적절하지 않습니다.
⑤ 석빙고에는 천장의 중간중간에 바람이 통할 수 있도록 구멍을 냈습니다.(❸문단)

3 석빙고의 바닥은 안으로 들어갈수록 비스듬하게 만들어서 얼음이 녹은 물이 흘러내려 가도록 했습니다.

오답 풀이

① ❸문단에서 석빙고의 천장은 아치 형태로 돌을 쌓아서 만들었다고 하였습니다.
② ❹문단에서 얼음과 벽 사이, 천장의 틈, 얼음과 얼음 사이에는 볏짚이나 갈대를 채워 열기를 차단하고 얼음의 온도를 유지했다고 하였습니다.
③ ❸문단에서 석빙고의 천장에 구멍을 내서, 이 구멍으로 안쪽의 더운 공기가 밖으로 빠져나갈 수 있도록 했다고 하였습니다.
④ ❹문단에서 얼음이 녹은 물이 석빙고 밖으로 흘러내려 가도록 배수로를 만들었다고 하였습니다.

4 공기의 대류 현상은 찬 공기는 무거워서 밑으로 향하고 더운 공기는 가벼워서 위로 이동하는 현상입니다. 따라서 위쪽으로 올라간 더운 공기를 밖으로 내보내기 위해 위쪽 창문을 연 현서가 공기의 대류 현상을 가장 잘 활용한 친구입니다.

유형 분석/적용하기

글에서 설명한 과학적 원리를 다른 사례에 적용하는 문제입니다. ㉠의 원리를 설명해 놓은 부분을 잘 읽고 ㉠을 실생활에 잘 적용한 경우를 생각해 봅니다.

120쪽 지문 분석

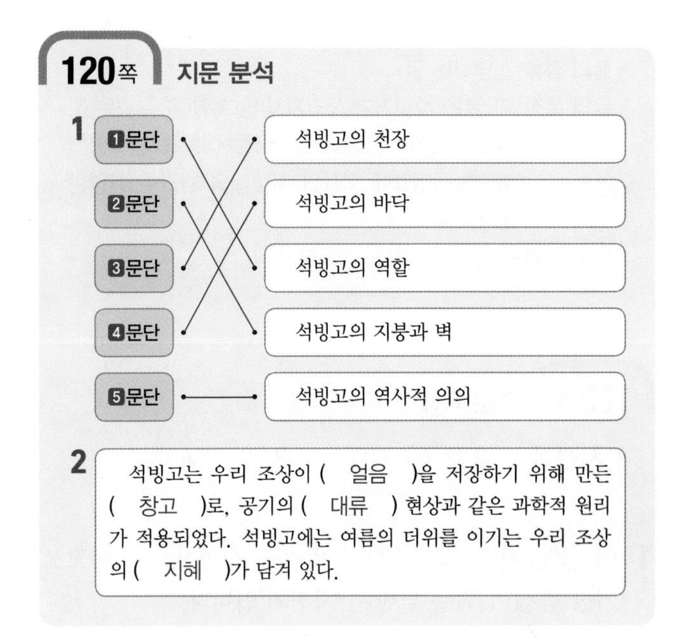

2 석빙고는 우리 조상이 (얼음)을 저장하기 위해 만든 (창고)로, 공기의 (대류) 현상과 같은 과학적 원리가 적용되었다. 석빙고에는 여름의 더위를 이기는 우리 조상의 지혜(지혜)가 담겨 있다.

1 ❶문단에서는 석빙고의 역할을 설명하였습니다. ❷문단에서는 석빙고의 지붕과 벽을, ❸문단에서는 석빙고의 천장을, ❹문단에서는 석빙고의 바닥을 살펴보며 열과 습기를 차단하기 위한 다양한 장치들을 설명하고 있습니다. ❺문단에서는 석빙고에 담긴 역사적 의의를 설명하고 있습니다.

2 이 글은 석빙고에 담긴 과학적 원리와 석빙고의 역사적 의의를 설명하는 글입니다. 석빙고는 공기의 대류 현상과 같은 과학적 원리가 적용된 얼음 창고로, 여름의 더위를 이기는 우리 조상의 지혜를 엿볼 수 있는 유적입니다.

121쪽 오늘의 어휘

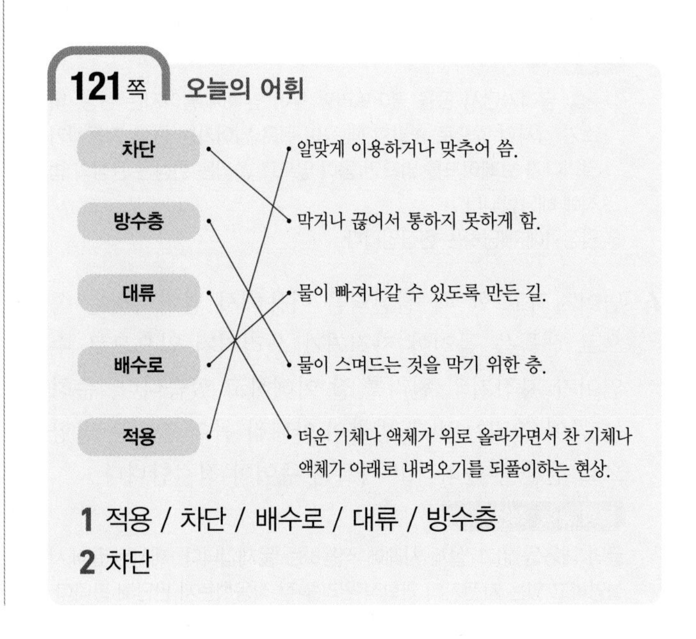

1 적용 / 차단 / 배수로 / 대류 / 방수층
2 차단

기술 **02 자전거의 과학적 원리** **122~125쪽**

- **글의 종류** 설명하는 글
- **글의 특징** 이 글은 자전거가 쓰러지지 않고 달릴 수 있는 이유를 관성의 법칙과 원심력을 이용해서 설명한 후, 브레이크에 적용된 지렛대의 원리를 설명한 글입니다.
- **글의 주제** 자전거에 적용된 과학적 원리

123쪽 지문 독해

1 자전거 **2** (2) ○ (4) ○ **3** ④ **4** ③

1 이 글은 자전거의 과학적 원리를 설명하는 글이므로 가장 중심이 되는 낱말은 '자전거'입니다.

2 (2) 자전거는 자동차가 없던 시대뿐 아니라 여러 교통수단이 발달한 현대에도 널리 이용되고 있습니다.(5문단)
(4) 원 모양의 회전 운동을 하는 물체는 원의 바깥으로 나아가려 하는 힘인 원심력을 받습니다.(3문단)

오답 풀이

(1) 관성의 힘은 자전거의 바퀴가 작을수록 큰 것이 아니라 바퀴가 클수록 큽니다.(2문단)
(3) 자전거가 넘어지지 않고 달릴 수 있는 이유는 관성의 법칙과 원심력 때문입니다.(2, 3문단)

3 ㉠'관성의 법칙'은 다른 힘이 작용하지 않으면 원래의 상태를 계속 유지하려 하는 현상입니다. 빨리 달리다가 결승선이 지나도 몸이 바로 멈춰지지 않는 것은 원심력이 아닌 관성의 법칙으로 설명할 수 있습니다.

오답 풀이

①~③ 달려가면서 공을 떨어뜨리면 공이 앞쪽에 떨어지는 현상, 버스가 갑자기 앞으로 출발할 때 몸이 뒤로 넘어가는 현상, 자동차가 달리다가 브레이크를 밟으면 몸이 앞으로 쏠리는 현상은 관성의 법칙에 해당합니다.
⑤ 원심력에 해당하는 현상입니다.

4 넘어지려고 할 때 원심력을 이용해서 넘어지려는 쪽으로 핸들을 돌려야 자전거가 쓰러지지 않으므로 수연이가 자전거의 원리를 잘 이해하고 있습니다. 준하는 몸이 쏠리는 반대 방향이 아니라 몸이 쏠리는 방향으로 핸들을 돌리라고 가르쳐 주어야 적절합니다.

유형 분석/적용하기

글의 내용을 읽고 실제 사례에 적용하는 문제입니다. 제시된 글에서 설명하고 있는 자전거의 과학적 원리를 잘 적용했는지 판단해 봅니다.

124쪽 지문 분석

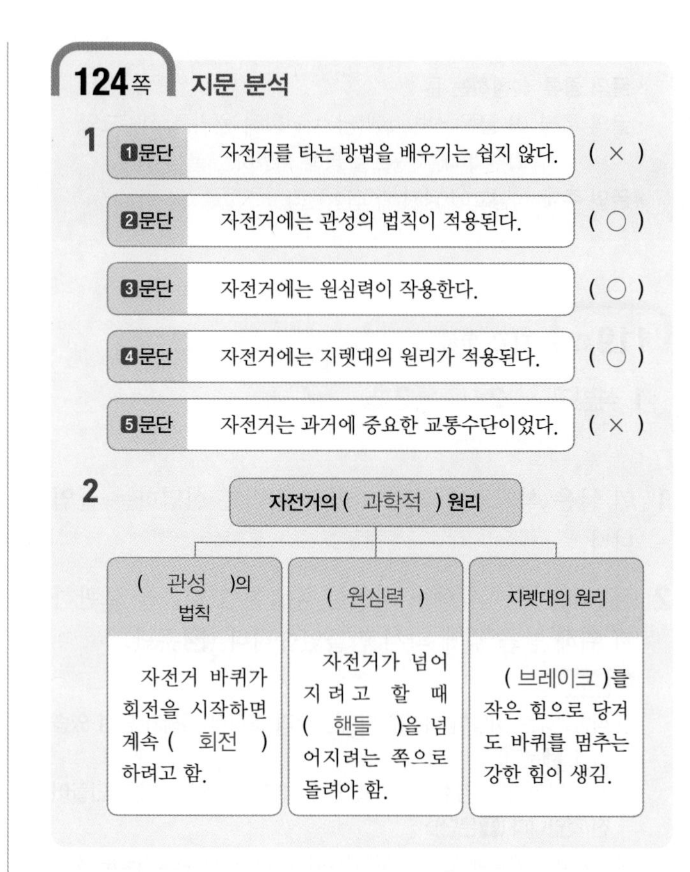

1 1문단에서 자전거는 쉽게 배워서 탈 수 있으며 환경과 건강 모두를 지킬 수 있는 교통수단이라고 하였습니다. 5문단에서 자전거는 여러 교통수단이 발달한 현대에도 널리 이용되고 있다고 하였습니다.

2 이 글은 자전거에 적용된 과학적 원리를 관성의 법칙, 원심력, 지렛대의 원리로 나누어 설명하였습니다.

125쪽 오늘의 어휘

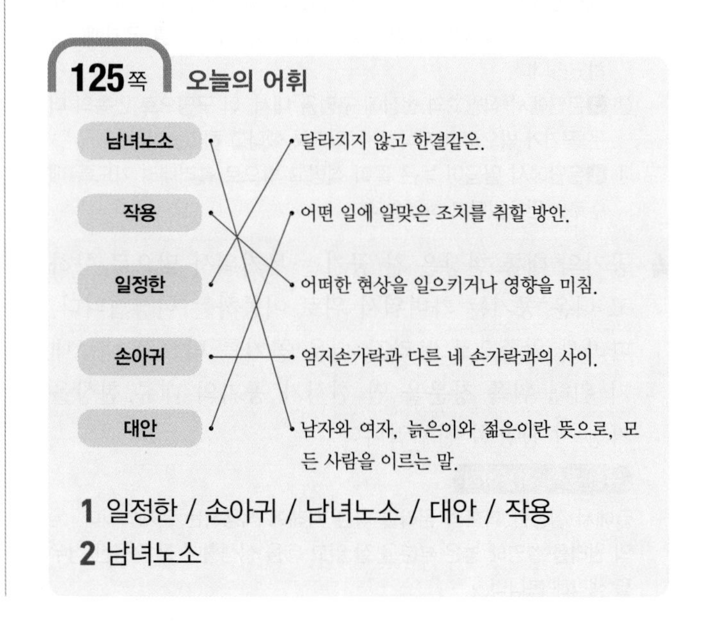

1 일정한 / 손아귀 / 남녀노소 / 대안 / 작용
2 남녀노소

01 애니메이션의 종류

- **글의 종류** 설명하는 글
- **글의 특징** 이 글은 애니메이션의 의미를 밝히고, 제작 방식에 따른 애니메이션의 종류를 설명하는 글입니다.
- **글의 주제** 애니메이션의 여러 가지 제작 방식

129쪽 지문 독해

1 애니메이션 **2** (1)-㉰ (2)-㉯ (3)-㉮ **3** ⑤
4 ④

1 이 글은 애니메이션의 종류와 제작 방식을 설명하는 글입니다.

2 점토 애니메이션은 점토로 만든 인형의 움직임을 장면별로 촬영해서 제작하고, 실사 애니메이션은 실제 사람이 나오는 영화와 애니메이션을 결합한 것입니다. 3D 애니메이션은 컴퓨터를 이용해서 삼차원으로 작업합니다.

3 ㉡'점토 애니메이션'은 점토로 만든 인형의 움직임을 장면별로 촬영해서 제작하는 방식입니다. 따라서 여러 자세의 움직임을 바꿔 가면서 찍어야 하니 시간이 오래 걸릴 것이라 짐작한 것은 적절합니다.

오답 풀이

①, ④ 점토 애니메이션에 사용된 점토는 일반 점토와는 달라서 쉽게 굳지 않아 여러 자세의 움직임을 만들기에 좋습니다.

② 점토로 만든 인형을 통해 입체감을 표현할 수 있는 것은 점토 애니메이션의 장점입니다.

③ 미리 제작된 배경이나 세트에서 인형의 모습을 동시에 촬영할 수 있습니다.

4 보기 의 영화는 실제 배우들과 만화 캐릭터가 같은 화면에 합성되어 있었다고 하였으므로 실사 애니메이션임을 알 수 있습니다.

오답 풀이

① 실사 애니메이션도 애니메이션의 한 종류입니다.(❸문단)

② 점토 애니메이션이 입체감을 잘 표현할 수 있는 것은 맞지만(❷문단), 보기 의 영화는 입체감이 잘 표현되었다는 설명도 없고 점토 애니메이션도 아닙니다.

③, ⑤ 보기 의 영화는 실제 배우가 연기한 화면에 만화 캐릭터를 그린 투명판을 투영시켜 만든 실사 애니메이션입니다.

유형 분석/적용하기

글에서 다루는 내용을 이와 유사한 다른 사례에 적용하는 문제입니다. 애니메이션의 세 가지 종류 중 보기 의 영화와 같은 방식으로 제작된 것을 찾아봅니다.

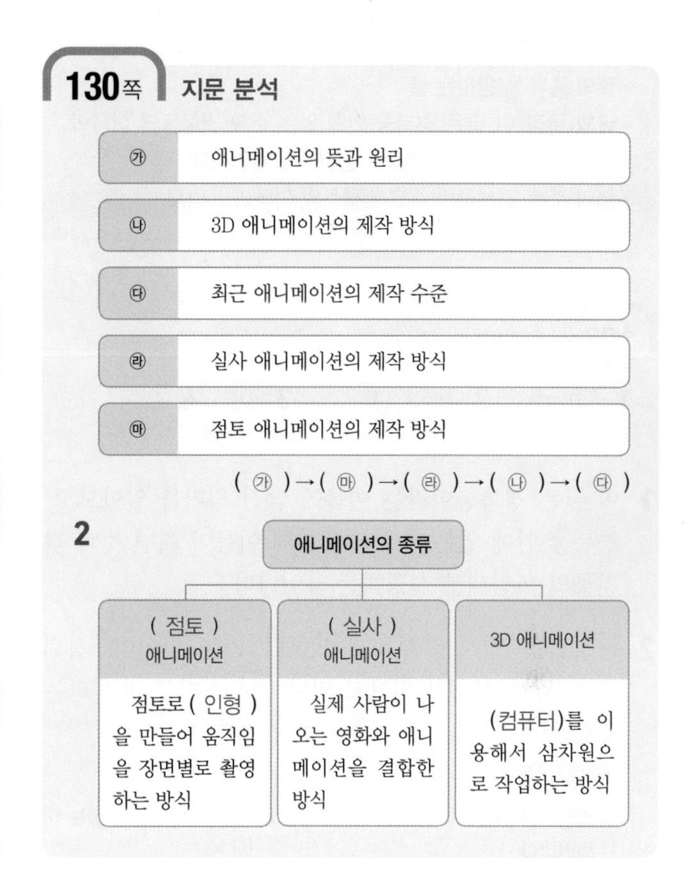

1 ❶문단에서는 애니메이션의 뜻과 원리를 제시하고, ❷~❹문단에서는 애니메이션의 종류를 점토, 실사, 3D로 나누어 각각 설명하고 있습니다. ❺문단에서는 최근 애니메이션의 제작 수준을 제시하였습니다.

2 이 글은 애니메이션의 종류를 점토 애니메이션, 실사 애니메이션, 3D 애니메이션의 세 가지로 구분하여 설명하고 있습니다.

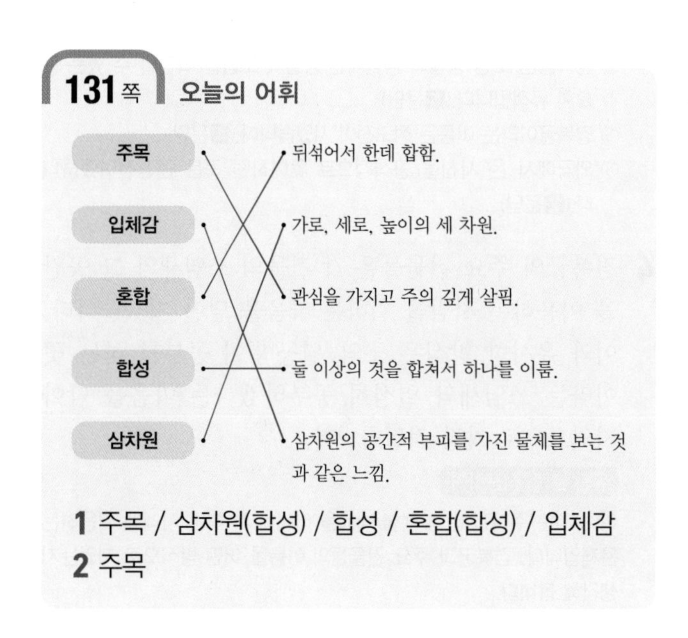

1 주목 / 삼차원(합성) / 합성 / 혼합(합성) / 입체감
2 주목

- **글의 종류** 설명하는 글
- **글의 특징** 이 글은 경복궁 안에 있는 주요 건물들의 이름의 의미와 쓰임새를 설명하는 글입니다.
- **글의 주제** 경복궁의 주요 건물들의 이름과 쓰임새

133쪽 지문 독해

1 경복궁 **2** (2) ○ (4) ○ **3** ④ **4** ④

1 이 글은 경복궁이라는 이름에 담긴 의미를 알아보고, 경복궁 안에 있는 주요 건물들의 이름이 지닌 뜻과 각 건물의 쓰임새를 설명하는 글입니다.

2 근정전은 '정치를 부지런히 하다.'라는 뜻이며, 경회루는 '왕과 신하가 덕으로 만난 경사스러운 잔치'라는 뜻입니다.

오답 풀이

(1) 경복궁은 자손 대대로 큰 복을 누리길 바라는 소망이 담겨 있는 이름입니다.
(3) 강녕전은 '편안하고 건강하다.'라는 뜻으로, 왕의 건강과 안녕을 바라는 이름입니다.

3 경복궁은 임진왜란과 일제 강점기를 거치며 많이 훼손되었지만 오늘날 복원 작업으로 그 옛 모습을 되찾고 있다는 내용이 5문단에 있습니다. 그러나 어떤 건물이 복원된 것인지는 구체적으로 제시되지 않았습니다.

오답 풀이

① 교태전은 왕비가 잠을 자는 공간입니다.(3문단)
② 경복궁은 조선 왕실의 공식적인 궁궐의 모습을 확인할 수 있는 중요한 유적입니다.(5문단)
③ 경복궁이라는 이름은 정도전이 지었습니다.(1문단)
⑤ 외국에서 온 사신을 공식적으로 맞이하던 곳은 근정전이었습니다.(2문단)

4 경복궁의 주요 건물들은 각 건물의 쓰임새와 그 공간을 이용하는 사람을 위하는 마음을 담아 지었습니다. 이와 유사한 방식은 ④의 '열공방'이 공부를 하는 곳이라는 쓰임새와 열심히 공부하겠다는 마음을 담아 지었으므로 가장 적절합니다.

유형 분석/적용하기

이 문제는 주어진 글의 핵심 내용을 이해한 후 다른 사례에 적용하는 문제입니다. 경복궁과 주요 건물들의 이름을 어떤 방식으로 지었는지 생각해 봅니다.

134쪽 지문 분석

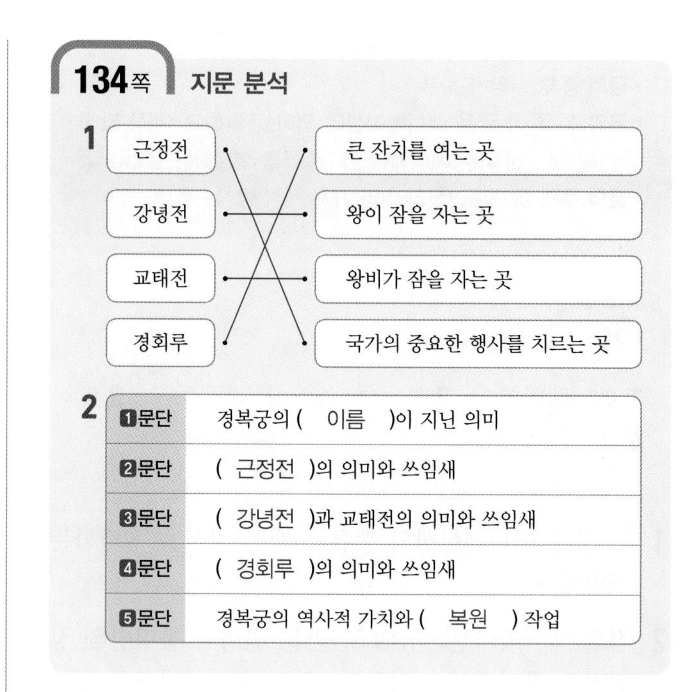

2

1문단	경복궁의 (이름)이 지닌 의미
2문단	(근정전)의 의미와 쓰임새
3문단	(강녕전)과 교태전의 의미와 쓰임새
4문단	(경회루)의 의미와 쓰임새
5문단	경복궁의 역사적 가치와 (복원) 작업

1 이 글에서는 경복궁 안에 있는 주요 건물들의 이름에 담긴 뜻을 설명하면서 각 건물의 쓰임새를 함께 설명하고 있습니다.

2 1문단에서는 경복궁의 이름이 지닌 의미를 밝히고, 2~4문단에서는 각각 근정전, 강녕전과 교태전, 경회루의 의미와 쓰임새를 설명하였습니다. 끝으로 5문단에서는 경복궁의 역사적 가치와 훼손되었던 경복궁의 복원 작업이 진행되고 있음을 설명하고 있습니다.

135쪽 오늘의 어휘

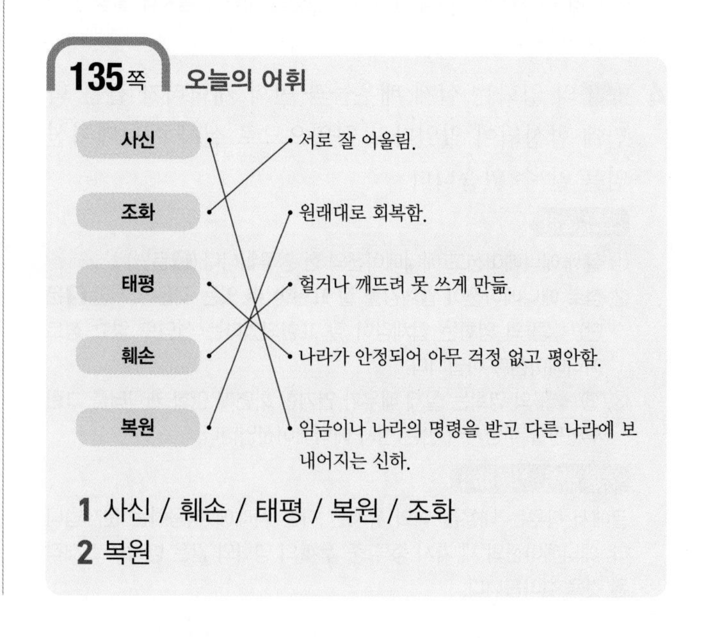

1 사신 / 훼손 / 태평 / 복원 / 조화
2 복원

- **글의 종류** 설명하는 글
- **글의 특징** 이 글은 프랑스 파리에 있는 대표적인 명소를 중심으로 예술의 도시인 파리에 대해 설명하는 글입니다.
- **글의 주제** 세계적인 예술의 도시인 파리

137쪽 지문 독해

1 ① **2** (1) ○ (2) ○ (4) ○ **3** ② **4** ⑤

1 이 글은 예술의 도시인 파리의 주요 명소에 대해 설명하는 글입니다.

2 (1) 에펠탑은 프랑스 혁명 100주년을 기념하여 열린 만국 박람회를 위해 세운 철탑입니다.(❷문단)

(2) 개선문은 나폴레옹의 전쟁 승리를 축하하기 위하여 만든 것입니다.(❺문단)

(4) 노트르담 대성당은 고딕 양식을 대표하는 건축물입니다.(❹문단)

오답 풀이

(3) ❷문단에서 루브르 박물관의 규모와 원래 용도 등에 대해 설명하고 있지만, 건축 양식에 대해서는 언급하지 않았습니다.

3 프랑스 파리는 회화, 조각, 건축 등 다양한 분야를 아우르는 세계적인 예술의 중심지이기 때문에 '예술의 도시'라고 불리는 곳입니다.(❶문단)

오답 풀이

① 레오나르도 다빈치, 피카소의 작품들이 파리에 있다고 하였을 뿐, 그들이 파리에서 태어났다는 내용은 제시되어 있지 않습니다.

③ 파리의 에펠탑은 지어질 당시에는 세계에서 가장 높은 탑이었지만 지금은 아닙니다.

④ 파리의 노트르담 대성당이 고딕 양식으로 지어진 건축물이라고 하였을 뿐, 파리의 모든 건축물이 고딕 양식으로 지어졌다는 내용은 언급되지 않았습니다.

⑤ 파리의 대표적인 건축물 중 하나인 노트르담 대성당의 일부가 시간이 흐르면서 파괴되기도 했다고 하였으므로 훼손되지 않은 채 그대로 유지되었다고 보기 어렵습니다.

4 국가의 중요한 행사가 열렸던 성당은 노트르담 대성당입니다. 루브르 박물관은 프랑스 황제들이 살던 궁전을 박물관으로 바꾼 것입니다.

유형 분석/적용하기

주요 설명 대상에 대한 이해를 바탕으로 다른 상황에 적용해 보는 문제입니다. 루브르 박물관에 대해 설명하고 있는 ❸문단에 주목하여 읽어 봅니다.

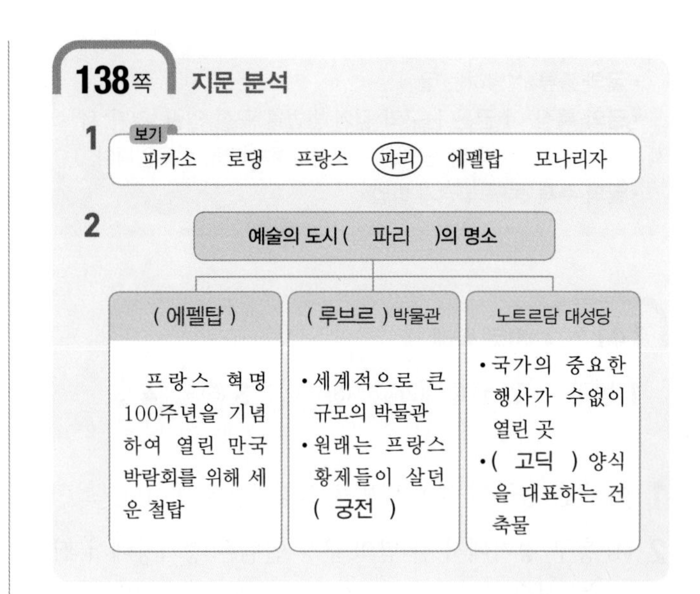

1 이 글은 세계적인 예술의 중심지이자 '예술의 도시'라고 불리는 파리에 대해 설명하는 글입니다. 따라서 보기 의 예시 중 이 글의 핵심어를 하나 꼽는다면 '파리'가 가장 적절합니다.

2 이 글에서는 예술의 도시 파리를 대표하는 상징적인 명소로 에펠탑, 루브르 박물관, 노트르담 대성당을 예로 들어 설명하였습니다. 각각의 명소가 어떤 목적으로 세워졌는지, 어떤 용도로 쓰이고 있는지, 어떤 건축 양식으로 지어졌는지 등을 정리해 보고 빈칸에 알맞은 말을 써넣어 봅니다.

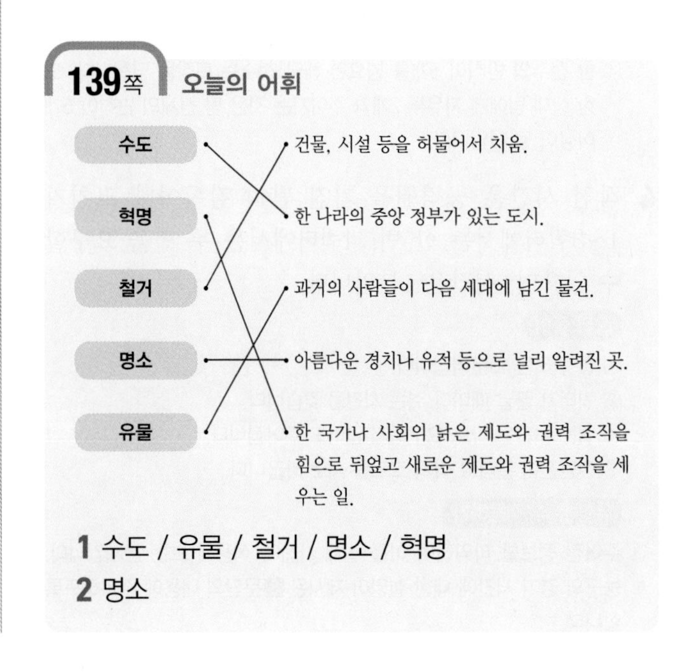

- **글의 종류** 설명하는 글
- **글의 특징** 이 글은 농구의 경기 방법을 구성 인원, 경기 시간, 득점, 반칙으로 구분하여 설명하는 글입니다.
- **글의 주제** 농구의 경기 방법

141쪽 지문 독해

1 농구 **2** (1) ○ (2) ○ (3) ○ **3** ⑤ **4** ③

1 이 글은 농구의 경기 방법을 설명하는 글입니다.

2 (1) 농구 경기에서 한 팀의 구성 인원은 경기장에서 뛰는 선수 5명과 교체 선수 7명까지 총 12명입니다.(❷문단)

(2) 농구 경기의 쉬는 시간은 한 쿼터가 끝날 때마다 2분간이며, 전반전과 후반전 사이에는 15분간입니다.(❸문단)

(3) 농구 경기의 득점은 자유투는 1점, 3점 라인 밖에서의 골은 3점, 그 외의 골은 2점입니다.(❹문단)

3 자유투는 성공하면 1점을 얻을 수 있고, 상대편이 팀 반칙을 하면 자유투를 2번 할 수 있기 때문에 이를 모두 성공시킨다면 총 2점을 얻을 수 있습니다.

오답 풀이

① 팀 반칙은 팀 전체의 반칙이 4개를 넘게 되는 것을 말합니다.
② 3점 라인 밖에서 던진 슛이 실패하는 것은 반칙이 아니므로 상대 팀에게 자유투가 주어지지 않습니다.
③ 매 쿼터마다 팀 전체의 반칙이 4개를 넘으면 팀 반칙이 되어서 5번째 반칙부터는 상대편에게 자유투 2개가 주어집니다.
④ 한 선수의 반칙이 5개를 넘으면 해당 선수는 퇴장을 당합니다. 또 한 상대 팀에게 자유투 2개가 주어지는 것은 팀 전체의 반칙이 5개 이상이 될 때입니다.

4 작전 시간은 공격권을 가진 팀의 감독이나 코치가 1~3쿼터에서는 한 번, 4쿼터에서는 두 번을 요구할 수 있으며, 시간은 1분입니다.

오답 풀이

① 한 쿼터는 10분씩입니다.
② 쿼터가 끝날 때마다 쉬는 시간을 갖습니다.
④ 쉬는 시간은 따로 요구하지 않아도 주어집니다.
⑤ 전반전이 끝나고 나서 코트를 서로 바꿉니다.

유형 분석/적용하기

주어진 정보를 파악하여 이를 실제 사례에 적용해 보는 문제입니다. 농구의 경기 시간에 대한 설명이 제시된 ❸문단의 내용에 주목하도록 합니다.

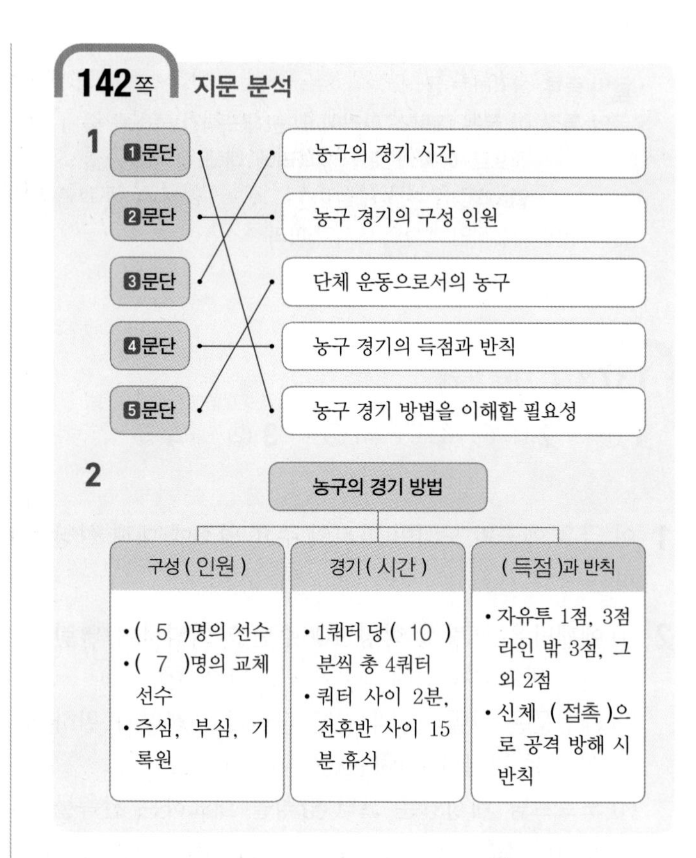

1 ❶문단에서는 농구 경기 방법을 이해할 필요성을 밝히고, ❷문단에서는 농구 경기의 구성 인원을, ❸문단에서는 경기 시간을, ❹문단에서는 득점과 반칙을 설명하였습니다. ❺문단에서는 단체 운동으로서의 농구의 특징을 강조하고 있습니다.

2 이 글에서는 농구의 경기 방법을 구성 인원, 경기 시간, 득점과 반칙으로 나누어 설명하였습니다.

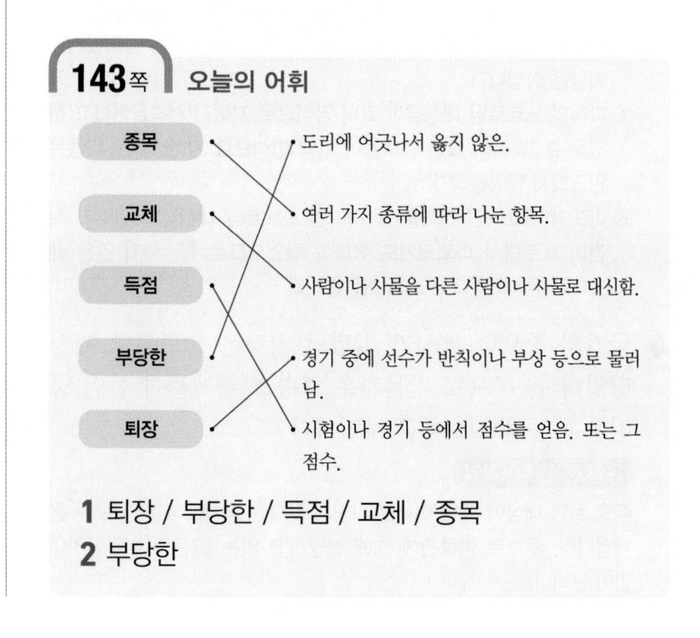

인물 01 정선의 진경산수화 144~147쪽

- **글의 종류** 설명하는 글
- **글의 특징** 이 글은 겸재 정선의 삶을 통해 그가 남긴 작품과 그 의의를 설명하는 글입니다.
- **글의 주제** 진경산수화를 그린 정선의 삶과 작품들

145쪽 지문 독해

1 (겸재) 정선 **2** (2) ○ (4) ○ **3** ③ **4** ②

1 이 글은 겸재 정선의 삶을 통해 그가 남긴 작품과 그 의의를 설명하는 글입니다.

2 (2) ❷문단에서 당시 조선의 화가들은 중국의 자연 경치를 상상해서 중국식으로 그렸지만, 정선은 우리의 경치를 자신만의 독특한 화풍으로 그렸다고 하였습니다.

(4) ❸문단에서 정선은 평생 뛰어난 경치를 볼 수 있다면 아무리 험한 곳도 마다하지 않고 찾아다녔다고 한 것에서, 우리의 경치를 그려 내는 것에 대한 정선의 열정을 엿볼 수 있습니다.

오답 풀이

(1) ❸문단에 정선이 금강산을 가장 자주 찾아가고 가장 많이 그렸다는 내용은 있지만, 금강산을 그린 작품들의 이름이 언급되지는 않았습니다.

(3) 정선 외에 진경산수화를 그린 다른 화가들은 소개되지 않았습니다.

3 「인왕제색도」는 정선이 친구 이병연과의 추억이 담긴 장소인 인왕산의 풍경을 그린 그림입니다.

오답 풀이

① 「인왕제색도」는 정선의 그림 중 가장 유명한 그림으로, 대표적인 진경산수화 중 하나입니다.

② 「인왕제색도」는 친구인 이병연과의 추억의 장소인 인왕산의 풍경을 그린 그림입니다.

④, ⑤ 「인왕제색도」는 웅장한 인왕산의 모습을 대담하고 강렬한 흑백의 대비로 표현하여 실제 눈앞에서 보는 듯한 느낌을 줍니다.

4 '금란지교'는 친구 사이에 매우 두터운 정이 있어 가까운 관계를 가리킬 때 쓰는 한자 성어입니다. 이 글에서 이병연은 정선의 평생 친구라고 하였고, 정선은 이병연과 교류하며 많은 영향을 받았다고 하였습니다. 그리고 정선은 친구인 이병연이 숨을 거두기 전에 두 사람의 추억의 장소인 「인왕제색도」를 그렸다고 하였으므로, 이로 보아 두 사람의 사이가 무척 가까운 친구 관계였음을 알 수 있습니다.

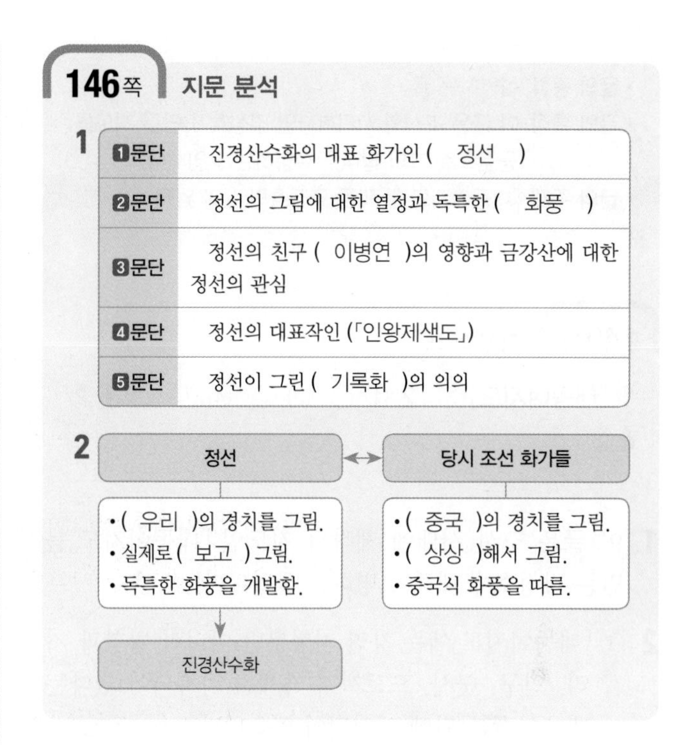

146쪽 지문 분석

1

문단	내용
❶문단	진경산수화의 대표 화가인 (정선)
❷문단	정선의 그림에 대한 열정과 독특한 (화풍)
❸문단	정선의 친구 (이병연)의 영향과 금강산에 대한 정선의 관심
❹문단	정선의 대표작인 (「인왕제색도」)
❺문단	정선이 그린 (기록화)의 의의

2

1 ❶문단에서는 진경산수화의 뜻을 설명하며 대표 화가인 정선을 소개하고, ❷문단에서는 정선의 그림에 대한 열정과 독특한 화풍을 설명하고, ❸문단에서는 정선의 평생 친구였던 이병연의 영향과 금강산에 대한 정선의 관심에 대해 설명하고 있습니다. ❹문단에서는 가장 널리 알려진 정선의 작품인 「인왕제색도」를 소개하고, ❺문단에서는 정선이 그린 기록화의 의의를 설명하고 있습니다.

2 이 글에서는 당시의 조선 화가들과는 다른 정선만의 독특한 화풍에 대해 대조적으로 설명하였습니다.

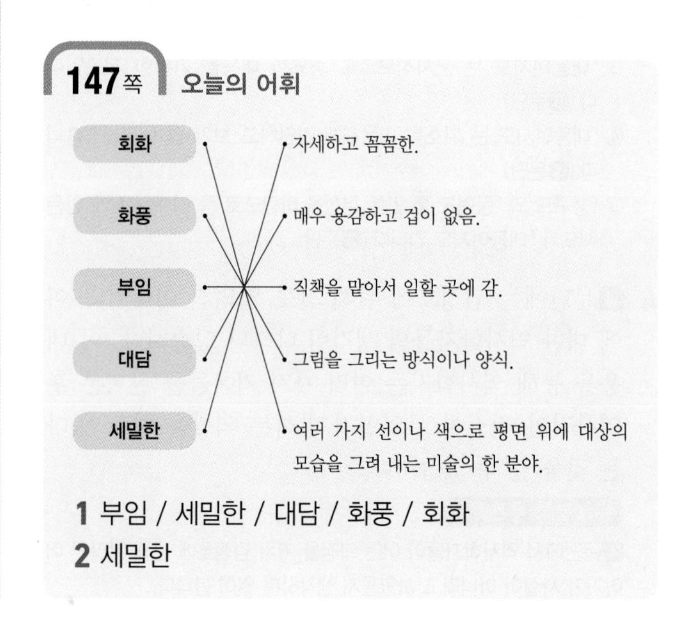

147쪽 오늘의 어휘

1 부임 / 세밀한 / 대담 / 화풍 / 회화

2 세밀한

- **글의 종류** 설명하는 글
- **글의 특징** 이 글은 조선의 지리학자인 김정호가 만든 지도를 중심으로 그의 업적을 설명하는 글입니다.
- **글의 주제** 「대동여지도」를 만든 김정호의 삶과 업적

149쪽 지문 독해

1 「대동여지도」 **2** (1) ○ (2) ○ (4) ○ **3** ② **4** ③

1 이 글은 조선 시대에 제작된 지도인 「대동여지도」를 만든 김정호에 대해 설명하는 글입니다.

2 (1) 「대동여지도」에는 자연 지형뿐만 아니라 방향과 거리, 인구, 군사, 도로까지 자세히 기록되어 있다는 내용이 ❸문단에 제시되어 있습니다.
(2) ❶문단에 따르면 김정호는 외적으로부터 나라를 지킬 때, 백성의 삶을 다스리는 정치를 할 때 지도가 꼭 필요하다고 생각해서 지도를 만들었음을 알 수 있습니다.
(4) ❹문단에는 김정호에 관해 잘못 알려진 이야기에 대한 내용이 제시되어 있습니다.

3 「대동여지도」는 「청구도」와 「동여도」를 먼저 만든 다음에 제작한 지도이므로, 김정호가 첫 번째로 완성한 지도는 아닙니다.

오답 풀이

① 「대동여지도」는 실제 한반도의 모습과 거의 일치할 정도로 정확한 지도입니다.(❺문단)
③ 「대동여지도」는 군사적으로도 중요한 내용을 기록한 지도입니다.(❺문단)
④ 「대동여지도」는 기호를 이용해서 간단하고 보기 쉽게 만들었습니다.(❸문단)
⑤ 「청구도」와 「동여도」를 만든 경험을 바탕으로 좀 더 완벽하게 만든 지도가 「대동여지도」입니다.(❸문단)

4 ❹문단에는 김정호에 관해 잘못 알려진 이야기와 이에 대한 역사학자들의 생각이 나타나 있습니다. 이 내용을 통해 역사학자는 여러 가지 기록들을 살펴본 후 역사적인 진실이 무엇인지 밝히는 역할을 하고 있다는 것을 알 수 있습니다.

유형 분석/추론하기

❹문단에서 역사학자들이 어떤 과정을 거쳐 김정호에 관해 알려진 이야기가 사실이 아니라고 하였을지 생각하며 읽어 봅니다.

150쪽 지문 분석

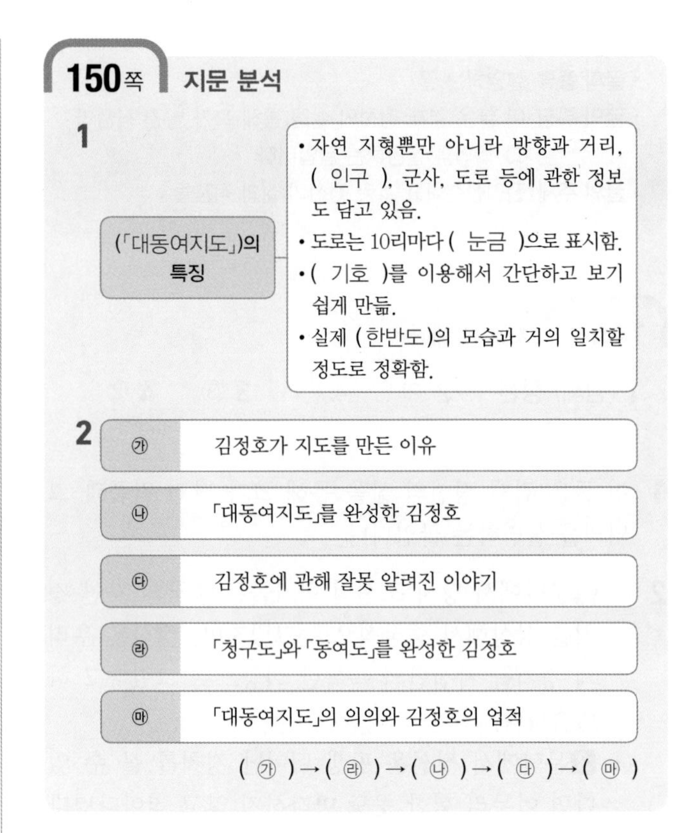

1 이 글에서는 김정호의 가장 중요한 업적인 「대동여지도」의 특징을 설명하고 있습니다.

2 ❶문단에서는 김정호가 지도를 만든 이유를 밝히고, ❷문단에서는 「청구도」와 「동여도」를 완성한 내용을, ❸문단에서는 「대동여지도」를 완성한 내용을 설명하고 있습니다. ❹문단에서는 김정호에 관해 잘못 알려진 이야기를 언급하고, ❺문단에서는 「대동여지도」의 의의와 김정호의 업적을 강조하고 있습니다.

151쪽 오늘의 어휘

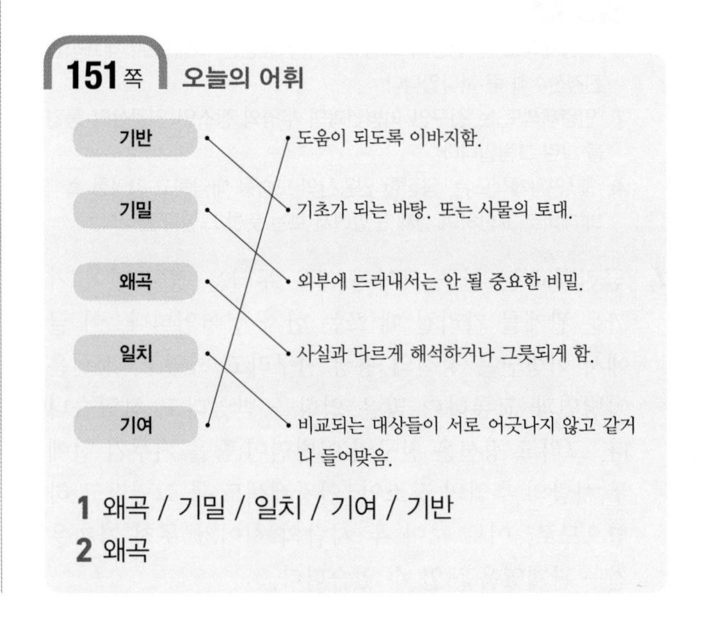

1 왜곡 / 기밀 / 일치 / 기여 / 기반
2 왜곡

- **글의 종류** 전기문
- **글의 특징** 이 글은 피아노의 시인으로 불리는 쇼팽의 음악가로서의 삶과 그의 조국에 대한 애틋한 마음에 대해 쓴 글입니다.
- **글의 주제** 조국을 그리워한 피아노의 시인 쇼팽

153쪽 지문 독해

1 쇼팽 **2** ② **3** ③ **4** ④

1 이 글은 피아노의 시인으로 불리는 쇼팽의 생애에 대해 쓴 글입니다.

2 쇼팽의 시신은 파리에 묻혔으며, 무덤 위에는 그가 간직해 온 폴란드의 흙이 뿌려져 있습니다. 죽기 전에 남긴 유언대로 쇼팽의 심장만이 폴란드의 한 성당에 안치되어 있습니다.

오답 풀이

① 쇼팽은 조국 폴란드를 떠나 오스트리아 빈에서 음악 공부를 하였고(2문단), 이후 프랑스 파리에 가서 음악 활동을 하며 죽을 때까지 그곳에서 지냈습니다.(3문단)
③ 2문단에 다른 나라의 지배를 받고 있던 폴란드에서 독립 혁명이 일어났다는 내용이 있습니다.
④ 2문단에 폴란드로 돌아갈 수 없는 상황이었던 쇼팽이 조국과 가족에 대한 그리운 마음을 폴란드 민속 춤곡을 이용해 피아노곡으로 만들며 마음을 달랬다는 내용이 있습니다.
⑤ 4문단에 쇼팽의 곡과 연주법은 오늘날 피아노를 배우는 학생들의 교과서 역할을 하고 있다는 내용이 있습니다.

3 쇼팽이 사랑했던 여인 조르주 상드와 이별한 이유는 이 글에 나타나 있지 않습니다.

오답 풀이

① 1문단에서 쇼팽이 폴란드에서 태어났다고 했습니다.
② 3문단에서 쇼팽에게 리스트는 평생의 음악 친구라고 했습니다.
④ 1문단에 쇼팽을 피아노의 시인이라 부르는 이유가 나타나 있습니다.
⑤ 4문단에 의하면 쇼팽이 자신의 심장을 폴란드로 보내 달라는 유언을 남겼기 때문에 그의 심장이 폴란드의 한 성당에 안치되어 있는 것입니다.

4 '수구초심'은 고향에 대한 그리움을 나타내는 한자 성어입니다. 이러한 뜻과 관련하여 이 글이 어떤 글인지 잘 설명한 것은 준우입니다.

유형 분석 / 어휘·어법

글을 읽고 보기 에 제시된 한자 성어의 뜻을 활용하여 글의 주제와 목적을 생각해 보는 문제입니다. 제시된 글이 어떤 글인지 적절하게 말한 친구가 누구인지 생각해 봅니다.

154쪽 지문 분석

1

문단	내용
1문단	피아노의 시인으로 불리는 쇼팽
2문단	조국에 대한 그리움을 작곡으로 달랜 쇼팽
3문단	프랑스에서의 쇼팽의 삶과 죽음
4문단	조국에 대한 쇼팽의 진심과 쇼팽의 음악이 갖는 의의

2 쇼팽은 독창적이고 신선한 연주법으로 피아노의 (시인) 이라고 불리는 음악가이다. 쇼팽은 오스트리아와 프랑스에서 생활하면서 조국인 (폴란드)를 늘 그리워했으며, 쇼팽의 유언대로 그의 (심장)은 폴란드의 한 성당에 안치되어 있다.

1 1문단에서는 피아노의 시인으로 불리는 쇼팽에 대한 평가를 소개하고, 2문단에서는 쇼팽이 폴란드에 대한 그리움을 음악으로 승화한 내용을 설명하고 있습니다. 3문단에서는 프랑스에서의 쇼팽의 삶과 죽음을 설명하고, 4문단에서는 조국을 그리워한 쇼팽의 유언과 그의 음악이 오늘날 갖는 의의를 설명하고 있습니다.

2 이 글은 쇼팽의 음악가로서의 삶과 조국인 폴란드에 대한 사랑과 그리움에 대해 쓴 글입니다. 빈칸에 알맞은 말을 써넣어 이 글의 중심 내용을 정리해 보도록 합니다.

155쪽 오늘의 어휘

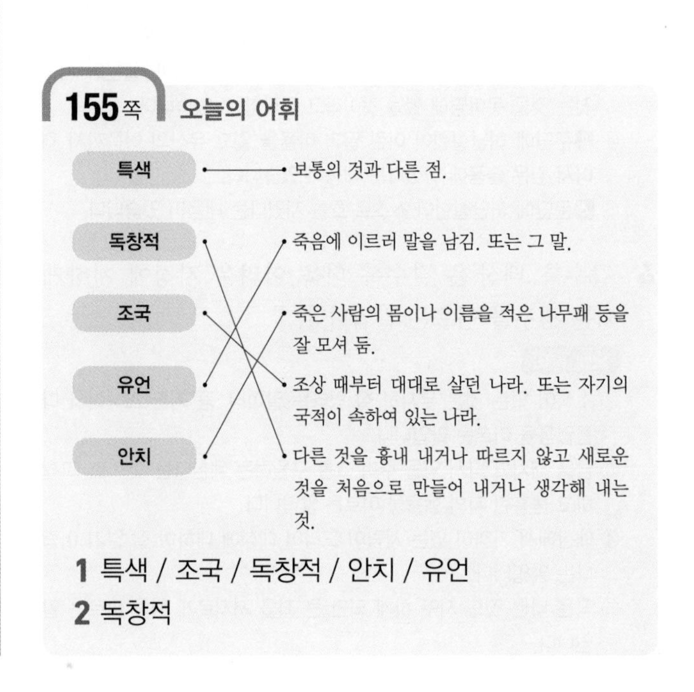

1 특색 / 조국 / 독창적 / 안치 / 유언
2 독창적

- **글의 종류** 전기문
- **글의 특징** 이 글은 허난설헌의 비극적인 생애와 조선 시대의 여성 시인으로서의 특별함에 대해 쓴 글입니다.
- **글의 주제** 천재 시인 허난설헌의 생애와 특별함

157쪽 지문 독해

1 허난설헌 **2** (1) ○ (3) ○ **3** ② **4** ①

1 이 글은 허난설헌의 생애와 천재 시인으로서의 특별함에 대해 쓴 글입니다.

2 (1) 허난설헌은 자신의 작품을 모두 태워 달라는 유언을 남겼습니다.(❸문단)
(3) 허난설헌은 여성으로서 사회적 제약이 많았던 시대에 비교적 개방적인 집안 분위기 속에서 원하는 공부를 하며 자랐습니다.(❶문단)

3 허난설헌의 유언은 자신의 작품들을 모두 태워 달라는 것이었습니다. 허난설헌의 시집은 유언 때문이 아니라 남동생 허균이 누이의 재능을 아깝게 여겨 허난설헌이 지었던 시들을 모아 엮은 것입니다.

오답 풀이
① ❶문단에 허난설헌의 아버지 허엽은 딸에게도 아들들과 똑같은 배움의 기회를 주었다고 하였고, 허난설헌의 두 오빠와 남동생인 허균 역시 누이의 문학적 재능을 무척 아꼈다는 내용이 있습니다.
③ ❷문단에 허난설헌의 남편은 아내에게 열등감을 느꼈고 시어머니는 며느리의 재능을 인정하지 않았다는 내용이 있으므로, 이를 통해 결혼을 한 이후 허난설헌의 새로운 가족들은 허난설헌이 시를 짓는 것을 못마땅해 했을 것이라고 짐작할 수 있습니다.
④ ❷문단에 허난설헌이 어린 딸과 아들을 잃고 유산의 아픔까지 겪어서 깊은 슬픔에 빠졌다는 내용이 있습니다.
⑤ ❹문단에 허난설헌이 스스로 호를 지었다는 내용이 있습니다.

4 '갈수록 태산'은 갈수록 더욱 어려운 지경에 처하게 되는 경우를 이르는 말입니다.

오답 풀이
② 소식이 없는 것은 무사히 잘 있다는 말이니, 곧 기쁜 소식이나 다름없음을 이르는 말입니다.
③ 남을 해치고 나서 약을 주며 그를 구원하는 체한다는 뜻으로, 교활하고 음흉한 자의 행동을 이르는 말입니다.
④ 대상에서 가까이 있는 사람이 도리어 대상에 대하여 잘 알기 어렵다는 말입니다.
⑤ 작은 나쁜 짓도 자꾸 하게 되면 큰 죄를 저지르게 됨을 이르는 말입니다.

158쪽 지문 분석

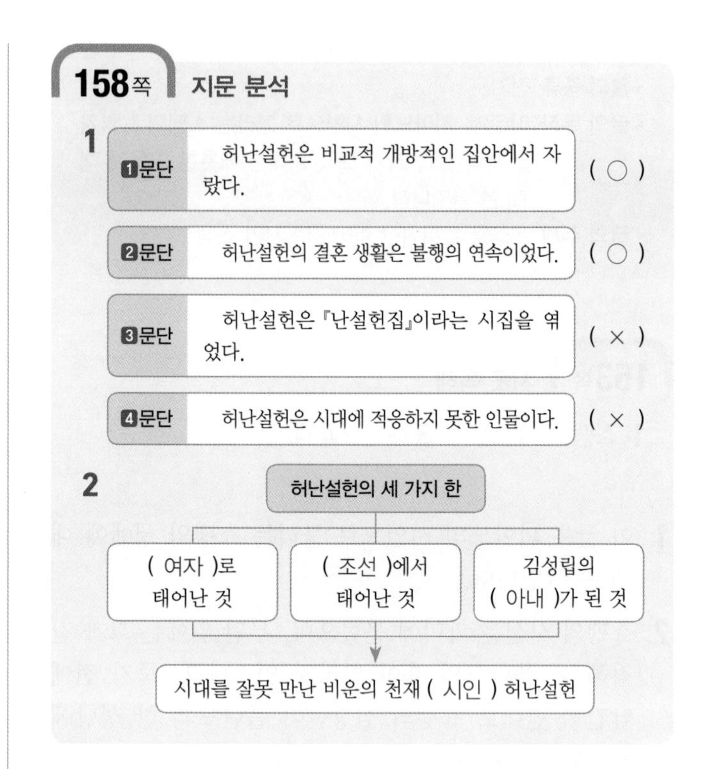

1 ❶문단에서는 비교적 개방적인 집안 분위기 속에서 자란 허난설헌의 성장 배경을 소개하였고, ❷문단에서는 허난설헌의 불행했던 결혼 생활을 설명했습니다. ❸문단을 보면, 『난설헌집』을 엮은 것은 허난설헌이 아니라 남동생 허균입니다. ❹문단에서는 시대를 잘못 만났지만 매우 특별한 위인이었던 허난설헌의 특별함을 강조하고 있습니다.

2 허난설헌은 자신의 생애에서 세 가지 한을 남기고 죽었습니다. 첫째는 여자로 태어난 것, 둘째는 조선에서 태어난 것, 셋째는 김성립의 아내가 된 것입니다.

159쪽 오늘의 어휘

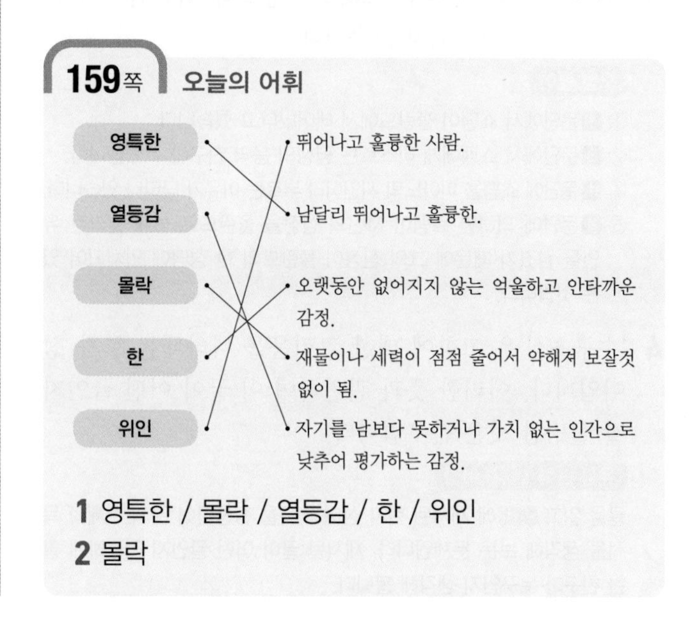

1 영특한 / 몰락 / 열등감 / 한 / 위인
2 몰락

환경 01 빙하가 녹는 원인, 지구 온난화

- **글의 종류** 설명하는 글
- **글의 특징** 이 글은 빙하가 녹고 있는 실태와 원인을 분석하고, 그로 인해 발생하는 문제점을 제시한 후 이를 막기 위한 노력의 필요성을 강조하는 글입니다.
- **글의 주제** 빙하가 녹는 원인과 해결을 위한 노력의 필요성

161쪽 지문 독해

1 지구 온난화 **2** ㉱ → ㉮ → ㉰ → ㉯ **3** ② **4** ⑤

1 이 글은 빙하가 녹고 있는 원인인 지구 온난화와 이를 막기 위한 노력의 필요성을 설명하는 글입니다.

2 ❹문단에서는 지구 온난화의 원인이 이산화 탄소의 배출이라고 하였습니다. 그리고 ❸문단에서는 지구 온난화가 계속되면 빙하가 녹아내리게 되고, 그러면 해수면이 상승한다고 하였습니다. 따라서 원인과 결과에 맞게 순서를 배열하면 '이산화 탄소 배출 → 지구 온난화 → 녹아내리는 빙하 → 해수면 상승'이 됩니다.

3 빙하가 녹았다가 다시 얼었던 사례는 이 글에 제시되지 않았습니다.

오답 풀이

① ❷문단에서 질문의 답을 찾을 수 있습니다.
③ ❸문단에서 질문의 답을 찾을 수 있습니다.
④ ❷문단에서 질문의 답을 찾을 수 있습니다.
⑤ ❷문단에서 질문의 답을 찾을 수 있습니다.

유형 분석 / 추론하기

이 문제는 주어진 글의 세부 내용을 파악하여 질문의 답을 찾을 수 있는지 확인하는 문제입니다. 각 질문에 해당하는 답들을 글에서 찾으며 읽어 봅니다.

4 지구 온난화로 인해 빙하가 녹는 것은 전 지구적 문제입니다. 따라서 개인뿐만 아니라 국가적·세계적으로도 노력이 필요한 것입니다. 따라서 ⑤의 도영이와 같이 나부터 일상생활에서 이산화 탄소 배출을 줄이기 위해 노력한다고 한 것은 적절합니다.

오답 풀이

① ㉡에는 개인적 노력도 포함되므로 적절하지 않습니다.
②, ④ 이산화 탄소 배출을 줄이기 위한 노력이 아니므로 적절하지 않습니다.
③ 전 세계 모든 국가의 노력이 필요하다는 점에서 적절하지 않습니다.

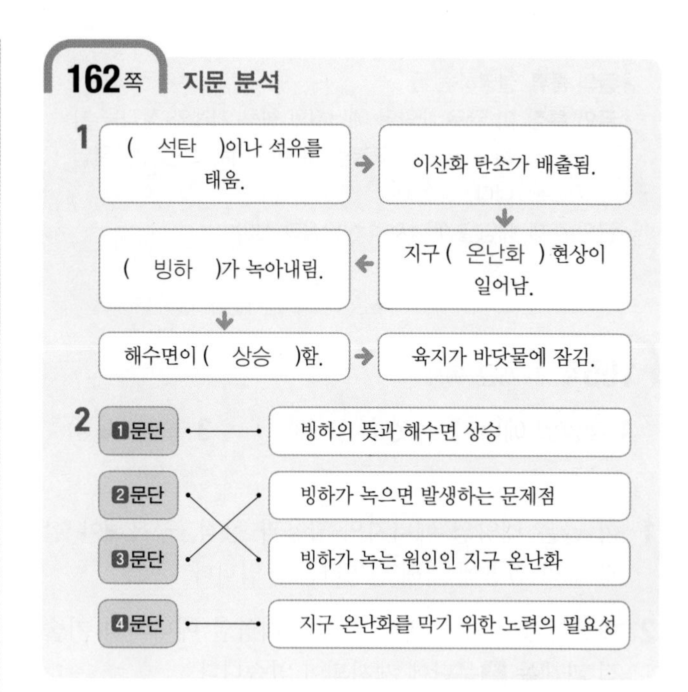

1 이 글에서는 빙하가 녹는 원인을 분석하고 있습니다. 석탄이나 석유 등의 화석 연료를 태우는 것부터 시작하여 육지가 바닷물 속으로 잠기게 되기까지 어떤 과정들이 원인과 결과의 관계로 일어나는지 순서대로 정리해 봅니다.

2 ❶문단에서는 빙하의 뜻과 빙하가 녹아서 해수면이 상승하는 문제를 설명하였습니다. ❷문단에서는 빙하가 녹는 원인을, ❸문단에서는 빙하가 녹으면 발생하는 문제점을 설명하였습니다. ❹문단에서는 빙하가 녹는 원인인 지구 온난화를 막기 위한 노력의 필요성을 강조하였습니다.

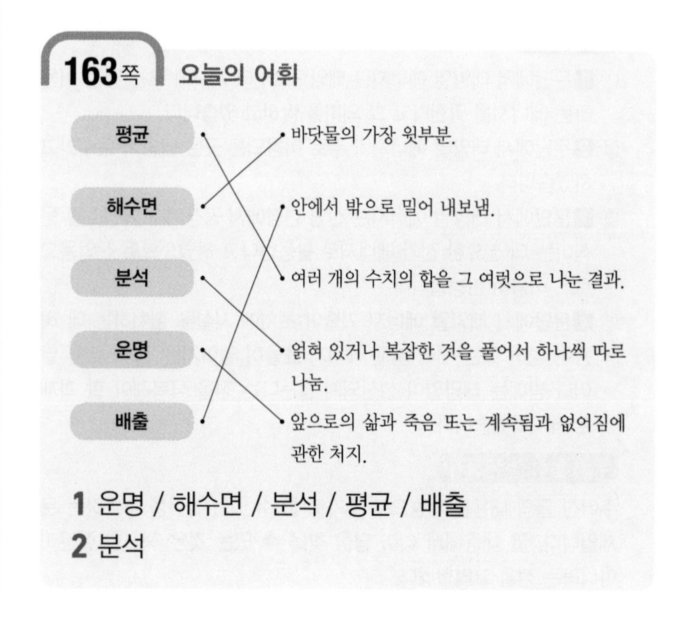

- **글의 종류** 설명하는 글
- **글의 특징** 이 글은 태양열 에너지의 활용 사례와 장점을 밝히고, 앞으로 극복할 과제에 대해 설명하는 글입니다.
- **글의 주제** 태양열 에너지의 장단점과 전망

165쪽 지문 독해

1 태양열 에너지 **2** (2) ○ (3) ○ **3** ③ **4** ④

1 이 글은 태양열 에너지의 활용과 장점, 극복해야 할 과제 및 전망에 대해 설명하는 글입니다.

2 태양열 에너지에 대한 전망과 태양열 에너지의 기술적 과제는 ❹문단에 제시되어 있습니다.

3 태양열 에너지는 태양이 지구에 열을 보내 주는 한 무한히 사용할 수 있는 에너지원입니다.

오답 풀이

①, ② 아직 태양열 에너지는 초기 설치 비용이 많이 드는 것에 비해 에너지 효율이 낮습니다.(❹문단)
④ 태양열 에너지는 흐린 날이나 밤에는 얻을 수 없습니다.(❹문단)
⑤ 태양열 에너지는 친환경 에너지 자원에 속하지만, 화석 연료는 이산화 탄소 배출로 인해 대기 오염을 일으키므로 친환경 에너지 자원이 아닙니다.(❸문단)

4 이 글에서는 태양열 에너지가 언제부터 사람들에게 주목받기 시작했는지는 언급하지 않았습니다. 따라서 ④는 이 글을 읽고 추가로 질문할 내용으로 적절합니다.

오답 풀이

① ❶문단에서 태양열 에너지란 태양으로부터 지구에 오는 열을 이용하는 에너지를 말한다고 그 의미를 밝히고 있습니다.
② ❷문단에서 태양열 에너지가 주로 이용되는 곳은 난방과 온수라고 하였습니다.
③ ❷문단에서 태양열 에너지는 산업 현장에서 공장이나 발전소를 움직이는 데 필요한 전기 에너지로 활용한다고 하였으므로 산업용으로도 이용이 가능합니다.
⑤ ❹문단에서 태양열 에너지 기술이 초기에 시설을 설치하는 데 비용이 많이 드는 것에 비해 에너지 효율이 떨어지는 점과, 흐린 날이나 밤에는 태양열이 생산되지 않는다는 점을 극복해야 할 과제로 제시하였습니다.

유형 분석/추론하기

주어진 글의 내용을 바탕으로 추가로 할 수 있는 질문을 추론하는 문제입니다. 글 내용에서 이미 답을 찾을 수 있는 것은 적절한 질문이 아니라는 점을 고려합니다.

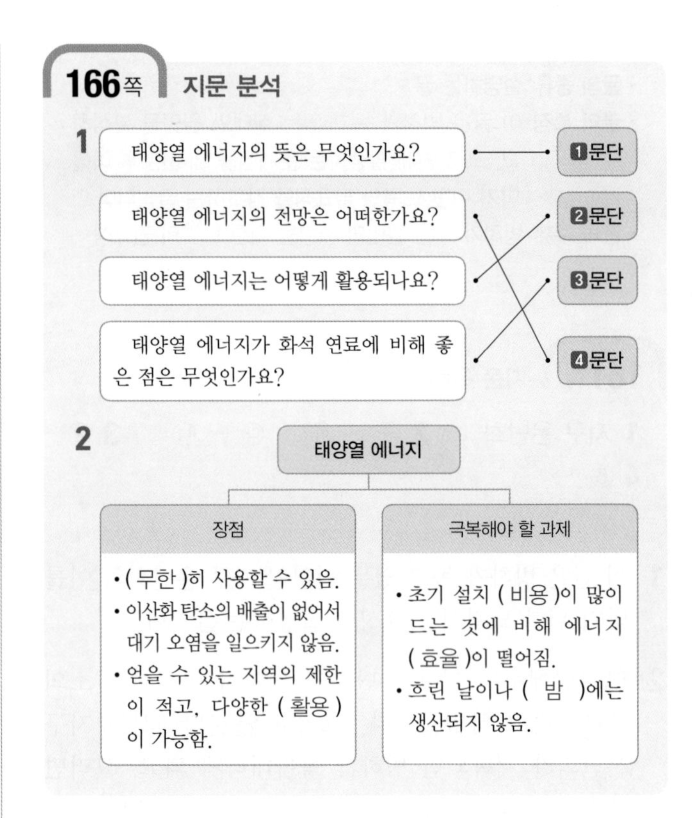

1 ❶문단에서는 태양열 에너지가 무슨 뜻인지, ❷문단에서는 태양열 에너지가 어떻게 활용되는지, ❸문단에서는 태양열 에너지가 어떤 좋은 점이 있는지, ❹문단에서는 태양열 에너지의 전망이 어떠한지 설명하고 있습니다.

2 이 글에서는 태양열 에너지의 장점과 앞으로 극복해야 할 기술적인 과제를 설명하고 있습니다.

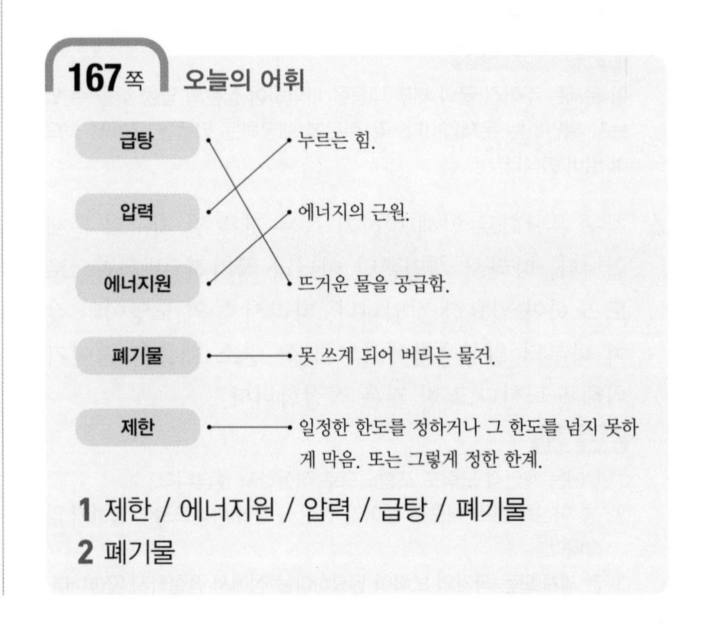

- **글의 종류** 설명하는 글
- **글의 특징** 이 글은 해양 오염의 실태와 원인을 분석하고, 그 심각성과 예방을 위한 구체적인 실천을 강조하는 글입니다.
- **글의 주제** 해양 오염의 원인과 예방을 위한 노력의 필요성

169쪽 지문 독해

1 해양 오염 **2** (2) ○ (3) ○ **3** ② **4** ②

1 이 글은 해양 오염의 실태와 원인을 분석하고, 그 심각성과 예방을 위한 구체적인 실천에 대해 설명하는 글입니다.

2 ❸문단과 ❺문단에는 해양 오염이 바다 생태계와 인간에게 미치는 문제의 심각성이 잘 나타나 있습니다.

오답 풀이

(1) 해양 쓰레기의 처리 방법은 이 글에 제시되지 않았습니다.

(4) ❹문단에 바다에 기름이 유출되면 바다가 다시 원래대로 돌아오는 데 걸리는 시간이 100년 이상이라는 내용은 있지만, 이 글에 오염된 바다를 다시 깨끗하게 만드는 데 드는 비용은 언급되지 않았습니다.

3 이 글에서는 해양 오염의 원인을 사람들이 사용한 오염된 물, 해양 쓰레기, 기름 유출로 설명하고 있습니다. 수명이 다하여 죽은 바다 생물은 해양 오염의 원인으로 볼 수 없습니다.

오답 풀이

① ❹문단에서 기름 유출이 바다를 심각하게 오염시키는 원인이라고 하였습니다. 바다에 기름이 유출되면 다시 원래의 바다로 돌아오기까지 100년 이상의 시간이 걸린다고 합니다.

③ ❸문단에서 해양 쓰레기가 해양 오염의 원인이라고 하였습니다. 페트병이나 비닐봉지와 같은 일회용품 사용으로 생긴 각종 쓰레기들이 바다로 유입되어 바다 생태계에 큰 위협이 되고 있다고 하였습니다.

④, ⑤ ❷문단에서 바다가 오염되는 것은 육지에서 사람들이 사용한 더러운 물이 바다로 흘러 들어가기 때문이라고 하였습니다. 공장에서 기름때를 세척하고 난 뒤 버려지는 물, 가정에서 빨래나 목욕을 하고 난 뒤 버려지는 물 모두 해양 오염의 원인이 됩니다.

4 일회용품은 결국 쓰레기가 된다는 점에서 ②는 해양 오염을 예방하기 위한 구체적인 실천으로 보기 어렵습니다.

유형 분석/적용하기

주어진 글의 내용을 실제 사례에 적용하는 문제입니다. 해양 오염을 막기 위한 실천은 곧 해양 오염의 원인을 없애는 것임을 생각해 봅니다.

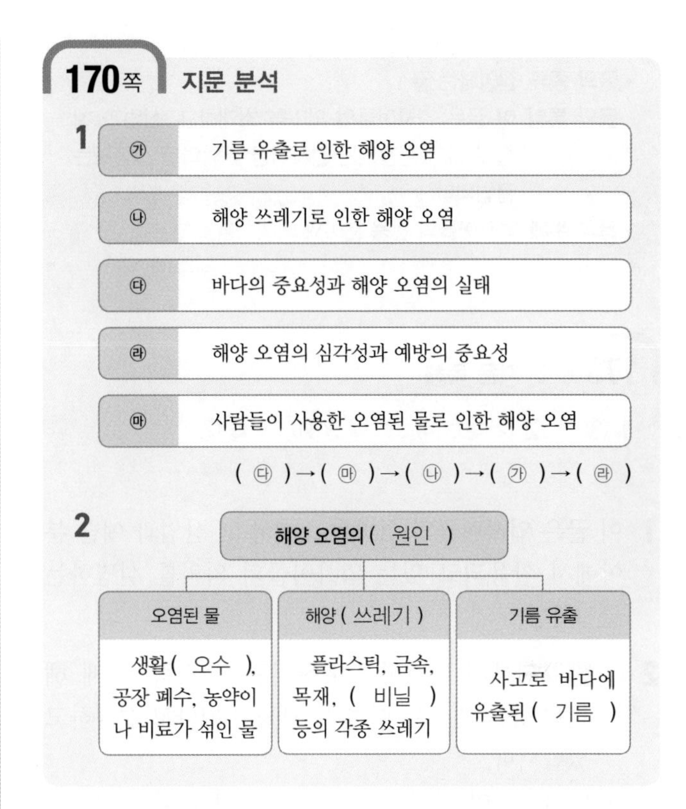

1 ❶문단에서는 바다의 중요성과 해양 오염의 실태를 밝히고, ❷~❹문단에서는 해양 오염의 원인을 세 가지로 구분하여 각각 설명하였습니다. ❺문단에서는 해양 오염의 심각성과 예방을 위한 실천을 강조하고 있습니다.

2 이 글에서는 해양 오염의 원인을 사람들이 사용한 오염된 물, 해양 쓰레기, 기름 유출로 구분하여 설명하였습니다.

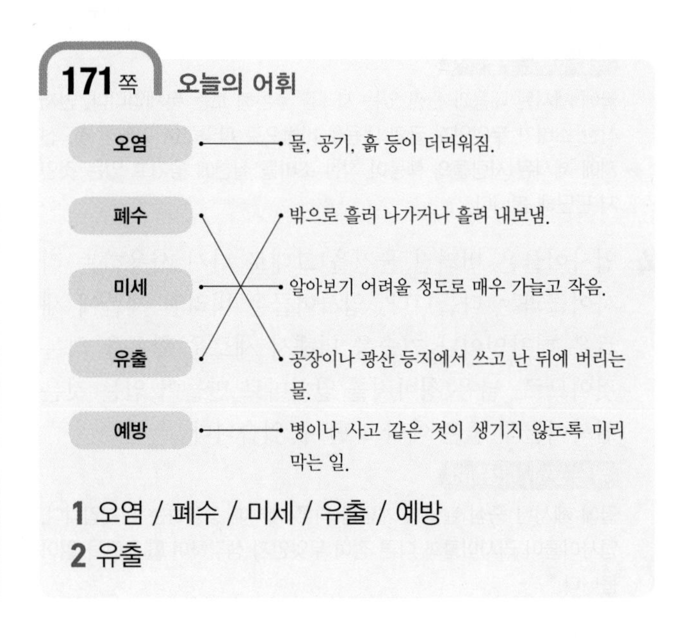

환경 04 업사이클의 활용 분야와 의의

- **글의 종류** 설명하는 글
- **글의 특징** 이 글은 업사이클의 의미를 소개하고, 산업과 예술 분야에 활용되는 업사이클의 의의를 설명하는 글입니다.
- **글의 주제** 업사이클의 활용 분야와 의의

173쪽 지문 독해

1 ③ 2 (2) ○ (4) ○ 3 ④ 4 ②

1 이 글은 업사이클의 의미를 소개하고, 산업과 예술 분야에서 활용되고 있는 업사이클의 의의를 설명하는 글입니다.

2 (2) ❹문단에서 업사이클이 창의력, 주의력, 문제 해결력 등을 기르는 데 좋은 교육이 된다고 설명하고 있습니다.
(4) 업사이클이 산업과 예술 분야에 활용되는 사례를 ❷문단과 ❸문단에서 각각 보여 주고 있습니다.

오답 풀이
(1) 업사이클의 한계는 이 글에 제시되지 않았습니다.
(3) 업사이클 기업으로 스위스와 미국의 사례는 ❷문단에 제시되어 있지만, 우리나라의 사례는 언급되지 않았습니다.

3 '착한 소비'를 지향하는 사람들이란 자신은 조금 불편하더라도 지구의 환경을 생각하며 소비하는 사람들을 뜻합니다. 비닐봉지를 사용하지 않기 위해 장바구니를 갖고 다니는 것은 적절하지만, 예쁜 장바구니를 여러 개 구입하는 것은 착한 소비로 보기 어렵습니다.

유형 분석/추론하기
글에 제시된 내용과 관련 있는 사례를 추론해 보는 문제입니다. 먼저 착한 소비가 무엇인지 글의 내용을 바탕으로 파악하여 이해한 후, 선지에 제시된 사람들의 행동이 착한 소비를 실천에 옮기고 있는 것인지 판단해 봅니다.

4 업사이클은 버려진 물건을 그대로 다시 사용하는 리사이클과는 다릅니다. 업사이클은 버려진 제품에 새로운 디자인이나 기술을 더해서 새로운 활용을 하는 것이므로, 낡은 청바지를 앞치마로 만들어 입는 것은 업사이클의 좋은 예라고 할 수 있습니다.

유형 분석/적용하기
글에 제시된 중심 낱말의 개념을 다른 예시에 적용하는 문제입니다. 업사이클이 리사이클과 다른 점이 무엇인지 생각하며 ❶문단을 읽어 봅니다.

174쪽 지문 분석

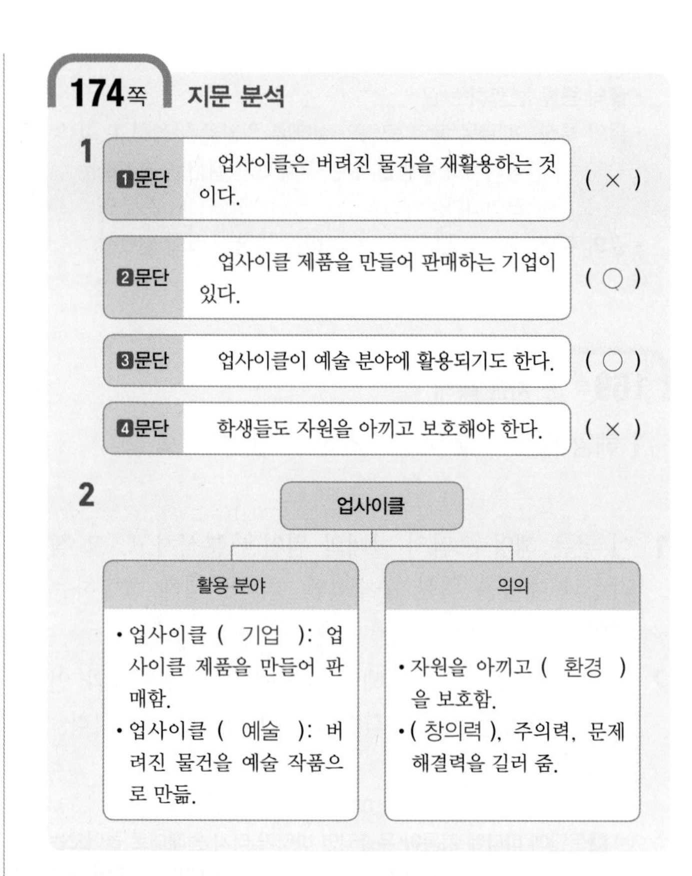

1

❶문단	업사이클은 버려진 물건을 재활용하는 것이다.	(×)
❷문단	업사이클 제품을 만들어 판매하는 기업이 있다.	(○)
❸문단	업사이클이 예술 분야에 활용되기도 한다.	(○)
❹문단	학생들도 자원을 아끼고 보호해야 한다.	(×)

2

업사이클

활용 분야	의의
• 업사이클 (기업): 업사이클 제품을 만들어 판매함. • 업사이클 (예술): 버려진 물건을 예술 작품으로 만듦.	• 자원을 아끼고 (환경)을 보호함. • (창의력), 주의력, 문제 해결력을 길러 줌.

1 ❶문단에서는 업사이클의 의미를 밝히고 있는데, 버려진 물건을 그대로 재활용하는 것은 업사이클이 아니라 리사이클입니다. ❹문단에 업사이클이 자원을 절약하는 역할을 한다는 내용이 제시되어 있긴 하지만, 이를 문단의 중심 내용으로 보기는 어렵습니다.

2 이 글에서는 업사이클이 활용되는 분야와 그 의의를 설명하고 있습니다.

175쪽 오늘의 어휘

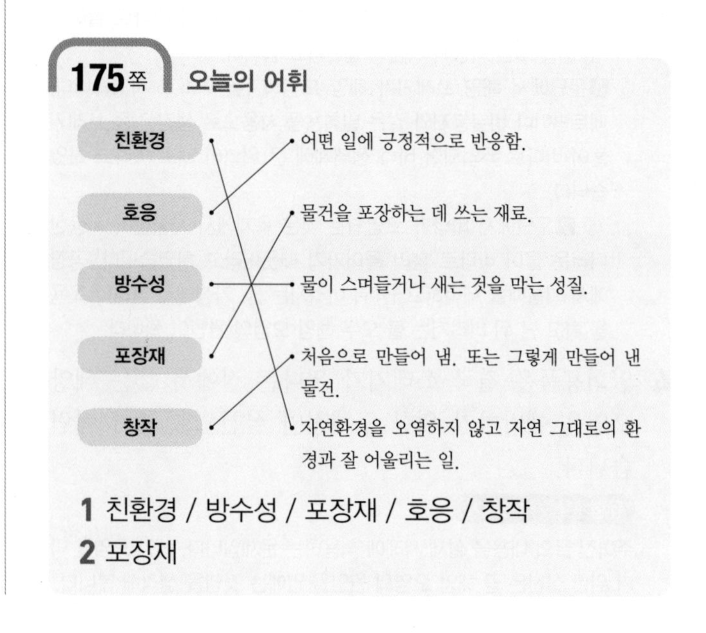

1 친환경 / 방수성 / 포장재 / 호응 / 창작
2 포장재

정답과 해설